中国近现代针灸文献研究集成

教材卷

王富春
杨克卫 / 主编

针灸综合分卷

广东篇（三）

北京科学技术出版社

针灸医学大纲
（曾天治）

提 要

一、作者小传

曾天治（1902—1948），又名曾贵祥，广东五华人，出生于五华大田镇蛇坑村一个农民家庭，其父曾恩荣以务农为生。曾天治自幼聪颖，后得到教会助学金资助，就读于教会主办的乐育中学。曾天治1918年中学毕业后，入李明朗神道学校学习，1921年肄业。1921—1927年，曾天治先后任外国人教师、教会干事，并主编教会月报周刊长达六七年，为其日后兴办学校、著书立说打下了基础。1928—1931年，曾天治任佛山华英女子中学教师，此期间其长子、次子、母亲先后染病不治去世，这对曾天治打击甚大，加上自己及妻子得病，虽久治而不愈，他逐渐萌生习医念头，曾天治自谓："感疾病重重压迫……又以现代医药如此低能，治疗如此缓慢，常欲研究超常的疗法，快捷的医术，以拯救众生，挽救垂危。"1932年春，经友人介绍，亦因见到《申报》所载宁波东方针灸学社和承淡安先生函授针灸的消息，曾天治购买各书学习针灸，并辞去教员职务，远赴江浙，问道张俊义、陈景文、缪召予等，受业于承淡安先生门下。

曾天治1933年9月学成返粤，开始用针灸治病，并于同年年底申请正式成为无锡中国针灸学研究社社员。曾天治曾在惠州用针灸治愈了不少疑难重病患者，赢得了良好的声誉。后来曾天治于广州万福路自设诊所并办针灸专修班，同时在广州泰康路光华医学院左邻开设科学化针灸治疗讲习所。从1934年起，曾天治撰写的文章分别发表于《针灸杂志》《复兴中医》《医药评论》《明日医药》《光华医药》《国医公报》《诊疗医报》《广东医药旬刊》《北平医刊》等杂志上，由于曾天治从事过编辑工作，文笔流畅，故其文章颇受瞩目。1935年，经时任广东医学卫生社社长的潘茂林和汉兴国医学校校长方德兴推荐，曾天治先后任汉兴国医学校、光汉中医专门学校针灸科教员，光汉中医院针灸科医生。

1938年曾天治迁居中国香港，在香港皇后大道中144号二楼开设诊所，在妻子韩拉结协助下，于深水埗荔枝角道创办香港科学针灸医学院。该针灸医学院为香港地区最早的针灸教育机构。居港期间，曾天治与同是承门弟子的卢觉愚多有交流，两人集资创办基督教日报《大光日报》，并在副刊上每月刊发两期“针灸医刊”，宣扬针灸医术。1941年太平洋战争爆发，曾天治携妻子、儿女等回到家乡。为维持生计和谋求更大的发展，在安顿好家人后，曾天治孤身一人经桂林转入重庆，妻子韩拉结则在家乡继续主持诊所针灸医务，兼转接、办理前香港函授学员的教授工作。

1942—1945年，曾天治在重庆邹容路新生村继续开办科学针灸医学院，并在此期间撰写了《科学针灸治疗学》，将之在重庆出版。抗日战争胜利后，曾天治移居上海。1947年，他迁往苏州，在旧学前书院设诊办学。同年夏季，他又举办针灸暑期讲习班，以《科学针灸治疗学》为教材，听课者纷至沓来。其时杨医亚、马继兴等人在北平设中国针灸研究所，出版《中国针灸学》季刊，聘曾天治为编辑委员。1948年春，曾天治因病于3月13日病逝于苏州寓所。

曾天治在其短暂而辉煌的针灸生涯中，悬壶于粤、港两地，辗转粤、港、桂、渝、沪、苏等地设诊办学，受业者济济有众，我国广州的庞中彦、伍天民，香港的苏天佑、邓昆明，湖南常德的谈镇尧，江苏泰州的萧见龚及菲律宾的关飞雄等均是曾天治的杰出传人，受其亲炙者或其再传弟子遍及国内外。

曾天治勤于钻研，善于思考，工于教学，注重临床实践，不断改革教学方法，在其短暂的针灸生涯中，著述颇丰。《中国中医古籍总目》收载其著作5部：《针灸治验百零八种》《针灸医学大纲》《实用针灸医学》《针灸学》《科学针灸治疗学》。据考，《中国中医古籍总目》未收载的曾天治著作有4部：《针灸治疗实验集》，《针灸医学》第1集、第2集，《求医指南》，《救人利己的妙法》。虽然《中国中医古籍总目》未录上述4部书，但这4部书的内容和目录可在中国国家图书馆等图书馆查阅，由此可推知这4部书多是曾天治为宣扬针术而印刷的小册子。《中国中医古籍总目》收载的5部书基本保留了曾天治各个时期的针灸学术思想。此外，曾天治在多本医学杂志上发表了约30篇针灸学论文，这些论文也体现了其针灸学术思想。

二、版本说明

《针灸医学大纲》全一册，由汉兴国医学校于1935年10月出版，分为洋装布面和平装纸面两种，是汉兴国医学校针灸学教材，广州中医药大学图书馆有藏。

三、内容与特色

曾天治言该书“乃于暇时，将吾师承淡安、张俊义、 陈景文、缪召予先生等所秘授，及自己两年来研究心得，治疗经验，执笔直书，随付手民”。该书是曾天治第一本针灸专著，反映了曾天治早期对针灸的认识和应用。

该书正文前有谭次仲和王映楼所作序言、各界人士题字、自序缘起、本书读法和经穴图。全书共分为五编。第一编为绪论，论述了针灸医学之意义、沿革、特长、衰微不振之原因以及针灸医生之修养。第二编为原理，运用神经生理说、血液循环说来解释针有兴奋、静止和诱导作用，灸有诱导、直接和反射作用的治疗原理。第三编为经穴，介绍了经穴起止歌、人身度量标准。曾天治将十四经穴按手三阴三阳、足三阴三阳和任、督二脉顺序，逐一考证，每穴下分位置、主治和疗法三项，其“主治”项下仍采用中医病证名。此编还收录了十二经络变化简明一览表、井荥输经合原主治表、经外奇穴表、禁针禁灸穴一览表和配穴精义。第四编为手术，详细论述了针法和灸法的相关基础知识。第五编为证治，由12首常用针灸治疗歌诀、分门取穴和治疗各论组成。其中分门取穴共分12门，包括气、血、虚、实、寒、热、风、湿、汗、肿、积、痛。治疗各论则根据西医学分为15大类105种疾病，每病使用西医学病名，各病下列病因、症候、治疗等内容，其中病因、症候采用西医学内容，治疗项下列所选穴位及刺灸法。该书最后附惠阳县对曾天治的介绍词、患者家属鸣谢函、该书刊误表。

现将该书特色介绍如下。

（一）强调针灸医生修养

曾天治言“欲成为针灸医学专家，须戒绝一切不良嗜好，常读医学书报，且存心济世，尽心力为人治疗”，并将上述三项作为针灸医生必备素养，告诫学者终身奉行。他还指出针灸医生应该重视西医学知识（解剖学、生理学、病理学、诊断学等）的学习；明确针灸治病机制；强调针灸治疗应治神守气，针灸医生须不辞劳苦、不计报酬。

（二）重视经穴基础知识

曾天治在该书第一编绪论前按人体部位附6幅经穴图，共标记357穴，分别以不同符号标识出正穴、禁针穴、禁灸穴、禁针灸穴。他还在第三编列出360正穴及40经外奇穴的位置、主治、疗法（刺灸法）。曾天治认为只有熟练背诵经穴基础知识并正确取穴，才能“一经针灸，应手而愈矣”。另外，曾天治配穴精妙，该书中收录了曾天治据临床经验总结的31组穴位配伍。

（三）提倡手术精巧纯熟

曾天治认为手术（操作手法）是否精巧纯熟与针灸治疗效果密切相关，并提出运针无痛三法（养气、练指、理针）。学习针灸时应熟练掌握各种操作技术，并应每日勤加练习。

（四）明确临床取穴思路

该书第五编列举了12首经典治疗歌诀及分门取穴内容，曾天治在该书正文前的“本书读法”中指出熟练掌握这些是针灸临床治疗效如桴鼓的秘诀。他还在治疗各论中介绍了105种病的针灸治疗方法，包括取穴和刺灸法，为现代针灸治疗处方提供了思路。

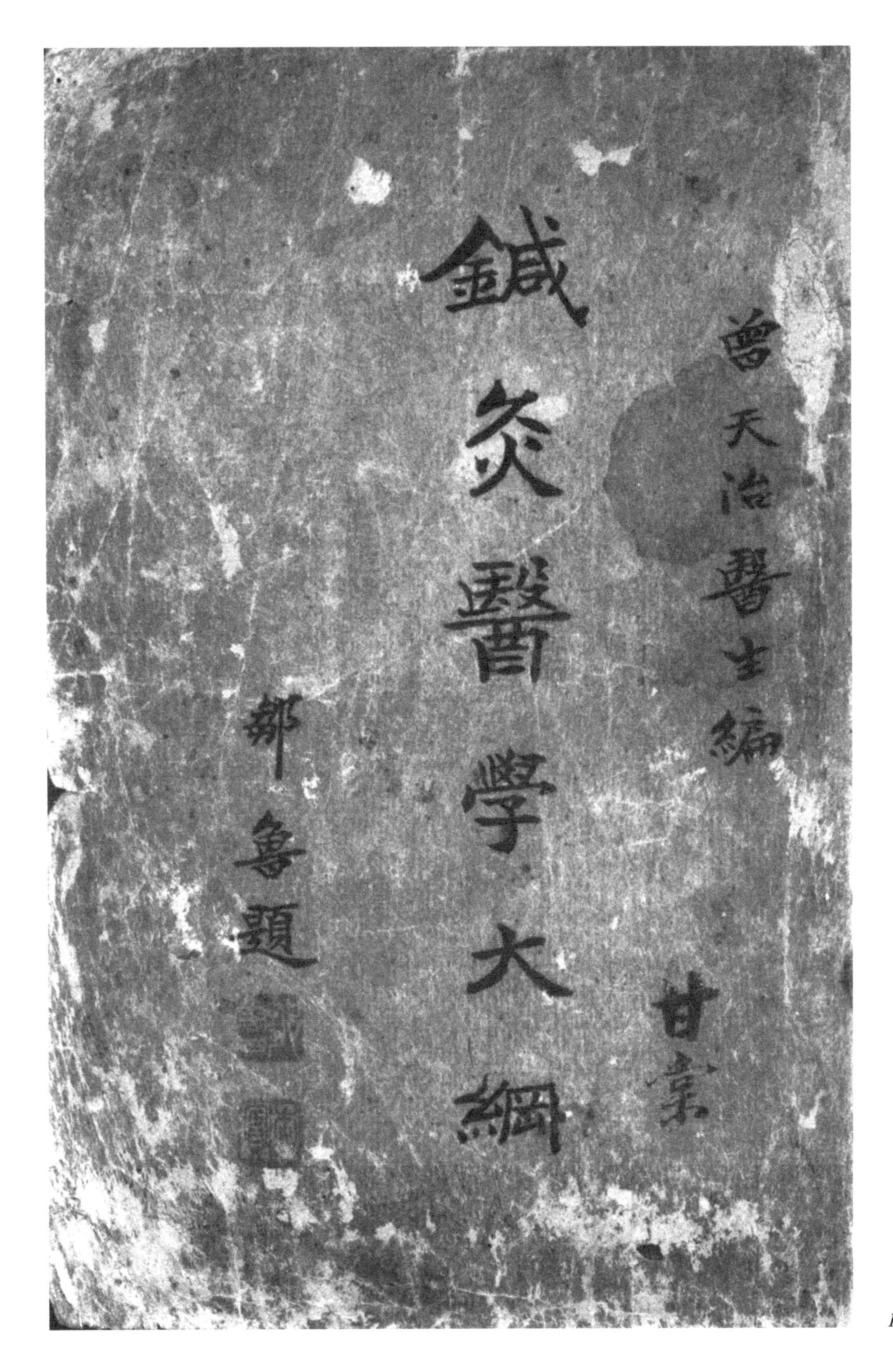
曾天治醫士編
鍼灸醫學大綱
甘棠
鄒魯題

民國廿二年四月，本市衛生局假光華醫學院，攷試鍼灸人材，首由局長何熾昌訓話，畧謂：『今日考取中醫鍼灸術人員，係奉衛生部令。查鍼灸科原係中醫一小部分之醫術，近代此種學術，罕見有懸壺者。故當佈告招考時，意料應考者必少，今竟有如此之多，（男女六十餘人）足見此種古代醫術，其間正不少潛心研究之人。希望投考諸君，勿論被取與否（合格者四十九名。）仍努力精研，匪特保存我國古代奧妙醫術，且能昌明厥學，精益求精，以與西醫注射術抗衡云云。』

鍼灸醫學大綱
黄麟書題

序

鍼灸一道，傳自歧黃。故內經論述至詳。後世藥劑漸興，而鍼灸猶爲內外科所不能廢。近年中央政府提倡國學，表揚中醫，斯道更有如旭日初升，曦暉四射，前途之光明正未可艾也。自非確能起死回生，明效大驗者，曷克臻於此乎。考中醫之寶藏有三：一曰藥物，二曰鍼灸，三曰經驗，中醫之藥物，近來已成爲世界醫藥家研究之焦點，然其類繁多，其用廣遠。雖日加研究，未能啓發於萬一。至於經驗，載在文獻，琳瑯滿目，美不勝收，近年中醫界提倡整理，成績亦未大著，然則鍼灸一道在今日未能完全明瞭其故者，又豈亞於藥物與經驗哉。然日人三浦博士以動物試驗針法，謂用鍼刺傷蛙之坐骨神經，足使其所屬之血管收縮，能使家兎之腸蠕動緩慢，針運動神經及知覺神經，能減少其興奮性云云，準此則針法在醫治上之效驗及科學上之理致可見一斑矣。又後藤博士用海特氏帶之理以說明灸法，謂灸背部時，四肢之血管縮小，血量減少，又脈搏在施灸之期間，及値後均見增加。又青田正德博士試驗，謂施灸時，體內白血球著明增加，能持續至四五日，餐菌作用著明亢進，又使補體量增加，以是知灸法或因被加熱組織部之蛋白分解產物吸收而起，不啻爲一種蛋白體療法，加以海特氏帶之治療的應用云云，準此則灸法在醫治上之效驗，及科學上之理致，又可見一斑矣。竊嘗論之，中醫種種方法，施之療病而有效，當必有其科學之理致存，特未加以闡明，則用者徒知其然不知其所以然。益以好議論者輒加以玄幻想像之解釋，遂致爲世詬病，嗚呼，是誰之過歟？皆由近日爲中醫者不肯究心科學，故步自封，罔知進步而已。余友曾君天治，研究鍼灸之學有年，盡得其活人之奧妙，復能潛心解剖生理病理諸科，藉資啟發鍼灸之眞理，耗數年之歲月，乃完成鍼灸醫學大綱一書，以示於僕，並囑爲之言，僕維曾君發揚國學究心藝術之心，大有造於國醫前途也，爰喜而爲之序。

中華民國廿四年八月南海譚次仲謹序

序

吾國醫學。自伏羲神農黃帝以來。代有發明。於方藥解剖之外。復有針灸之術。創之者爲黃帝，及其臣俞跗。黃帝有針經九卷。繼則少俞製針經明堂圖灸之法。又史稱巫彭，桐君。蚩餌湔澣刺治。而人得以盡年。疑亦針灸術也。其後如太乙雷公，馬師皇，扁鵲，淳于意輩。並能傳其術。晉皇甫士安有甲乙針灸經。自隋唐以後。針灸解剖之術。俱漸失傳。其書雖存。而讀之者少。直至近代。則解剖之術。惟西人獨精。而吾國之以醫鳴者。知方藥而已。學於外洋而歸者。亦於方藥之外。知解剖而已。若夫免服藥之煩難。無解剖之痛苦。僅一舉手。而立起沉疴於俄頃。如針灸之術者。知者蓋絕鮮焉。吾友曾君天治。乃能上繼黃俞。下師淳扁。研精鍼灸之術。出以治人。罔不應手生春。厥效如響。行道數歲。延將盡之命。蘇已枯之骨者。以千萬計。吾國已絕之學。將賴以復興。而困於疾病。方藥解剖之所不救者。將得以盡年。其有功於人群。有功於古聖。夫豈淺鮮。今曾君又不自秘其術。以所心得。著爲鍼灸醫學大綱一書。俾有志於是術者。資爲津梁。則是術之傳。必因而益廣矣。余深嘉其意。乃樂爲之序。乙亥中秋節後二日惠陽王映樓序於羊城旅次

編者曾天治近影

神應

稽古良醫世推扁鵲因有神應王之封令天治醫師仁兄精鍼灸之術不用方藥醫人所不治之症應如桴鼓能於俄頃之間延將盡之命蘇已枯之骨方諸扁鵲無媿色焉

乙亥元旦

王映樓

廣東飛機廠廠長梅龍安先生題字

奧閫靈樞

題贈
鍼灸大家曾天治先生
鍼灸醫學大綱作著
梅龍安

廣東教育廳秘書黃佐先生題字

繼德真詮

黃佐題

廣東著名律師黃敦慰先生題字

天治先生鍼灸大國手雅屬

灵醫神效

黃敦慰題

廣東著名西醫宋月波先生題字

鍼膏肓起

廢疾

黃師宋月波

醫學衛生社社長潘茂林先生題字

善除痛疾

潘茂林題

潘茂林印

廣東省立國醫學院院長廣東光漢中醫院院長黃焯南先生題字

黃焯南題

黃焯印

廣東光漢中醫學校校長賴際熙先生題字

神鍼濟世

賴際熙題

漢興國醫學校校長方德華先生題字

仙術神鍼

前惠陽縣縣長方德華題

惠陽縣參議會正議長縣黨部主席委員譚晴午先生題字

天治大醫師鑒

鍼到病除

譚晴午題

惠陽縣著名國醫余道元先生題字

天治大醫師精針灸術書此以頌之

神而明之

衡元

惠陽縣第一區區長王仲立先生題字

是良醫也

王仲立敬題

惠陽縣黨部宣傳部長利甬耆先生題字

國醫之精粹

緣起

『疾病』眞是吾人的大仇敵！鄙人受牠重重的攻擊，說起來眼淚奔流！因爲慈母患水腫病數月，屢治不愈死了！長子患慢驚風病，屢治不愈又死了！次子患赤痢，入醫院廿多天又死了！內子患了病、入醫院五天，尙未査出患什麼病，差些兒又死了！自己患外痔，遷延十餘年，敷藥剖割，未見有效！每便流血，痛苦不可言喩！老早便立心學醫，以防疾病之再來侵。可是我已過了進醫學校學習中西醫的年齡了，假如醫學校特別將就，偌大的學宿費怎樣籌措呢？有心無力，宮牆外望，徒喚奈何而已。民廿一春有友自上海返，力證鍼灸醫學有種種特長，又謂如用一年苦功研究，可以卒業云云。一時歡天喜地，毅然決然，即舍去中等學校教員生活，從江浙幾個針灸大家遊，科學的針灸，中國本色的針灸，一爐而治。學習期年，自覺有得。乃先令內子依法治自己的痔瘡及氣喘病，又試治內子的經期不調、頭痛，牙痛，小腸熱病。說也奇怪，一經鍼灸病竟消滅，其收效之快且大，眞令人不可思議！嗣親友中之患屢治不愈的病者聞而踵門强我一試手技，情不可却，乃爲之治療。可幸又不致辱命，治療未及五次，所謂藥石無靈的病，竟不翼而飛了。風聲所播，求治者源源而來，計兩年內竟治愈沈疴痼疾百零幾種，病夫凡千餘。一次治愈臌脹垂死的婦人，爲惠陽林紫珊先生所贊賞，林先生乃介紹我識他的莫逆交現任醫學衛生社社長潘茂林先生。蒙潘先生特別渦愛，委任光漢中醫院醫席，又極力鼓舞我編印專書，教授生徒。同時又有十數位男女青年欲請我教授鍼灸醫學。乃於暇時，將吾師承淡安張俊義陳景文繆召予先生等所秘授，及自己两年來研究心得，治療經驗，執筆直書，隨付手民，不數月而書成。茲當出版伊始，特記其緣起於此，未曉同我一樣受疾病攻擊者，或有失業之憂，生活發生問題的人，讀了作何感想？

中華民國廿四年一月一日曾天治記

本書讀法

(一)本書共分五編，學者須自第一編起，讀至第五編止，得其大概，然後再細心記憶各編。

(二)欲成爲『鍼灸醫學專家』。須戒絕一切不良嗜好，常讀醫學書報，且存心濟世，盡心力爲人治療。謹將此三項爲鍼灸醫生之修養，請學者終身奉行勿輟。

(三)鍼灸醫學之特長，及原理編，須澈底了解，讀之極熟，以便對外宣傳，並向病者解釋。

(四)經穴編列出正穴三百六十經外奇穴四十，其位置，(欲位置正確，非請專家面授不可！)主治，療法禁針焚灸，須十二分明瞭，最好背念得出，治療時方不致誤事，方能收治效；遇本書未列之症，方能自出心裁爲之治療。如學者能自備卡紙四百張，正面抄出經穴之穴名，位置；背面抄出主治，療法，禁針焚灸；自行考驗，能背念得出，試點經穴于人身又無錯誤，(此種工夫，萬不可缺！」則一經針灸，應手而愈矣。

（五）配穴精義，乃由熟讀經穴，及臨症時，所悟得者，讀者須再三體認，默識之。倘能繼續研究，有所發明，治療時必能收意料不到之功效。

（六）鍼灸治療能否收效，半在治療手術之平庸或精巧。故第四編所述各項，學者須讀之極熟，實地練習純熟。

（七）欲病者不感針刺痛苦，而來求醫，須日用半小時實習運針不痛法，直習至運針不痛時，方可罷手。

（八）第五編治療歌訣及分門取穴，必須讀熟，愈熟愈妙。此爲治療病症之秘訣。熟讀之後每遇病症，可不暇思索即知宜針何穴，而針治之，效如桴鼓。

（九）如未有醫藥學識者，則治療各論之原因，症候，療法，各條，宜多加瀏覽，比較研究，而默識之。

（十）本書只指示疾病之大概，故名爲『鍼灸醫學大綱』，鍼灸治療決不止此。如學者經穴學得正確，手術學到精巧，病症診斷無誤（須做到此三種工夫，方可與人治療！），則無論何種疾病當前，都能自出心裁，拯救疾苦也。

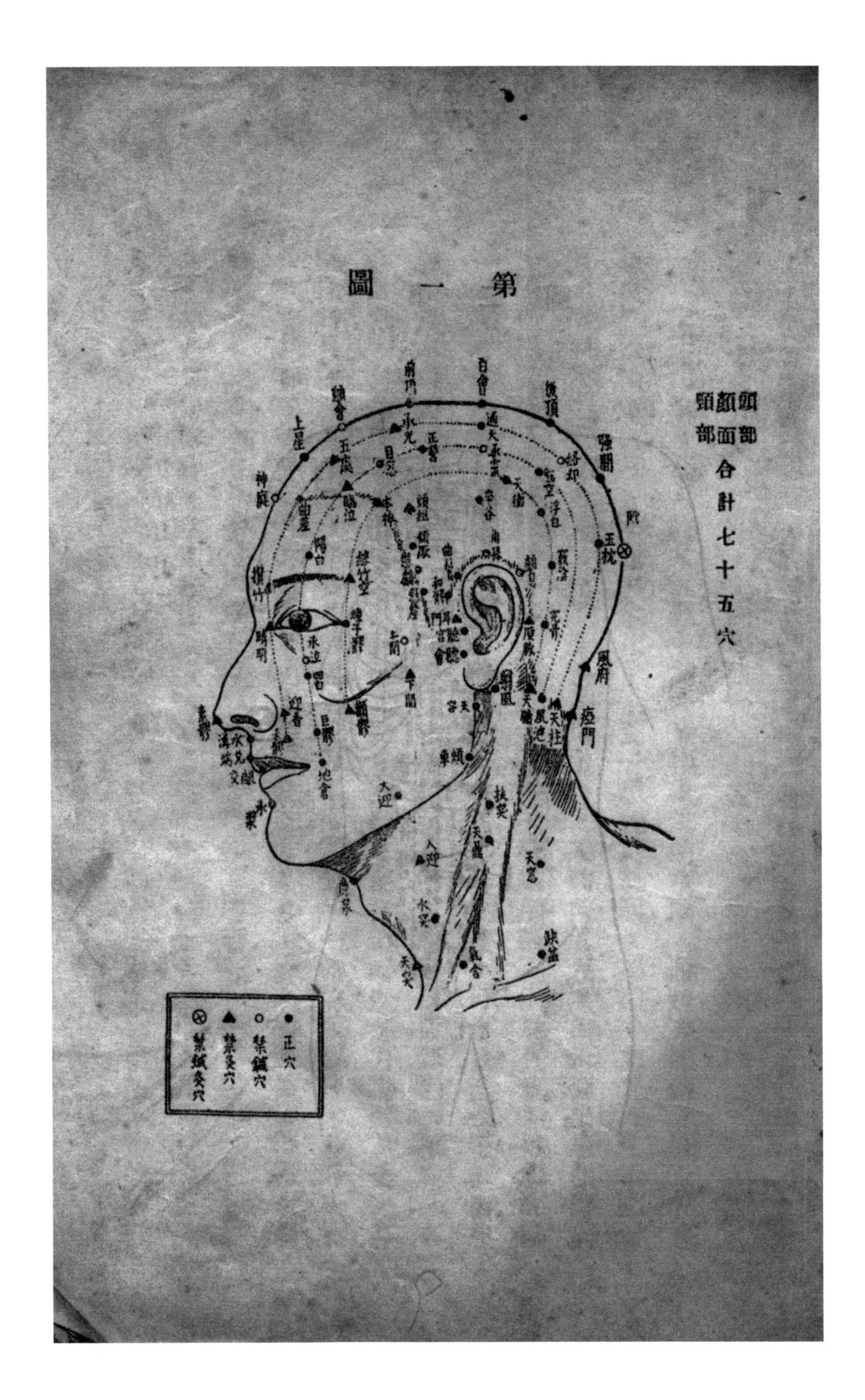
第一圖
頭部顔面頸部合計七十五穴
● 正穴
○ 禁鍼穴
▲ 禁灸穴
⊗ 禁鍼灸穴

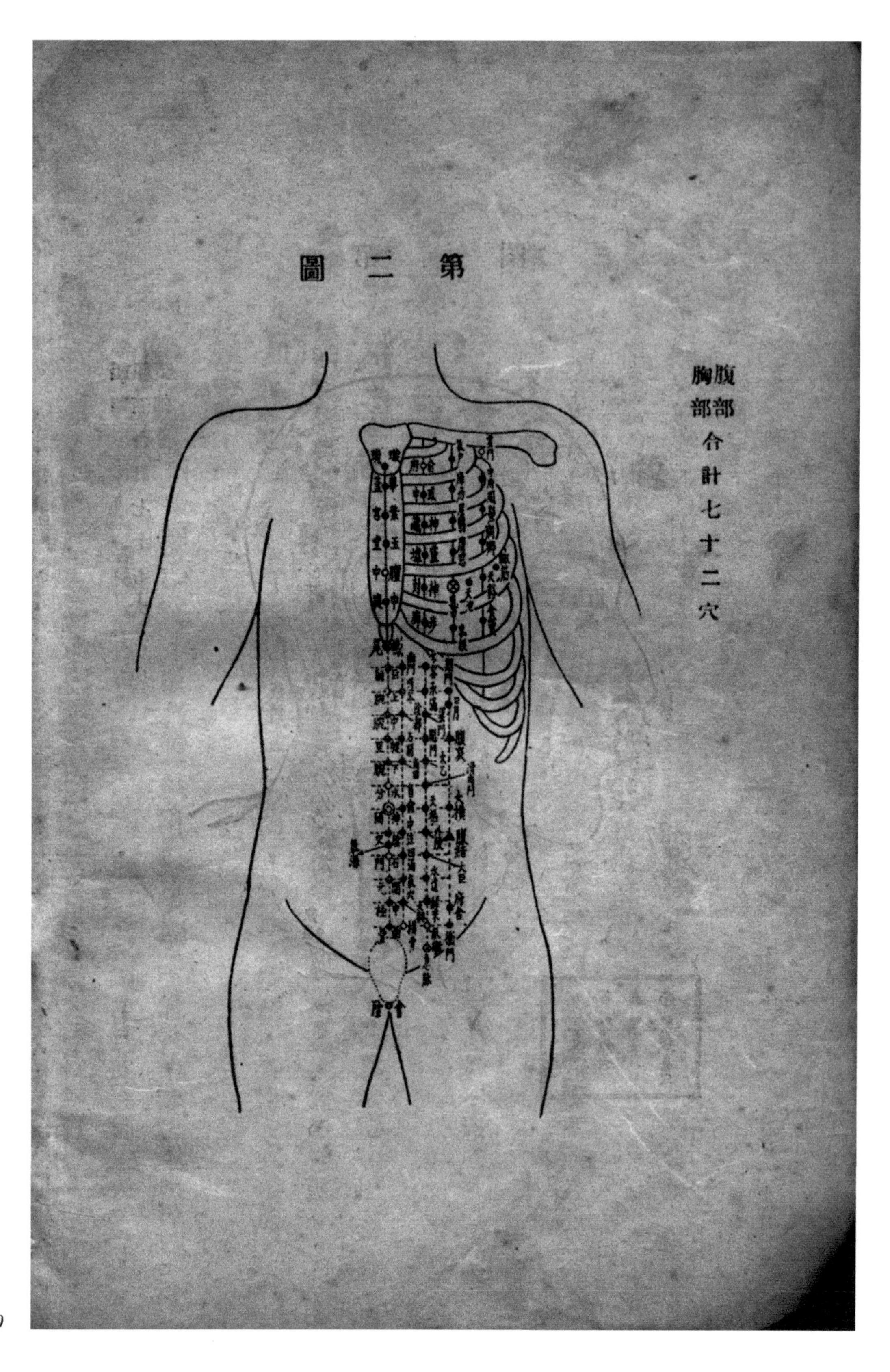
第二圖
腹部胸部合計七十二穴

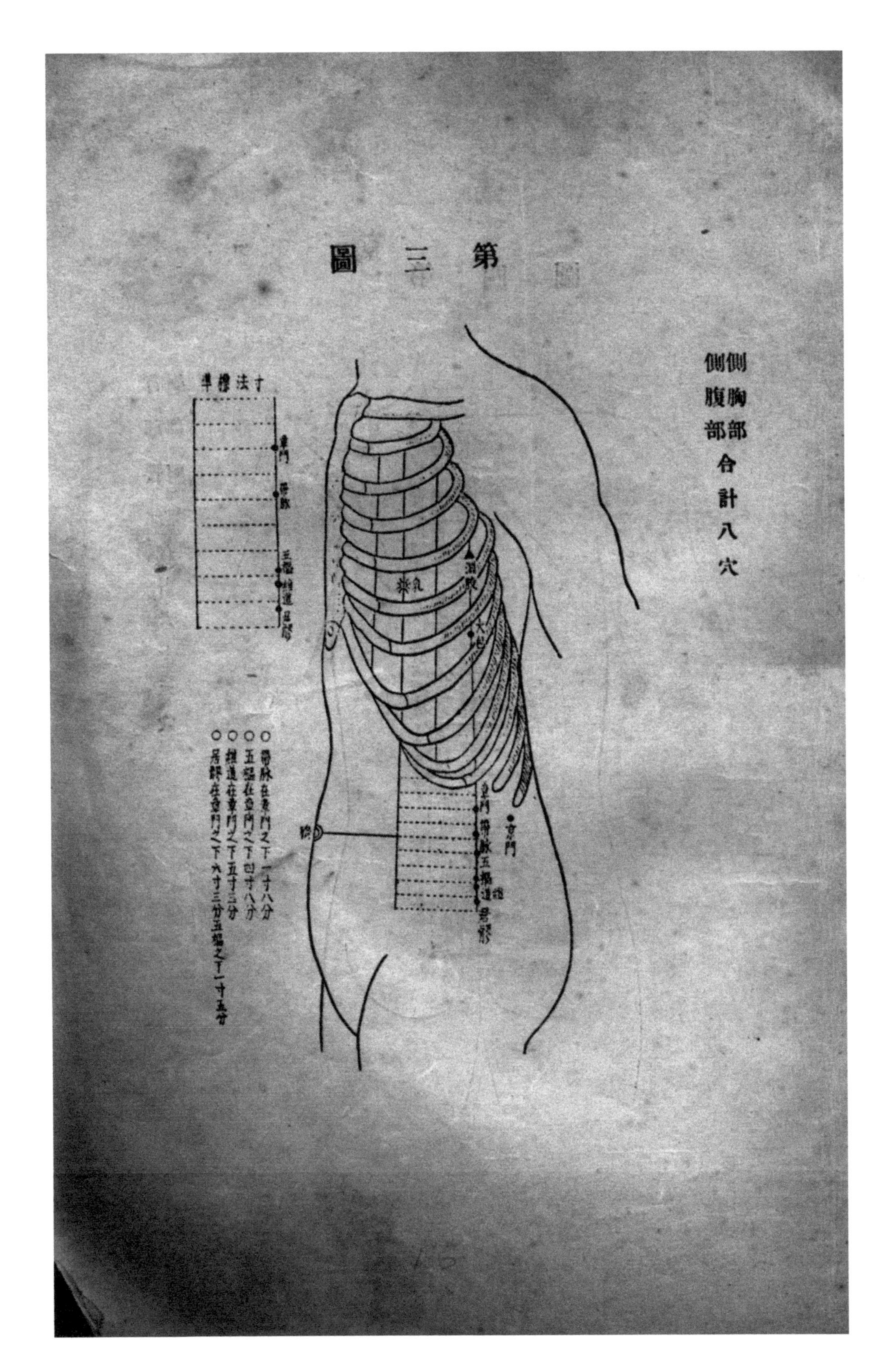
第三圖
側胸部
側腹部合計八穴
寸法標準
章門
帶脈
五樞
維道
居髎
淵腋
大包
臍
章門
帶脈
五樞
維道
居髎
○帶脈在章門之下一寸八分
○五樞在章門之下四寸八分
○維道在章門之下五寸三分
○居髎在章門之下八寸三分五樞之下一寸五分

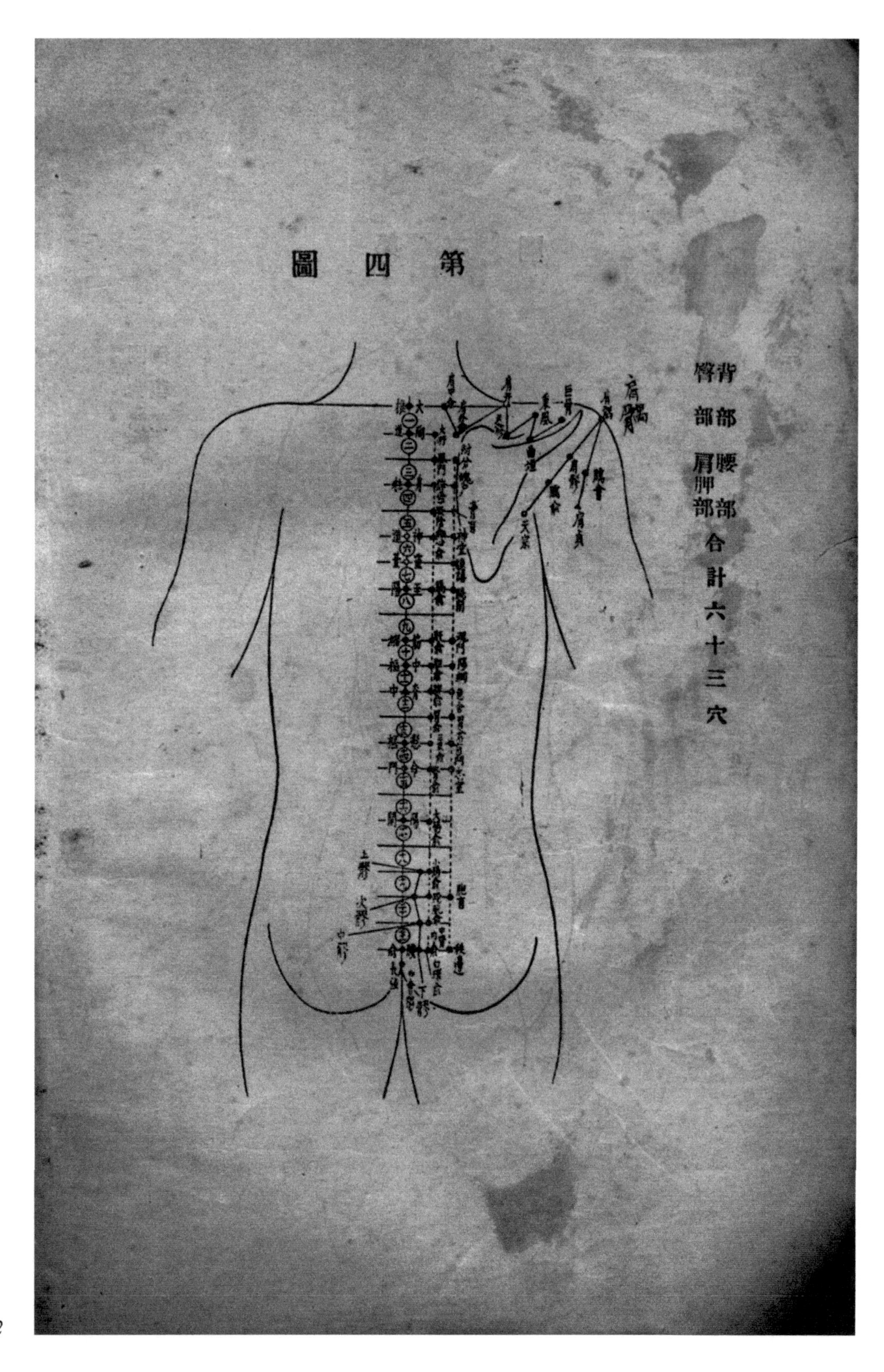
第四圖
背部腰部
臀部肩胛部合計六十三穴

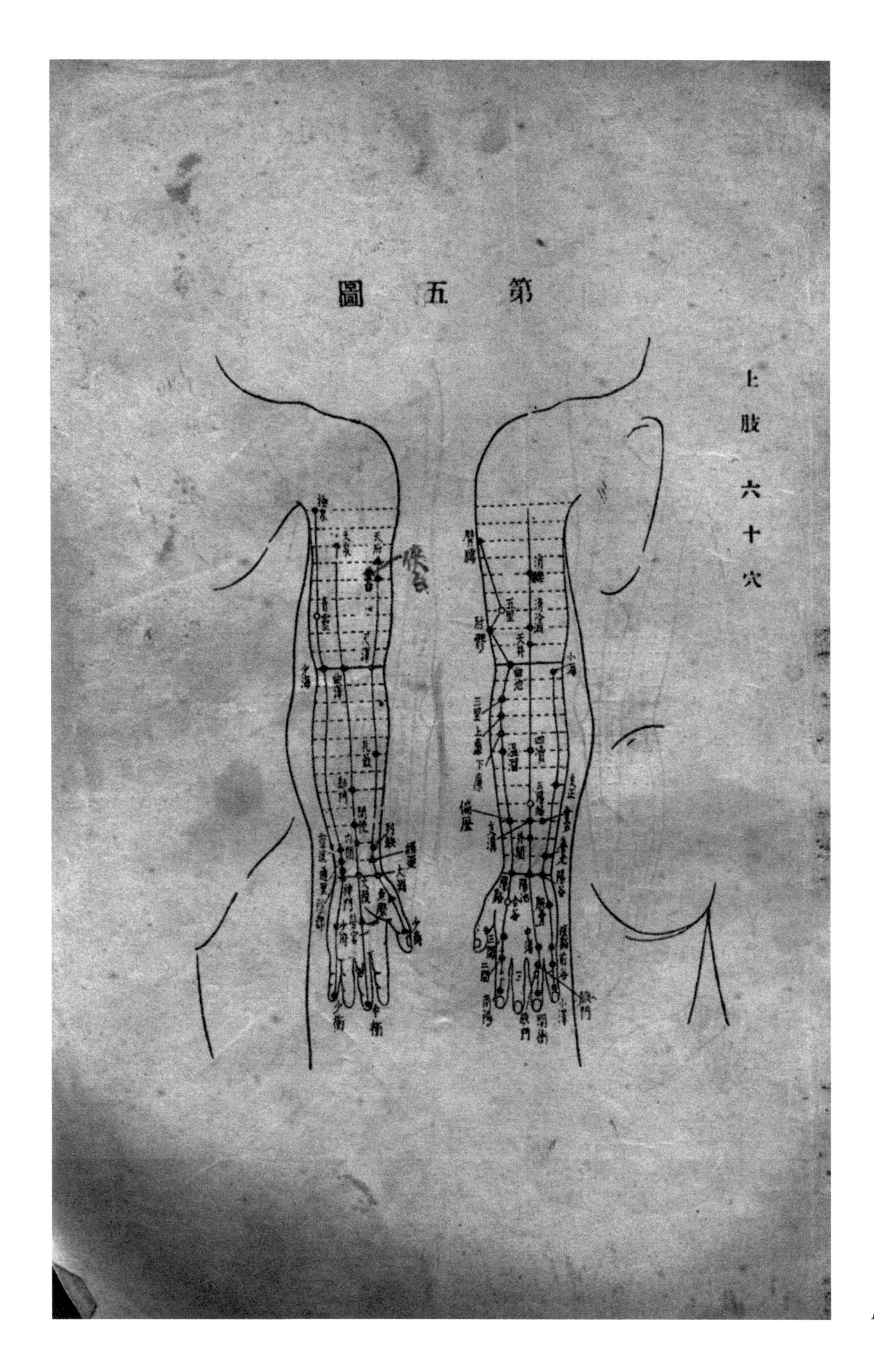
第五圖
上肢六十穴

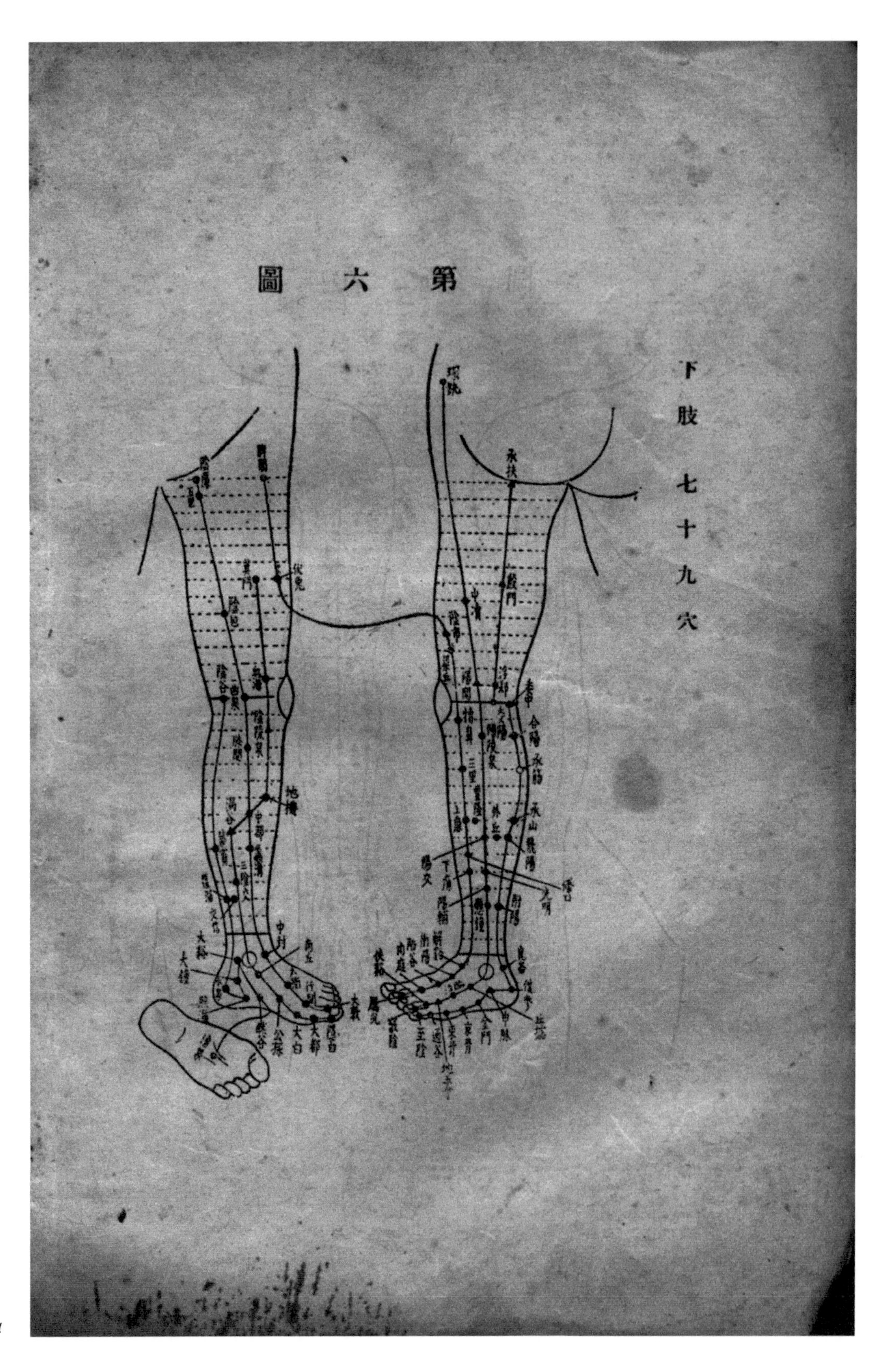
第六圖
下肢七十九穴

鍼灸醫學大綱目次

第三編 經穴

第四編　手術

一針術

二 灸術

第五編 證治

三 治療各論

二消化器疾患

十 婦科

鍼灸醫學大綱

第一編　緒論

1 鍼灸醫學之意義

鍼灸醫學剏於岐黃，爲我國最古之醫學。是以素問諸書，爲之首載，緩和扁鵲，以精此稱神醫。惟自漢代湯藥盛行後，此術漸漸失傳。降至現代，吾粵人士，幾不知鍼灸爲何物矣。故吾論述鍼灸醫學之先，須將其意義畧爲解釋。

「鍼」乃以金，銀，白金，鐵，鋼，等金屬，成大小長短之實心細針，刺入病者身體組織中，刺戟身體內各種神經系統，以治療疾病者。但與西醫注射藥水之空心鍼，完全不同。

「灸」乃以藥和於艾絨中，而置于病者身體之一小局部上，點火燃燒，藉熱力及藥力以治療各種疾病，及增進健康之方法也。

合而言之，鍼灸醫學者乃以鍼灸以治療各種疾病上必要之學說，及實地研究之學科也。

2 鍼灸醫學之沿革

古代治病，始爲祝由，繼乃砭石導引。而湯藥在于砭石之後。砭石迄已失傳。今之鍼灸術，殆即砭石之遺意。內經素問靈樞，國醫界奉爲醫科聖經必讀之書，而靈樞九卷，特詳臟腑經兪，針家尊爲針經，故亦有鍼經九卷之名，而素問刺熱刺瘧諸篇，實開鍼灸治療之源。越人扁鵲，刺維會起虢太子之尸厥，可謂鍼家之始祖。自後載諸史乘代有傳人，漢之華陀郭玉，其最著者也。他如魏之崔氏彧。李氏潭元，皆以針名。至晉有王甫謐著甲乙針經。齊有徐文伯馬嗣香爲針灸之著者。隋之北山黃公唐之名臣狄公仁傑，皆精於針灸。而孫氏思邈，王超王燾甄權諸賢，更復著作。及至宋代仁宗詔王維德考次針灸，鑄爲銅人，於是經穴始有標準可循。針灸一科，研者遂多。丘經歷王纂，許希王堯明等，皆名聞朝野。而王氏執中，復著有鍼灸資生經七卷。劉氏元賓著有洞天鍼灸經行世。至金元而仍不稍衰。太師竇漢卿宦而精鍼術，著有標幽賦。張氏潔古醫學著作尤多，亦精鍼灸。滑壽伯仁。得東平高洞陽之傳，名噪遐邇，著作亦多。元臣忽太必烈。著有金蘭循經。王鏡澤得竇氏之傳。重註標幽賦。傳其子國瑞。國瑞傳廷玉。廷玉傳宗澤。世克其業。降之明季有過龍之鍼灸要覽。吳嘉言之鍼灸原樞。汪璣之鍼灸問答。姚亮之鍼灸圖經。陳會之神應鍼經。高武之鍼灸節要與聚英。楊繼洲之鍼灸大成。長篇巨著。各有發明。而黃良佑陳光遠李成章等專以針鳴世。元明兩季爲中國鍼灸醫學最盛時代。淸季之世。歐風東漸。此學漸衰。葉徐王陳諸大醫家。雖都諳熟經穴。特偏重湯藥治療。鍼灸一科遂不爲世所重。甚有一般醫家。以經穴難明。手術不諳，謂言針能泄氣，或宜于藜藿壯體，遂使人皆畏避。以致我中國獨特之絕學。起痼治痾之神技，坐是而不彰。豈非一大憾事！方今提倡保存國粹之時，可不起而研究振興之哉。

3 鍼灸醫學之特長

現代醫學非常昌明。藥物治療外，復有理學療法之鬱血療法，温熱療法，電氣療法，按摩療法，酸素療法，雷錠療法，X光療法，此外復有靈子治療，精神治療，催眠治療等。鍼灸醫學既已失傳，落伍，為何尚研究振興之哉。曰鍼灸醫學有五大特長，此五大特長，為現代最昌明之醫學所望塵莫及。

一曰最萬能　現代之癲，狂，癇，失眠，腦溢血，神經衰弱，半身不遂，脊髓癆，腦膜炎，肺癆，霍亂，胃癰，子宮瘤，積聚，腫脹，慢性白濁，哮喘鶴膝，……等大多數病者並非不信任現代之醫學，不請著名之醫師治療。惟治療經年，病仍如故，此何故耶？特效藥尚未發明，治療手技尚未學習得耳！如此等疾病以鍼灸治療，最多三十天內即可痊愈。——鍼灸醫學，能補現代醫學之所不逮，能治藥物所不能治之沉痾痼疾，故曰最萬能。

二曰最快捷　病者呻吟床第，痛苦萬分，莫不希圖速愈。而現代之治療法，側重湯藥，須經胃腸之消化與吸收，方至病灶，故雖尋常小病須十日八日，方得痊愈。鍼灸治療直接刺戟內部之神經，往往一針甫下，病即遠離，如鼓應桴，如響斯應，收效之快，敢堪第一。

三曰最經濟　現代之醫學，須經五六年之研求，出一萬數千元之學費，方能出而問世，至於治療疾病，最少亦須一元數角，每病最低亦須用十元八塊。鍼灸醫學則不然。有六個月之探索，五六個月之練習，無論任何沉疴痼疾，都能治療，收偉效果。且只須一針一艾，不用一塊錢本錢，即可剷除醫治十數年，用過萬數千元醫藥費之殘廢病。其經濟與用藥物相較，眞有天淵之別。

四曰最利便　現代之治療法，多用藥物內服，爲丸爲散爲膠爲飲，或注射，剖割，電療……手續上之痲煩不勝言，即藥肆固皆齊備而煎服之費時，或火候之欠宜，與藥效上發生問題，儀器，電力不備，則治療乏術。何如一針一艾，簡而易行。攜帶無往非宜，故治療之便利，鍼灸又可首屈一指。

五曰最安全　藥物治療以殺菌爲目的，故無論如何和平之劑，不免有幾分之害毒，診斷偶誤，藥不對症，輕者有併發他病之恐，重者且有生命之憂。至於剖割以致斃命，及下蒙藥後以致變爲神經衰弱患者無論矣。鍼灸治療祇用一鍼一艾，全無危險發生，後患之慮，堪稱爲最安全的治療法。

4 鍼灸醫學衰微不振之原因

難者曰鍼灸醫學旣具無上之功能，有五大特長，宜其發達非常，壓倒一切矣。何以至今習之者少，病家又不盡求鍼灸醫師治療哉。曰蓋有故焉，而鍼灸醫學本身無與也。

一曰經穴之難明　施行鍼灸，首明經穴。毫厘之差，即失其效。銅人圖考，繪註不精，苟無名師指授，决難得其眞訣，故學者畏難而退，名師又秘而不傳，大好學術，從此湮沒不彰矣。

二曰手術之不精　醫者未得名師之傳授，考正其經穴，又未潛心研究病理學，練習治療手術，僅憑前人一二之遺法，即妄施鍼灸，以致病者感受痛苦，且未將病魔逐出。故求鍼灸治療者，日見其少也。

三曰醫生之圖自己之便利　鍼灸醫生須用全副精神治療，且治每病須一時半點時間，每日不能治百個病者。至按脈開單，全不費力，而且日可診三百病者，擴大收入。故湯藥一發明，方脈盛行，鍼灸治療棄置不用矣。

5　鍼灸醫師之修養

吾人已明瞭鍼灸醫學之特長，鍼灸醫學衰微不振之原因，又立心研究鍼灸醫學，爲鍼灸醫師，則應講求修養：

（一）宜潛心研究醫學　澈底明瞭鍼灸治療原理，經穴，證治等，又嫻熟治療手術後，宜繼續不輟研究解剖學，生理學，病理學，診斷學，細菌學，組織學……等。蓋有此等學問，治療手技更能巧妙，且易得病者信仰也。

（二）宜戒除不良嗜好　鍼灸治療須有充足之精神氣力方能無誤。故凡浪費精神氣力之一切不良嗜好（如打麻雀）務須戒絕。

（三）宜存心濟世　現代之醫學，有如此多不治之症，而鍼灸醫學獨能補其不逮。故願凡我同志，俱以濟世爲懷，不辭勞苦，盡心力爲人治療。關于手術費，貧者減贈，富者不苛求。協力剷除人類之痛苦，造成多數健康之國民，社會國家，實利賴焉。

第二編 原理

一 引言

近代醫學有數千種良藥，有數十種物理療法，而用以應付萬病，尚感有不少數病症，無法療治。針灸治療，只用一針一艾，而稱能治藥石無靈之沈疴痼疾，豈非誕妄不經，令人莫明其妙耶？曰鍼灸醫學有數千年之歷史，無量數病者獲其治愈，必非偶然，自有其治療原理，特羣衆不探求其原理，不虛心求教耳。

二 神經生理

鍼灸醫學乃以針及艾火刺戟患者之神經血管以治療疾病者，故述治療原理之前，當先述神經生理，及血液循環。

精神爲主宰全身生活作用之司令機關，由中樞器傳導器末梢器三部而成。

大別神精系爲二類。

一腦脊髓神經系 主宰感覺器官及隨意肌。

二交感神經系 主宰內臟諸器官與全身之血管等。

此兩系共分布于中樞部末梢部而甚錯雜。

1 樞中部

神經之中樞部存于腦髓脊髓及交感神經肌。其作用有意識作用，反射作用，自動作用之三種。

意識作用 以精神之活動而得認識外界之刺戟，用發有意識之命令。例如感知色音香味冷熱或痛癢等，或故意舉手動足之類。

反射作用 對于外界之刺戟，而發無意識之命令。例如閃光忽映目前，眼臉自閉。針刺指端未覺疼痛，而先避于他方。又刺戟性氣體竄入鼻腔，立時噴嚏之類。

自動作用 不由於意識作用，及不受外界之刺戟，營爲無意識之動作。例如呼吸運動，心臟搏動之類。

2 末梢部

神經之末梢部，分布于眼，鼻，耳，舌，皮膚，肌肉，骨，諸臟腑，具種種之作用。司肌肉之運動者，曰運動神經：司唾液；汗，淚等之分泌者，曰分泌神經：司身體諸組織之發育保續及新陳代謝者，曰營養神經：司制止運動或滲出物之減却者，曰制止神經；司視，聽，嗅，味，觸等之感覺者，曰知覺神經。

3 傳導部

神經之傳導部，中樞與末梢連絡，爲末梢之知覺，傳達于中樞之求心作用。或中樞之命令傳達於末梢之遠心作用。此二種作用，質言之，傳導部傳達中樞之命令與末梢，或傳達末梢之知覺於中樞，其中樞部恰如中央政府，考慮一身之利害，以判斷末梢之知覺，而下臨機之命令。末梢部者，營各自特有之官能，知覺外界之刺戟，因而行動中樞之命令者也。

4 腦神經

腦髓在頭蓋腔內，爲身體之大神經中樞，其主要爲大腦，小腦及延髓之三部。大腦於人類爲最發達，畧如卵圓形，由中央之縱溝分左右兩半球，司意識作用，爲思考，運動，感覺，視覺，嗅覺，發聲之中樞。小腦在大腦之後下方，當枕骨相當之部份，其大部份覆于大腦，司全身之運動調節。延髓在小腦之前方，其下方連於脊髓，故眼瞼閉鎖，噴嚏，咳嗽，嘔吐，咀嚼，吸吮，嚥下，唾液分泌之反射中樞，並爲脊髓諸中樞之上級中樞，且爲呼吸運動血行運動中樞，以上總屬於腦神經。

腦神經有十二對，自大腦底而出。大概分布於頭，及顏面等處。而尤以眼耳鼻舌等處分布爲最多，其第十對曰迷走神經，分布于肺臟，心臟，胃，腸等處，茲就其十二對神經分布狀態及其作用說明之。

第一對爲嗅神經　分布于鼻腔粘膜，司嗅覺。

第二對爲視神經　分布于眼底之網膜，司視覺。

第三對爲動眼神經　分二枝，上枝分布于上直肌及上眼瞼，下枝分布于內直肌，下直肌，及下斜肌，司眼窩內諸肌之運動。

第四對爲滑車神經　分布于眼之上斜肌，司滑車肌（使廻旋眼球于下方之肌）之運動。

第五對爲三叉神經　分三枝，第一枝分布于眼肌及鼻腔；第二枝分布于上頷及齒牙，第三枝分布于下頷及口腔，司皮膚，眼，下頷之肌肉，及齒，舌之知覺，其分布于咀嚼肌者，則司運動。

第六對爲外旋神經　分布于眼之外直肌，(使眼球廻旋外方之肌)司眼外直肌之運動。

第七對爲顏面神經　分布于顏面之肌肉，司顏面諸肌及後頭肌之運動，又司唾液及汗之分泌。

第八對爲聽神經　分布于內耳，司聽覺。

第九對爲舌咽神經　分布于舌及咽頭，司舌及咽頭之知覺，莖狀咽頭肌之運動及味覺。

第十對爲迷走神經　分布于咽頭，喉頭，心，肺，脾，胃，肝，腸，腎臟，膵臟等肌，司其知覺及運動。

第十一對爲副神經　分布于喉頭肌，胸鎖乳嘴肌，及僧帽肌，司其運動

第十二對爲舌下神經　分布于舌肌，舌骨諸肌，司其運動。

以上說明十二對腦神經分布之狀態，俾知其傳導及末梢部之作用。

5 脊髓神經

脊髓在于脊髓管內，爲細長之圓柱體，由前縱溝後縱溝分左右兩半。與腦連絡，及神經纖維與神經細胞之連絡。

脊髓神經，總數爲三十一對，胸椎神經十二對，頸椎神經八對，腰椎神經五對，薦骨神經六對，其各椎骨前後有二根，其遠心性神經，自左右之大腦而發。在延髓之部位，左右錯綜，前根分布于四肢及胸部之肌肉。其求心性神經，多自四肢及胸部之皮膚而起。後根經延髓之部位，至左右之大腦。而此三十一對神經，雖錯綜無極，然細辨之，則自第一至第四頸椎爲頸神經叢。分小後頭神經，大後頭神經，大耳神經，頸皮下神經，鎖骨上神經，橫隔膜神經之末梢部。自第五至第八頸椎神經，爲膊神經叢，分鎖骨下神經，肩胛上神經，肩胛下神經，前胸廓神經，腋窩神經，正中神經，尺骨神經，橈骨神經，內膊皮下神經，中膊皮下神經，外膊皮下神經之末梢部，司各部之知覺及運動。自第一至第十二胸椎，爲胸椎神經前枝後枝之背神經，後枝分布于背部，前枝與後枝之一部爲肋間神經，分布于肋間肌及腹部。自第一至第五腰椎神經，爲腰椎神經叢，分腰鼠蹊神經，外股皮下神經，內股皮下神經，前股皮下神經，閉鎖神經，大薔薇神經，外精系神經。其外精系神經，分布于陰囊及股上部，在于女子，分布于陰唇。自第一至第五荐骨神經，爲荐骨神經叢，及陰部叢，荐骨神經叢分臀神經，後股皮下神經，及腓骨膕骨之二神經，分布于坐骨神經。陰部叢爲內痔神經，與總部陰神經。內痔神經分布于直腸。總陰部神經分布于肛門。外痔神經分布于會陰肌，球海綿體肌，後陰囊等，（在于女子爲大陰唇）分會陰神經及陰莖背神經。以上之外，有尾骶骨神經，分布于肛門括約。脊髓神經之分布狀態，畧如上述，自其所司而約言之，爲瞳孔散大，脫糞，利尿，陰莖勃起，射精，分娩，血管擴張，血管收縮之反射中樞。是等中樞，存于延髓，隸屬上級中樞主管之下。

6 交感神經

交感神經，沿脊髓內側之兩傍，連續如鎖，自二十四對之神經節各節枝而出之神經纖維而成。其主要分布于內臟諸器，及血管分泌腺等，爲全神經系之總稱。與腦部神經脊髓神經相關聯，司瞳孔散大，眼窩眼瞼之運動，唾淚汗等之分泌。血管收縮及擴張，內臟之運動，膀胱及生殖器之作用。

三　血液循環

血液循環者，謂由心臟及血管之血液，使之運行全身而不絕也。欲一身之各組織，全其所使之機能，則榮養分實不可瞬時之或缺。而輸送此榮養分者，厥惟血液。血液通行之路謂之血管。血管有二，一由中央部輸送血液于末梢部，一由末梢部還送于本部。由中央部輸送血液於末梢部謂之動脈，管壁堅實，富於彈力，平常自成爲管狀。由末梢部者還送于本部者謂之靜脈，管壁柔軟。其內苟無血液充滿之，則收縮爲扁平狀，不成管形。

血管之本部，在胸部左側之乳房部，以手按左乳附近，則覺搏動，是乃輸送血液之運動也。此器官謂之心臟，身體諸器官中，此爲最要。

心臟之形與將開之芭蕉蕾相似，全體爲緻厚之不隨意肌所成，大如各人之手拳，外方包以薄膜，名曰心囊，上方固定于一處，下方不固定而下垂。

心臟之內部，依縱中隔分爲左右二部，各部更分爲上下二所，左上部曰左上房，左下部曰左室。右上部曰右上房，右下部曰右室。縱中隔雖密閉不動，然上房與室間，只存一瓣，其瓣開口于下房，故血液可自上房通入室內，而不許其逆流。左側之血液因心臟收縮，迸出于左室所生之大動脈中，循環全身，繼還歸于心臟之右上房。自右上房轉入右室，復自右室至肺動脈，循環肺中，以入左上房，故輸送全身之血液，恒先自左室至大動脈。而大動脈自左室漸向胸右上行，及與頸交界處，乃分爲四枝，二枝行于頭部，二枝行于上肢。其自左室下行者，至盆骨部分二枝，以達下肢，因其所通過之部位，各附以種種名稱。例如大動脈上行向左方灣曲之部，曰大動動脈弓，至頸部之二枝，曰頸動脈。行于上肢之二枝中，在鎖骨下者，曰鎖骨下動脈，在腋下者，曰腋窩動脈，在上膊者曰上膊動脈，在下膊者曰橈骨動脈。下行腹部之動脈，曰下行大動脈，行于下肢者曰股動脈，膝膕動脈，脛骨動脈等。

此血管初出心臟時，其大若拇指，離中心愈遠則愈小，而分歧亦愈多。其末梢部之在諸組織內者，至肉眼不能見之，名曰毛細管，此時之管壁，愈形菲薄，初管壁分三層者，今則僅爲一層，分裂愈細，至纏絡如網狀後，則再合爲靜脈。其鮮紅而富于營養之血液，即由毛細管而出管外，以榮養該部。終至失其榮養分而變爲藍赤色焉。

靜脈通行之路，殆與動脈同，然較動脈爲粗，且每動脈一條，靜脈則有二條，在各部互相交叉，皮下及無動脈之處，亦必有靜脈在焉。故靜脈之數多於動脈。靜脈之起端，在毛細管，毛細管漸合爲大靜脈，入于心臟之右上房。

藍赤色之血液，得再變爲鮮紅色者，其中之炭酸氣與酸素，互相交換之結果也。而司此交換之作用者，則爲肺臟，入于右上房之藍赤色血液，轉入右室後，至肺動脈，經肺之毛細管中復爲鮮紅色。還于心臟之左上房，復循環于全身，故循環于全身之動脈血液，雖爲鮮紅色，而在于肺者，則與之相反，蓋以肺動脈血爲暗赤色，肺靜脈血爲鮮紅色。

血液何以能流于血管內耶，則因心臟收縮，其內之血液受壓，不得不流出於外，是爲動脈。心臟弛緩，內生陰壓，靜脈與心臟相近之部分，不能禁血液不流入心臟中，是爲靜脈血，至於手足等之靜脈，離心臟較遠之處，則更別有裝置，以助其運行。

助運行之裝置爲何，管中之瓣是也。肌肉收縮，靜脈血液向心臟進行一步，則管中之瓣，不許任其逆行，因是徐徐流動，漸次流入心內。若手足垂下不動，久則血液停滯，其皮面顯露藍青色之靜脈條。又如吾人不能低首久立，縛兩足而倒懸之，須臾即死亡者，皆因頭部之靜脈血，受重力而下行，不藉瓣之助力，而頭部在心臟之下方靜脈，由是鬱血故也。

血液之主要成分爲赤血球，圓形，扁平而色赤，往往重叠如緡錢數貫然。赤血球之外，復有白色圓形之白血球與纖維素。血球在血管之中，浮游不定，宛如萍藻之流動水中，苟出于血管之外，則纖維素與空氣結合凝固，至于不能流動。

白血球爲赤血球之未熟者，可漸變爲赤血球。主此變化作用，及新製白血球之器管，爲腹部左側肋骨下緣之紫赤色脾臟，（狀如茸）及前述管狀骨內之骨髓。

此外血行器內更有二種，一爲淋巴管，一爲乳糜管，甲爲在全身各部之細管，血液循環於毛細管時，有一部分出血管外潛行組織間不復入血管內，終則集爲一管，數管復相集爲一大管，與靜脈相通。

淋巴管所至之處，有細腺甚多，名淋巴腺。當淋巴液流行其間，液中有不良之質，則留于腺內，恰如篩之濾物也，此腺散在于身體之各部，最多之處，爲頸側，腋窩，鼠蹊部等，（頸腺腫脹謂之瘰癧，鼠蹊腺炎謂之橫痃）腺之末梢部若起外傷腫物等，則其腺腫脹化膿，使外傷腫物等所生之不良物質，抑留于該腺中，可不至侵入心臟，凡胃腸消化之食物，已爲胃腸壁所吸收者，皆從乳縻管流通于全身。乳縻管在腹部之間，分散甚多，終則合爲一管，開口于腋下，與靜脈管相通。將食物之精華輸入靜脈內，此乳縻管之作用也。

四　治療原理

人體之新陳代謝失常，身體組織之構造起其變化，其臟器之官能亦隨之而發生異狀者，是名曰病。於病者身上施以鍼治灸治發生何種作用耶？據科學鍼灸家之研究，與吾人之實驗，則有：

一殺菌作用　據檻田原田兩醫學士之科學的測驗，謂施灸後其白血球增加之數能多至二倍有奇云云。白血球者，具有食菌之作用，對于諸種細菌侵入身體，白血球即能起而食之。故肺結核病者，白濁患者……及一切微菌感染者，如經一二十天之灸治，白血球着着增加，微菌日見死滅，而疾病愈矣。

二興奮作用　人之生活機能衰弱，或痲痺，例如運動神經痲痺或知覺神經異常，及內臟營養吸收分泌機能衰弱，其他因神經機能之異狀而起月經閉止便秘等，如以鍼或灸刺戟其某一部之交感神經，則血管擴張，新陳代謝旺盛，榮養佳良，疾病消除，正規生活囘復矣。

三曰制止作用　人之肌肉腺器神經機能之過度興奮，血管壁起變化，血液膿厚，或血流壅遏，而致發炎焮腫，知覺官能旺盛而過敏疼痛，運動神經機能亢進而痙攣搐搦，消化器管之異狀亢進而嘔吐下痢等，如以鍼或灸強刺戟之，通其鬱滯，緩其急迫，則神經即感疲勞，其興奮力及傳搬機能則減衰，得收鎮靜緩解收縮之效，而疾病愈矣。

四誘導作用　循環障害之充血溢血症，如刺戟其四肢末梢神經，則患病處之血管收縮，鍼刺處之毛細管擴張，血液由患處誘導至被鍼處矣。又內臟充血，或機能亢進時，如刺其淺部或其他部位利用反射之刺戟，使下腹運動緩和，脈管收縮。疾病消除矣。

茲將鍼治灸治之效能列表於下

鍼治效能
- 興奮作用　興奮神經　擴張血管　旺盛其新陳代謝之機能
- 制止作用　麻痺神經　收縮神經　抑制內臟機能之亢進
- 誘導作用　活潑內臟機能　解除筋肉之緊張力

灸治效能
- 誘導作用　血管擴張循環旺盛　蛋白體輸入血液中而生抵抗機能
- 直接作用　促進吸收力增加抗毒素　精神興奮愉快　神經感覺靈敏
- 返射作用　血液中增加白血球　腸胃之蠕動力強　血壓上昇

第三編　經穴

一　十二經穴起止歌

手肺少商中府起，大腸商陽迎香二，胃足頭維厲兌三，脾部隱白大包四，手心極泉少衝來，小腸少澤聽宮去，膀胱睛明至陰開，腎經湧泉俞府位，心包天池中衝隨，三焦關衝耳門繼，膽家童子髎竅陰，厥肝大敦期門至，十二經穴始終歌，學者銘於肺腑記。

二　人身度量標準

經穴度量尺寸，與各種制尺裁尺不同，普通以患者中指彎曲取其第一節與其第二節之橫紋尖，與第二節第三節之橫紋尖，兩尖相去爲一寸計算之，作量四肢之標準。頭部以前髮際至後髮際，作爲一尺二寸計算之。前髮際不明者，以眉心上行至後髮際，作爲一尺五寸。後髮際不明者，取大椎骨上行至前髮際，作爲一尺五寸，前後不明者，以大椎直上行至眉心，作爲一尺八寸計算，此量頭部直行尺寸之標準。頭部橫寸，以眼之內背角至外背角作一寸爲標準。胸腹部之量法，以兩乳相去作八寸計算，爲胸腹橫寸之標準。鳩尾尖(胸劍骨)至臍心作八寸計算之，如無鳩尾尖，以胸歧骨量至臍心作八寸計算之，爲胸腹直行寸之標準。背部以大椎至尾骶骨作三尺計算之，(上七節各一寸四分一厘，中七節各一寸六分一厘，下七節各一寸二分六厘。)爲背部分寸之標準，橫寸用中指同身寸法。

三　十四經經穴之考正

1 手太陰肺經　凡十一穴左右共廿二穴

肺經經穴分寸歌

太陰中府三肋間，上行雲門寸六許，雲在璇璣旁六寸，天府腋三動脈求。俠白肘上五寸主，尺澤肘中約紋是，孔最腕側七寸擬，列缺腕上一寸半，經渠寸口陷中取，太淵掌後橫紋頭，魚際節後散脈裏，少商大指內側端，鼻衄喉痺刺可已。

1 中府　位置　雲門下一寸六分，與任脈華蓋穴平，相去六寸，乳頭往上數至第三肋間，有動脈應手者是。
主治　主瀉胸中之熱，及身體之煩熱。傷寒。肺急胸滿。喘逆。善噎。食不下。肺胆寒熱。咳嗽上氣不得臥。肺風面腫。肩背痛。流清涕。喉痺。少氣。四肢浮腫。
療法　仰臥取之。針三分至五分深。不可太深。留五呼。灸五壯

2 雲門　位置　巨骨（鎖骨）下。中府微斜上一寸六分餘。離璇璣六寸。氣戶二寸。動脈應手。
主治　傷寒。喉痺。咳逆。喘不得息。四肢熱不已。胸脇煩滿。肩痛不舉。胸脇徹背痛。
療法　以手舉平。坐而取之。針三分，太深令人氣短促。灸五壯。

3 天府　位置　腋下三寸。動脈中，直對尺澤穴，相距七寸。
主治　中風中惡。口鼻衄血。寒熱瘧瘧。目眩。善忘。喘息不得臥。
療法　以手舉平，用鼻尖塗墨。俛首點到處取之。針三分，留七呼。

禁灸。

4俠白 位置 天府下二寸。動脈中。尺澤上五寸。

主治 心痛短氣。嘔逆煩滿。心悸亢進。

療法 針三分至五分深。舉臂行之。留三呼。灸五壯。

5尺澤 位置 肘中約紋之中。心筋骨罅中。

主治 汗出中風。寒熱痎瘧。喉痺鼓頷。嘔吐上氣。心煩身痛。口乾喘滿。咳嗽。唾濁。心痛氣短。肺脹。腹痛。風痺肘攣。四肢腫痛不舉。溺數遺失。面白善嚏。悲愁不樂。小兒慢驚風。

療法 以手平舉取之。針三分。留三呼。不宜灸。

6孔最 位置 尺澤下三寸。腕側横紋上七寸。

主治 傷寒發熱汗不出。欬逆。肘臂痛。屈伸難。手不及頭。指不握。吐血失音。頭痛。咽痛。

療法 側取之。針三分。灸五壯。

7列缺 位置 去腕側一寸五分。以兩手交叉食指盡處。兩筋骨罅中。

主治　偏風口眼喎斜。手肘痛無力，半身不遂。口噤不開。痎瘧寒熱。煩躁。咳嗽。喉痺。嘔沫。縱唇健忘。驚癇善笑。妄言妄見。面目四肢疼腫。小便熱痛。實則肩背暴腫汗出。虛則肩背寒慄。少氣不足以息。陰中痛。尿血精出。

療法　針二分。留三呼。灸三壯。

8 經渠

位置　腕後五分。寸口脈上。陷中。

主治　傷寒熱病汗不出。心痛嘔吐。痎瘧寒熱。胸背拘急。胸滿脹。喉痺。欬逆上氣。掌中熱。

療法　針二分至三分。留三呼。禁灸。灸則傷血。

9 太淵

位置　寸口前橫紋上。緊接經渠。

主治　乍寒乍熱。煩躁狂言。胸痺氣逆。肺脹喘息。嘔噦。噫氣。欬嗽咳血。咽乾心痛。目痛生翳赤筋。肩背痛引臂。溺色變。煩悶不得眠。

療法　在腕骨上陷中。掐之甚酸楚。針二分。留二呼。灸三壯

10魚際　位置　在大指本節後內側白肉際散紋中。

主治　酒病身熱惡風。寒熱。舌上黃。頭痛。欬嗽。傷寒汗不出。痺走胸背痛。不得息。目眩煩心。少氣寒慄。喉燥咽乾。欬引尻痛。吐血。心痺悲恐。腹痛食不下。乳癰。

療法　針二分。留三呼。禁灸。

11少商　位置　在拇指內側之第一節去爪甲角如韮葉。（約一二三分）

主治　頷腫喉痺。乳鵝。咽腫喉閉。咳逆。欬瘧。煩心嘔吐。腹脹腸鳴。寒慄鼓頷。手攣指痛。掌中熱。口乾引飲。食不下。微刺出血能泄諸臟之熱。凡初中風卒暴昏沉。痰涎壅盛。不省人事。牙關緊閉。藥水不下。急以三稜針刺此穴與諸井穴。使氣血流行。乃起死回生救急之妙穴。

療法　針一分。留三呼。瀉熱宜以三稜針刺出血。不可灸。

2 手少陰心經　凡九穴左右共十八穴

心經經穴分寸歌

少陰心起極泉中，腋下筋間動引胸，青靈肘上三寸覓，少海肘後五分充。
靈道掌後一寸半。通里腕後一寸同。陰郄去腕五分的，神門掌後銳骨逢。少府
小指本節末。小指內側是少衝。

1 極泉　位置　腋窩內两筋間。橫直天府三寸。微高于天府八分。
主治　心脇滿痛。肘臂厥寒。四肢不收。乾嘔。煩渴。目黃。
療法　針三分。灸七壯。

青靈　位置　在肘上三寸。
主治　頭痛目黃。振寒脅痛。肩臂不舉。
療法　禁針。灸三壯。屈肘舉臂取之。

3 少海　位置　肘內廉。去肘端五分陷中。
主治　寒熱刺痛。目眩發狂。癲癇羊鳴。嘔吐涎沫。項不得回。頭風疼痛。氣逆。瘰癧。肘臂腋脅痛攣不舉。
療法　針三分。不宜灸。屈肘向頭取之。

4 靈道　位置　在掌後一寸五分。
　　主治　心痛悲恐。乾嘔瘈瘲。肘攣。暴瘖不能言。
　　療法　針三分。灸五壯。

5 通里　位置　腕側後一寸。靈道下半寸陷中。
　　主治　熱病頭痛。目眩面熱。無汗懊憹。暴瘖心悸。悲恐畏人。喉痺。苦嘔。虛損。少氣。遺溺。肘臂腫痛。婦人經血過多。崩漏
　　療法　針三分。灸三壯。

6 陰郄　位置　通里下五寸。去腕五分。
　　主治　鼻衄吐血。失音不能言。霍亂。胸中滿。灑淅惡寒。厥逆。驚恐心痛。
　　療法　針三分。灸三壯。

7 神門　位置　在掌後銳骨(豌豆骨)之端陷中。陰郄下五分。
　　主治　瘧疾心煩。欲得冷飲。惡寒則欲就溫。咽乾不嗜食。驚悸心痛。少氣身熱。面赤發狂。喜笑上氣。嘔血吐血。遺溺。失音。

健忘。心積伏梁。大人小兒五癇症。手臂攣掣。

療法　針三分。灸三壯。

8少府

位置　在手小指本節後。骨縫陷中。直勞宮。

主治　痎瘧久不愈。振寒煩滿。少氣。胸中痛。悲恐畏人。臂痠肘腋攣急。陰挺出。陰癢。陰痛。遺尿。偏墜。小便不利。

療法　針二分。灸三壯。

9少衝

位置　在小指內廉之端。去爪甲角如韭葉許。

主治　熱病煩滿。上氣。心火炎上。眼赤血少。嘔吐血沫。及心痛。冷痰。少氣悲恐。善驚口熱。咽酸胸脅痛。乍寒乍熱。臑臂內後廉痛。手攣不伸。凡初中風猝倒。暴昏沉。痰涎壅盛。不省人事。牙關緊閉。水藥不下。亟以三稜針刺少商商陽中衝關衝少商少澤，以流通氣血。乃起死回生之妙穴。

療法　針一分。灸二壯。

3 手厥陰心包絡經　凡九穴左右共十八穴

心包絡經經穴分寸歌

心包穴起天池間。乳後旁一腋下三。天泉曲腋下二寸。曲澤肘內橫紋端。郄門去腕方五寸。間使腕後三寸安。內關去腕之二寸。大陵掌後兩筋間。勞宮曲中名指取。中衝中指之末端。

1 天池　位置　在乳後一寸。去腋下三寸。第四肋間。

主治　目不明。頭痛胸脅煩滿。欬逆。臂腋腫痛。四肢不舉。上氣。寒熱瘧。熱病汗不出。

療法　針三分。灸三壯。

2 天泉　位置　在手之內側。腋下二寸。

主治　惡風寒。胸脅痛。支滿欬逆。背胛臂間痛。

療法　針六分。灸三壯。舉臂取之。

3 曲澤　位置　在肘內廉下之陷凹中。即尺澤之內側。

主治　心痛善驚。身熱煩渴。臂肘搖動。掣痛不可伸。傷寒。嘔吐氣逆。

療法　針三分。灸三壯。屈肘取之。

4 郄門　位置　在大陵上五寸。即去腕五寸。

主治　嘔吐衄血。心痛嘔噦。驚恐神氣不足。久痔。

療法　針三分。灸五壯。

5 間使　位置　太陵上三寸。即掌後三寸。

主治　傷寒結胸。心懸如饑。嘔沫少氣。中風氣塞。昏危不語。卒狂。胸中澹澹。惡風寒。霍亂。乾嘔不止。所食即吐不停。腋腫肘攣卒心痛。多驚。咽中如鯁。婦人月水不調。小兒客忤。久瘧。四肢脈絕不至者。灸之便通。

療法　針三分。灸五壯。

6 內關　位置　大陵上二寸。兩腕間

主治　中風失志。實則心暴痛。虛行心煩惕惕。面熱目昏。支滿肘攣。久瘧不已。胸滿腸痛。腹內諸疾。

療法　針五分。灸五壯。

7 大陵

位置　在手腕橫紋之陷中。即尺橈两骨之間。

主治　熱病汗不出。舌本痛。喘欬嘔血。心懸如饑。善笑不休。頭痛氣短。胸脅痛。胸前瘡疥。驚恐悲泣。嘔逆喉痺。目乾目赤。肘臂攣痛。小便如血。

療法　針三分。灸三壯。

8 勞宮

位置　在掌心。

主治　中風悲笑不休。熱病汗不出。脇痛不可轉側。吐衄噫逆。煩渴食不下。胸脇支滿。口中腥氣。黃疸手痺。大小便血。熱痔。

療法　針三分。灸三壯。以中指無名指屈拳掌中在二指之尖之間。

9 中衝

位置　在中指之端。去爪甲如韮葉。

主治　熱病汗不出。頭痛如破。身熱如火。心痛煩滿。舌强痛。中風不省人事。治小兒夜啼多哭。凡初中風暴仆昏沉。痰涎壅盛。

不省人事。牙關緊閉。藥水不入。急以三稜針刺十井穴。使氣血流通。乃起死回生之妙穴也。

療法　針一分。灸一壯。

4 手陽明大腸經

凡廿穴左右共四十穴

大腸經經穴分寸歌

商陽食指內側邊。二間尋來本節前。三間節後陷中取。合谷虎口歧骨間。陽谿腕上筋間是。偏歷交叉中指端。溫溜腕後去五寸。池前四寸下廉看。池前三寸上廉中。池前二寸三里逢。曲池曲肘紋頭盡。肘髎大骨外廉近。大筋中央尋五里。肘上三寸行向裏。臂臑肘上七寸量。肩髃肩端舉臂取。巨骨肩尖端上行。天鼎扶下一寸眞。扶突人迎後寸五。禾髎水溝旁五分。迎香禾髎上一寸。大腸經穴是分明。

1 商陽　位置　食指端內側。去爪甲角如韭葉。

主治　傷寒。熱病汗不出。耳鳴。耳聾。痎瘧。胸中氣滿。喘欬。口乾、頤腫。齒痛。目盲。惡寒。肩背肢臂痛腫。急引缺盆中痛。中風跌倒。卒暴昏沉。痰盛。不省人事。牙關緊閉。漿水不下。急以三稜針出血。

療法　針一分。留一呼。灸三壯。

2 二間　位置　在食指第三節之關節前內側。當食指之旁面。近關節處。

主治　頷腫。喉痺。肩背臑痛。鼽衄。齒痛。舌黃口乾。口眼歪斜。飲食不思。振寒。傷寒。

療法　針二分。留六呼。灸三壯。

3 三間　位置　在第二掌骨端之凹陷處。即食指本節後陷中。去二間約一寸。

主治　鼽衄。熱病。喉痺。咽塞。氣喘多吐。唇焦口乾。下齒齲痛。目背急痛。吐舌捩頸。嗜臥。腹滿。腸鳴洞泄。寒熱瘧。傷寒氣熱。身寒善驚。

療法　針三分。留三呼。灸二壯。

4 合谷　位置　在食指拇指凹骨間陷中。即第一掌骨與第二掌骨中間之陷凹處

主治　傷寒大渴。脈浮在表。發熱惡寒。頭痛脊强。風疹寒熱。痎瘧。熱病汗不出。偏正頭痛。面腫。目翳。脣吻不收。瘖不能言。口噤不開。腰脊引痛。痿躄。小兒乳鵝。一切齒痛。產後脈絕不還。針三分。急補之。

療法　針三分。留六呼。灸三壯。孕婦禁針。

5 陽谿（溪）

位置　在手腕橫紋之上側。兩筋間陷中。與合谷直。

主治　熱病狂言。喜笑見鬼。煩心。掌中熱。目赤翳爛。厥逆頭痛。胸滿不得息。寒熱痎瘧。嘔沫。喉痹。耳鳴。齒痛。驚掣。肘臂不舉。痂疥。

療法　針二分。留七呼。灸三壯。

6 偏歷

位置　在腕後三寸。

主治　痎瘧寒熱。癲疾多言。目視䀮䀮。耳鳴。喉痹。口渴咽乾。鼻衄。齒痛。汗不出。大人水蠱。

療法　針三分。留七呼。灸三壯。

7 溫溜

位置　在偏歷二寸餘。去腕五寸餘。

主治　傷寒。寒熱頭痛。喜笑狂言見鬼。噦逆。吐沫。噎膈氣閉。口舌腫痛。喉痺。四肢腫。腸鳴腹痛。肩不得舉。肘腕痠痛。

療法　針三分。留三呼。灸三壯。

8 下廉

位置　腕後六寸餘。微向外斜去曲池四寸餘。

主治　癆瘵。狂言。頭風痺痛。飧泄。小腹滿。小便血。小腸氣。面無顏色。痃癖。腹痛不可忍。食不化。氣喘涎出。乳癰。主瀉胃中之熱。

療法　針三分至五分。灸五壯。

9 上廉

位置　下廉上一寸微向外。斜曲池下三寸餘。

主治　腦風頭痛。咽痛。喘息。半身不遂。腸鳴。小便濇。大腸氣滯。手足不仁。主瀉胃中之熱。

療法　針五分至七分。灸五壯。

10 三里

位置　曲池下二寸。按之肉起。銳肉之端。

主治　中風口僻。手足不遂。五勞虛乏。羸瘦。霍亂。齒痛頰腫。瘰癧。手痺不仁。肘攣不伸。

療法　針三分。灸五壯。

11 曲池

位置　在肘外輔骨之陷中。屈肘橫紋頭。

主治　傷寒振寒。餘熱不盡。胸中煩滿。熱渴。目眩。耳痛。瘰癧。喉痺不能言。瘈瘲。癲疾。繞踝風。手臂紅腫。肘中痛。偏風。半身不遂。臂膊痛。筋緩無力。屈伸不便。皮膚乾燥。痂疥。婦人經水不行。

療法　以手拱至胸前取之。針五分至一寸。灸三壯至數十壯。

12 肘髎

位置　在曲池上梢外斜一寸。大骨外廉陷中。

主治　肘節風痺。臂痛不舉。痲木不仁。嗜臥。手臂痛痲木。

療法　針三分至五分。灸三壯。

13 五里

位置　在肘上三寸。行向裏大脈中央。

主治　風勞驚恐。吐血咳嗽。嗜臥。肘臂疼痛難動。脹滿氣逆。寒熱。瘰癧。目視䀮䀮。痎瘧。

療法　此穴禁針。灸三壯至十壯。

14 臂臑　位置　在臂外側。去肘七寸。肩髃下三寸。

主治　臂痛無力。寒熱。瘰癧。頸項拘急。

療法　手舉平取之。不可針。灸七壯至百壯。

15 肩髃　位置　在肩尖下寸許。罅陷中。舉臂有空陷。

主治　中風偏風。半身不遂。肩臂筋骨痠痛。不能上頭。傷寒作熱不已。勞氣泄精。憔悴。四肢熱。諸癭氣。瘰癧。主瀉四肢之熱

療法　針六分。留三呼。灸偏風不遂。自七壯至七七壯。不可過多。多則使臂細。

16 巨骨　位置　在肩髃上。肩胛關節前下陷中。

主治　驚癇。吐血。胸中有瘀血。臂痛不能曲伸。

療法　此穴不宜針。灸三壯至七壯。

17 天鼎　位置　離甲狀軟骨（結喉）三寸五分。再下一寸。即頸筋下肩井內。

主治　喉痺。咽腫。不得食。暴瘖。氣哽。
療法　針三分。灸三壯。

18 扶突　位置　去結喉三寸。天鼎上前一寸。人迎後一寸五分。
主治　欬嗽多唾。上氣喘息。喉中如水鷄聲。暴瘖氣哽。
療法　仰而取之。針三分。灸三壯。

19 禾髎　位置　人中旁五分。直對鼻孔下。
主治　尸厥。口不可開。鼻瘡瘜肉。鼻塞鼽衄。
療法　針二分至三分。禁灸。

20 迎香　位置　眼下一寸五分。禾髎斜上一寸。鼻縫外五分。
主治　鼻塞不聞香臭。瘜肉多涕。有瘡。鼽衄。喘息不行。偏風喎斜。浮腫。風動面癢。狀如蟲行。
療法　針二分至三分。禁灸。

5 手太陽小腸經

凡十九穴左右共卅八穴

小腸經經穴分寸歌

小指端外爲少澤。前谷外側節前覓。節後捏拳取後谿。腕骨腕前骨陷側。銳骨下陷陽谷討。腕後銳上覓養老。支正腕後五寸量。小海肘端五分好。肩貞胛下兩筋解。臑俞大骨下陷保。天宗秉空後骨中。秉風髎外舉有空。曲垣肩中曲胛陷。外俞去脊三寸從。中俞二寸大椎旁。天窗扶突後陷詳。天容耳下曲頰後。顴髎面鳩銳端量。聽宮耳中大如菽。此爲小腸手太陽。

1 少澤　位置　在小指端甲側。去爪甲角如韭葉。

主治　痎瘧，寒熱，汗不出。喉痺舌强，心煩咳嗽。瘈瘲。臂痛。項痛不可回顧。目生翳。婦人無乳。耳聾不得眠。凡初中風卒暴昏沉。痰涎壅盛。不省人事。急以三稜針刺少商商陽中衝少衝少澤出血。使氣血流通。乃起死回生救急之妙穴。

療法　針一分留三呼。灸一壯。

2 前谷　位置　在小指外側本節前之陷凹處。

主治　熱病汗不出。痎瘧。癲疾。耳鳴。喉痺。頸項頰腫引耳後。咳嗽。目翳。鼻塞。吐乳。臂痛不舉。婦人手癰。熱病無汗。

療法　針一分。灸一壯。

3 後谿

位置　小指外側本節後陷中。第五掌骨之前外端。

主治　痎瘧。寒熱。目翳。鼻衄。耳聾。胸滿。項强不得回顧。癲癇。臂攣急。五指盡痛。

療法　針三分。留二呼。灸一壯。握拳取之。適當掌尖。

4 腕骨

位置　在豌豆骨側之旁側。即手外側之腕前起骨下陷中。

主治　熱病汗不出。脅下痛不得息。頸項腫。寒熱耳鳴。目出冷淚生翳。狂惕。偏枯。臂肘不得屈伸。瘧疾煩悶。頭痛。驚風瘈瘲。五指掣攣。

療法　針二分。留三呼。灸三壯。握掌向內取之。

5 陽谷

位置　在手腕側之兩顆間，去腕骨穴一寸二分。即手外側腕中銳骨之下陷中。

主治　癲疾。發狂。妄言左右顧。熱病汗不出。脇痛項腫。寒熱。耳聾。耳鳴。齒痛。臂不舉。小兒瘈瘲。舌强。

療法　針二分。留三呼。灸三壯。

6 養老

位置　去陽谷斜向外。腕後一寸。手踝骨上。

主治　肩臂痠痛。肩欲折。臂如拔。手不能自上下。目視不明。

療法　屈手取之。則骨開而孔露。針二分至三分。灸三壯。

7 支正

位置　去腕後五寸。

主治　五癆。癲狂。驚風寒熱。頷腫項强。頭痛目眩。風虛驚恐悲愁。腰背痠。四肢乏力。肘臂不能屈伸。手指痛不能握。

療法　針三分。灸三壯。

8 小海

位置　在尺骨鷲嘴突起之上端。去肘尖五分陷中。即肘內側大骨外。去肘端五分。

主治　肘臂肩臑頸項痛。寒熱。齒根腫痛。風眩。瘍腫。小腹痛。五癇。瘈瘲。

療法　屈肘向頭取之。灸三壯。針三分。

9 肩貞 位置 臂夆突起後側之下。去脊橫開八寸。下直腋縫。
主治 傷寒。寒熱。頷腫。耳鳴。耳聾。缺盆肩中熱痛。風痺手足不舉。
療法 針五分。灸五壯。

10 臑兪 位置 肩貞上一寸。橫外開八分。
主治 肩痠無力。肩痛引胛。寒熱氣腫痠痛。
療法 針五分至八分。灸三壯。舉臂取之。

11 天宗 位置 在肩貞斜上一寸七分。橫內開一寸。
主治 肩臂痠痛。肩外後廉痛。頰頷腫。
療法 針五分至八分。灸三壯。

12 秉風 位置 在肩上小顒後。舉臂有空。
主治 肩痛不可舉。
療法 針五分。

13 曲垣 位置 在肩之中央。曲胛陷中。按之應手痛。

主治　肩臂熱痛。拘急周痺。

療法　針五分。灸三壯。

14肩外俞位置　在肩胛上廉。去脊三寸。

主治　肩胛痛。發寒熱。引項攣急。周痺寒至肘。

療法　針五分。灸三壯。

15肩中俞位置　在肩外俞斜上五分。去脊二寸。大椎旁。

主治　咳嗽上氣。吐血寒熱。目視不明。

療法　針三分。灸十壯。

16天窗位置　在耳下二寸。大筋間。即曲頰下扶突後動脈中。

主治　頸癭腫痛。肩胛引項不得回顧。頰腫。耳聾。喉痛暴瘖。

療法　針三分。灸三壯。

17天容位置　在耳下頰車後二寸。頸筋間。

主治　癭氣頸腫不可回顧。不能言。齒噤。耳鳴。耳聾。喉痺。咽中如鯁。寒熱胸滿。嘔逆吐沫。

療法　針五分至八分。灸三壯。

18 顴髎　位置　在面鳩骨下廉銳骨端。即顴骨下陷凹處。

主治　口喎。面赤。目黃。眼瞤不止。

療法　針三分。禁灸。

19 聽宮　位置　在耳前珠子旁。

主治　失音。癲疾。心腹滿。耳內蟬鳴。耳聾。

療法　針三分。灸三壯。

6 手少陽三焦經　凡廿三穴左右共四十六穴

三焦經經穴分寸歌

無名指外端關冲。液門小次指陷中。中渚液上止一寸。陽池手表腕陷中。
外關腕後方二寸。腕後三寸支溝容。支溝橫外取會宗。空中一寸用心攻。腕後
四寸三陽絡。四瀆肘前五寸着。天井肘外大骨後。骨罅中間一寸摩。肘後二寸
清冷淵。消爍對液臂外落。（臑會下二寸）臑會肩前三寸量。肩髎臑上陷中央。

天髎毖骨陷內上。天牖天容之後旁。翳風耳後尖角陷。瘈脈耳後鷄足張。顱息亦在青絡上。角孫耳廓上中央。耳門耳曲前起肉。和髎耳前銳髮鄉。欲知絲竹空何在。眉後陷中仔細量。

1 關冲　位置　在無名指外側。去爪甲角如韭葉。

主治　頭痛。口乾。喉痺。霍亂。胸中氣噎不食。肘臂痛不能舉。目昏昏。三焦邪熱。口渴唇焦。瀉此穴出血。凡中風卒仆昏沉。痰涎壅盛。不省人事。牙關緊閉。藥水不下。急以三稜針刺各井穴出血。使氣血流通。乃起死囘生之救急妙法。

療法　針一分。留三呼。灸三壯。

2 液門　位置　在少指次指之間合縫處陷中。

主治　驚悸妄言。寒厥臂痛。不得上下。痎瘧寒熱。頭痛。目眩赤澀淚出。耳暴聾。咽外腫。牙齦痛。

療法　針三分。灸三壯。握拳取之。

3 中渚　位置　在無名指小指本節後間陷中。

主治　熱病汗不出。臂指痛不得屈伸。頭痛。目眩。生翳目不明。耳聾。咽腫。久瘧。手臂紅腫。腰痛。背痛。

療法　針三分。灸三壯。握拳取之。

4 陽池　位置　在手表腕上横紋陷中。

主治　消渴口乾。煩悶寒熱瘧。或因折傷手腕。促物不得。臂不能舉

療法、針三分不宜灸。

5 外關　位置　在陽池後二寸兩筋間。

主治　耳聾。渾渾無聞。臂肘不得屈伸。五指痛不能握。

療法　針三分。灸三壯。

6 支溝　位置　在陽池後三寸。兩筋骨間陷中。

主治　熱病汗不出。肩臂痠重。脇腋痛。四肢不舉。霍亂嘔吐。口噤暴瘖。產後血暈。不省人事。三焦相火熾盛。大便不通。脅肋疼痛瀉之。

療法　針三分。灸七壯。

7 會宗　位置　支溝外旁(偏小指一面)一寸。

主治　五癇。耳聾。肌膚痛。

療法　禁針。灸三壯。

8 三陽絡位置　去支溝一寸。

主治　暴瘖不能言。耳聾齒齲。嗜臥。身不欲動。

療法　禁針。灸三壯。

9 四瀆　位置　在三陽絡上一寸五分。微前五分。

主治　暴氣耳聾。下齒齲痛。

療法　針五分。灸三壯。

10 天井　位置　在肘尖上二寸陷凹處。在屈肘之肘尖上側。向上一二寸間之陷中。

主治　咳嗽上氣。胸痛不得語。唾膿不嗜食。寒熱淒淒不得臥。驚悸悲傷。瘈瘲。癲疾。五癇。風痺。頭頸肩背痛。耳聾。目銳眥頰肘腫痛。臂腕不能捉物。及瀉一切瘰癧瘡腫瘮。

療法　針三分。灸三壯。

11 清冷淵　位置　去天井一寸。

主治　諸痺痛。肩臂肘臑不能舉。

療法　針三分。灸三壯。伸肘舉臂取之。

12 消濼　位置　臑會下二寸。

主治　風痺。頸項强急腫痛。寒熱頭痛。肩背急。

療法　針三分。灸三壯。

13 臑會　位置　在肩頭下三寸。

主治　肘臂氣腫。痠痛無力不能舉。項癭氣瘤。寒熱瘰癧。

療法　針五分。灸五壯。

14 肩髎　位置　在鎖骨與肩胛骨之陷凹處。肩髃後寸餘。微下些。試將肩膊上舉。當其陷凹處是也。

主治　臂重肩痛不能舉。

療法　針七分。灸三壯。

15天髎　位置　鎖骨上窩之上部。肩井內一寸。後開八分。
主治　肩臂痠痛。缺盆痛。汗不出。胸中煩滿。頸項急寒熱。
療法　針五分。灸三壯。

16天牖　位置　風池下一寸微外些。即完骨下髮際上天容後天柱前。
主治　面腫頭風。項强不能回顧。
療法　針一寸。留七呼。不宜補。不宜灸。若灸之則面腫眼合。先取譩譆。後針天牖風池。其病即瘥。

17翳風　位置　耳根後。距耳約五分之陷凹處。
主治　耳聾。口眼喎斜。口噤不開。脫頷頰腫。牙車急痛。暴瘖不能言。
療法　針三分。灸三壯。

18瘈脈　位置　翳風上一寸。稍近耳根。青絡上。
主治　頭風耳鳴。小兒驚癇。瘈瘲。嘔吐瀉痢無時。驚恐目澀多眵。

療法　針一分出血如豆汁。禁灸。

19顱息　位置　在瘈脈上寸餘。有青絡。

主治　耳鳴喘息。小兒嘔吐。瘈瘲。驚恐。發癇。身熱頭痛不得臥。

療法　針此穴絡脈微出血。禁灸。

20角孫　位置　當耳殼上角之陷凹處。以指按之。口開闔時指下覺牽動。

主治　目生翳。齒齦腫不能嚼。唇吻燥。頸項强。

療法　灸三壯。不宜針。

21耳門　位置　耳前肉峯下缺口外。

主治　耳聾。盯耳生瘡。流膿。唇吻强。

療法　針三分。灸三壯。

22和髎　位置　在耳前。髮鋭尖下。

主治　頭痛耳鳴。牙車引急。頸項腫。瘈瘲。

療法　針三分。禁灸。

23絲竹空位置　眉毛稍外端陷中。

主治　頭痛。目赤。目眩。視物䀮䀮。拳毛倒睫。風痫戴眼。發狂吐涎沫。偏正頭風。

療法　針三分。禁灸。

7 足太陰脾經　凡廿一穴左右共四十二穴

脾經經穴分寸歌

大趾內側端隱白。節前陷中求大都。太白核前白肉際。節後一寸公孫呼。商邱踝前陷中逢。踝上三寸三陰交。踝上六寸漏谷是。膝下五寸地機朝。膝下內側陰陵泉。血海膝臏上內廉。(上二寸)箕門穴在魚腹取。動脈應手越筋間。衝門橫骨兩端同。去腹中行三寸半。衝上七分府舍求。舍上三寸腹結算。結上寸三是大橫。却與臍平莫胡亂。中脘之旁四寸取。便是腹哀分一段。中庭旁五食竇穴。膻中去六是天谿。再上寸六胸鄉穴。周榮相去亦同然。大包腋下有六寸。淵腋之下三寸絆。

1 隱白　**位置**　大指內側端。去爪甲角如韭葉。

主治　腹脹喘滿不得臥。嘔吐食不下。胸中痛煩熱。暴泄鼻血。尸厥不識人。足寒不得溫。婦人月事過時不止。小兒客忤。驚風。

療法　針一分。留三呼。禁灸。

2 大都

位置　大趾內側本節前第二節後。骨縫白肉際陷中。

主治　熱病汗不出。不得臥。身重骨痛。傷寒手足逆冷。腹滿嘔吐。悶亂。腰痛不可俯仰。四肢腫痛。大便難。灸如年壯

療法　針三分。留七呼。灸三壯。婦人孕後或新產未及三月。不宜灸

3 太白

位置　大趾本節後。其內側有如梅核之骨。骨下之陷凹處。赤白肉際

主治　身熱煩滿。腹脹。食不化。嘔吐。瀉痢膿血。腰痛大便難氣逆霍亂腹中切痛。腸鳴。膝股胻痠。轉筋。身重骨痛。

療法　針二分。留七呼。灸三壯。

4 公孫

位置　大趾本節後一寸。即孤拐後赤白肉際。

主治　寒瘧不食。癇氣好太息。多寒熱。汗出喜嘔。面腫。心煩多飲。胆虛腹虛。水腫。腹脹如鼓。脾冷。胃痛。

療法　針四分。灸三壯。

5 商丘

位置　內踝骨下微前陷凹中。

主治　胃腕痛。腹脹腸鳴。不便。脾虛。令人不樂。身寒善太息。心悲氣逆。喘嘔。舌强。脾積痞氣。黃疸。寒瘧。體重支節痛。怠惰嗜臥。痔疾。陰股內痛。狐疝走引。少腹痛不可俯仰。

療法　針三分。留七呼。灸三壯。

6 三陰交

位置　內踝上除踝三寸。

主治　脾胃虛弱。心腹脹滿。不思飮食。脾病身重。四肢不舉。飧泄血痢。痃癖。臍下痛不可忍。中風卒厥。不省人事。膝內廉痛。足痿不行。難產。月水不禁。赤白帶下。小腸疝氣。偏墜。木腎腫痛。小便不通。渾身浮腫。

療法　針三分。留七呼。灸三壯。姙娠不可針。

7 漏谷

位置　三陰交上三寸。內踝上六寸。骨下陷中。

主治　膝痺脚冷不仁。腸鳴腹脹。痃癖冷氣。小腹痛。飮食不爲肌膚。小便不利。失精。

療法　針三分。禁灸。

8 地機　位置　膝下五寸內側。

主治　腰痛不可俯仰。溏泄腹脹水腫。不嗜食。精不足。小便不利。足痺痛。女子癥瘕。

療法　針三分。灸三壯。伸足取之。

9 陰陵泉　位置　膝下內輔骨下陷中。與陽陵泉相對。去膝橫開一寸餘。

主治　霍亂。寒熱。胸中熱。不嗜食。喘逆不得臥。疝瘕腹中寒。脇下滿。水脹腹堅。腰痛不可俯仰。陰痛氣淋。遺精。小便不利。遺尿。泄瀉。足膝紅腫。

療法　針五分。留七呼。灸三壯。伸足取之。

10 血海　位置　膝臏上二寸。膝之內側白肉際。

主治　女人崩中漏下。月事不調。帶下。逆氣腹脹。腎臟風。两腿瘡癢濕不可當。

療法　針五分。灸五壯。

11 箕門　位置　內股去血海六寸。動脈應手。

主治　五淋。小便不通。遺溺。鼠鼷腫痛。

療法　針三分。灸三壯。一說此穴禁針。

12 衝門　位置　曲骨旁三寸半。去中行三寸半。

主治　中寒積聚。淫濼陰疝。姙娠衝心。難乳。

療法　針七分。灸五壯。

13 府舍　位置　腹結下三寸。去中行三寸半。

主治　疝癖腹脇滿痛。上下搶心。積聚痺痛。厥氣。霍亂。

療法　針七分。灸五壯。

14 腹結　位置　大橫下一寸三分。

主治　欬逆。繞臍腹痛。中寒。瀉痢。心痛。

療法　針五分。灸五壯。

15 大橫　位置　去中行四寸。與臍平。

主治　大風逆氣。四肢不舉。多寒善悲。
療法　針三分。灸三壯。

16 腹哀　位置　中脘旁四寸微下些。大橫上三寸半。
主治　寒中食不化。大便膿血。腹痛。
療法　針三分。灸五壯。

17 食竇　位置　去中庭五寸。第五肋間部。
主治　胸脇支滿。欬吐逆氣。飲不下。膈有水聲。
療法　針四分。灸五壯。舉臂取之。

18 天谿　位置　第四肋間部。去中行六寸。乳頭旁二寸。
主治　胸滿喘逆。上氣喉中作聲。婦人乳腫。
療法　針四分。灸五壯。仰而取之。

19 胸鄉　位置　第三肋間。天谿上一寸六分。
主治　胸脇支滿。引背痛不得臥轉側。
療法　針四分。灸五壯。仰而取之。

20 周榮 位置 胸鄉上一寸六分。中府下一寸六分。

主治 胸滿不得俯仰。欬逆食不下。

療法 針四分灸五壯。仰而取之

21 大包 位置 腋窩下六寸。淵腋下三寸。出九肋間。

主治 胸中喘痛。腹有大氣不得息。實則身盡痛。虛則百節盡皆縱。

療法 針三分。灸三壯。

8 足少陰腎經

凡廿七穴左右共五十四穴

腎經經穴分寸歌

足掌心中是湧泉。然谷踝前大骨邊。太谿踝後跟骨上。照海踝下四分安。水泉谿下一寸覓。大鐘跟後踵筋間。復溜踝上前二寸。交信踝上二寸連。二穴只隔筋前後。大陰之後少陰前。築賓內踝上五寸。陰谷膝下內輔邊。橫骨大赫並氣穴。四滿中注亦相連。五穴上行皆一寸。中行旁開五分邊。肓俞上行亦一寸。俱在臍旁半寸間。商曲石關陰都穴。通谷幽門五穴纏。下上俱是一寸取。

各開中行半寸前。步廓神封靈墟穴。神藏或中俞府安。上行寸六旁二寸。俞府璇璣二寸觀。

1 湧泉 位置 在足底中央。試屈足趾。在足底去足跟之居中宛宛處。

主治 尸厥面黑。喘欬有血。目無所見。善恐。心中結熱。風疹風癇。心痛不嗜食。男子如蠱。女子如娠。咳嗽氣短。身熱喉痺。目眩頸痛。胸脇滿。小便痛。腸癖泄瀉。霍亂。轉胞不得尿。腰痛大便難。轉筋足筋寒痛。腎積奔豚。熱厥。五趾盡痛。足不踐地。

療法 針三分。灸三壯。

2 然谷 位置 內踝前之高骨下。公孫後一寸。

主治 喘呼煩滿。欬血。喉痺。消渴。舌縱。心恐。少氣涎出。小腹脹。痿厥寒疝。足跗腫。胻痠。足一寒一熱。不能久立。男子遺精。婦人陰挺出。月經不調不孕。初生小兒臍風撮口。痿厥洞泄。主瀉腎臟之熱。

療法　針三分。灸三壯。

3 大谿　位置　內踝後五分。跟骨上。動脈陷中。

主治　熱病汗不出。傷寒手足逆冷。嗜臥。咳嗽。咽腫。衄血唾血。溺赤。消癉。大便難。久瘧欬逆。煩心不眠。脈沉手足寒。嘔吐不嗜食。善噫。腹痛。瘠瘦。寒疝痃癖。陰股內溼癢生瘡。便毒。腎瘧。嘔吐多寒。腰脊痛。手足寒。

療法　針三分。灸三壯。

4 大鐘　位置　在足跟後踵中。太谿下五分。

主治　氣逆煩悶。小便淋閉。洒洒腰脊强痛。大便秘澀。嗜臥。口中熱。虛則嘔逆多寒。欲閉戶而處。小氣不足。胸脹喘息。舌乾食噎不得下。善驚恐不樂。喉中鳴。欬吐血。

療法　針二分。灸三壯。

5 照海　位置　內踝下一寸。

主治　咽乾嘔吐。四肢懈惰。嗜臥。善恐不樂。大風偏枯。半身不遂。久癃卒疝。腹中氣痛。小腹淋痛。陰挺出。月水不調。

療法　令人穩坐足底相對。在內踝骨下赤白肉際陷中。針三分。灸七壯。

6 水泉

位置　在內踝後。大谿下一寸。

主治　目不能遠視。女子月事不來。來即多。心下悶痛。小便淋。陰挺出。

療法　針四分。灸四壯。

7 復溜

位置　內踝上二寸。距交信後五分。

主治　腸癖痔疾。腰脊內引痛。不得俯仰。善怒。多懈。舌乾涎出。足痿胻寒不得履。腸鳴腹痛。四肢腫。十種水病。五淋。盜汗。面色痿黃。

療法　針三分。灸五壯。

8 交信

位置　內踝上二寸。與復溜並立。在復溜之前。三陰交下一寸之微後

主治　五淋。癲疝。陰急。股膈內廉引痛。瀉痢赤白。大小便難。女

人漏血不止。陰挺。月事不調。小腹痛。盜汗

療法 針四分。灸五壯。

9 築賓 位置 內踝上五寸。三陰交直上二寸。後開一寸二分。

主治 小兒胎生癲疾。吐舌。發狂。詈罵。腹痛。嘔吐涎沫。

療法 針三分。灸五壯。

10 陰谷 位置 膝內輔骨之後。大筋之下。小筋之上。即在曲線之後橫直一寸餘。微下些。

主治 舌縱延下。腹脹煩滿。溺難。小腹疝急引陰。陰股內廉病。爲痿爲痺。膝痛不可屈伸。女人漏下不止少娫。

療法 針四分。灸三壯。屈膝取之。

11 橫骨 位置 大赫下一寸。去中行五分。

主治 五淋。小便不通。陰器下縱引痛。小腹滿。目眥赤痛。五臟虛

療法 針三分。灸五壯。

12 大赫 置位 氣穴下一寸。去中行五分。

主治　虛勞失精。陰萎下縮。莖中痛。目赤痛。女子赤帶。
療法　針三分。灸五壯。

13 氣穴
位置　四滿下一寸。去中行五分。
主治　奔豚痛引腰脊。濡痢。經不調。
療法　針三分。灸三壯。

14 四滿
位置　中注下一寸。去中行五分。
主治　積聚。疝瘕。腸癖切痛。奔豚。臍下痛。月經不調。惡血腹痛無子。
療法　針三分。灸三壯。

15 中注
位置　肓兪下一寸。去中行五分。
主治　小腹熱。大便堅燥。腰脊痛。目眥痛。月事不調。
療法　針五分。灸五壯。

16 肓兪
位置　臍旁五分。
主治　腹痛寒疝。大便燥。目赤痛從內眥始。

療法　針五分。灸五壯。

17 商曲　位置　石關下一下。

主治　腹中切痛。積聚不嗜食。

療法　針五分。灸五壯。

18 石關　位置　陰都下一寸。

主治　噦噫嘔逆。脊强腹痛。氣淋。小便不利。大便燥閉。目赤痛。婦人無子。或惡血上衝。腹痛不可忍。

療法　針一分。灸三壯。孕婦禁灸。

19 陰都　位置　通谷下一寸。

主治　心煩滿恍惚。氣逆。腸鳴肺脹。氣搶嘔沫。大便難。脇下熱痛。目痛寒熱。痎瘧。婦人無子。腹絞痛。

療法　針五分。灸三壯。

20 通谷　位置　幽門下一寸。

主治　口喎。暴瘖。積聚。痃癖。胸滿食不化。膈結嘔吐。目赤痛不明。清涕。項似拔不可回顧。

療法　針五分。灸三壯。

21 幽門　位置　巨闕旁五分。

主治　胸中引痛。心下煩滿。逆氣裏急。支滿。不嗜食。數欬乾嘔。健忘。溲痢膿血。少腹脹滿。女子心痛逆氣。善吐食不下。

療法　針五分。灸五壯。

22 步廊　位置　神封下一寸六分。中庭旁二寸。

主治　胸脅滿痛。鼻塞少氣。欬逆不得息。嘔吐不食。臂不得舉。

療法　針三分。灸五壯。仰而取之。

23 神封　位置　靈墟下一寸六分。去中行二寸。

主治　胸脅滿痛。欬逆不得息。嘔吐不食。乳癰。

療法　針三分。灸五壯。仰取之。

24 靈墟　位置　神藏下一寸六分。當三肋間。

主治　胸滿不得息。欬逆。乳癰。嘔吐。

療法　針三分。灸三壯。仰取之。

25 神藏

位置　或中下一寸六分。

主治　嘔吐欬逆。喘不得息。胸滿不嗜食。

療法　針三分。灸五壯。仰取之。

26 彧中

位置　俞府下一寸六分。

主治　欬逆。喘息。胸脇支滿。嘔吐不食。

療法　針四分。灸五壯。仰取之。

27 俞府

位置　璇璣旁二寸。

主治　欬逆上氣。嘔吐不食。中痛。

療法　針三分。灸五壯。仰取之。

9 足厥陰肝經　凡十四穴左右凡廿八穴

肝經經穴分寸歌

足大趾端名大敦。行間大趾縫中存。太冲本節後寸五。踝前一寸號中封。

蠡溝踝上五寸是。中都踝上七寸中。膝關犢鼻下二寸。曲泉曲膝盡橫紋。陰包膝上万四寸。氣衝三寸下五里。陰廉衝下有二寸。急脈陰旁二寸半。章門臍旁季脇端。肘尖盡處側臥取。期門乳下二肋端。旁距不容寸五量。

1 大敦 位置 在大趾端爪甲後之叢毛中。按之有陷。

主治 卒心痛汗出。腹脹腫滿中熱。喜寐。五淋七疝。小便頻數不禁。陰痛引小腹。陰挺出。血崩。尸厥如死。

療法 針一分。灸三壯。

2 行間 位置 大趾次趾合縫後五分。動脈陷中。

主治 嘔吐欬血。心胸痛。腹脇脹。色蒼蒼如死狀。中風口喎。嗌乾煩渴。瞑不欲視。目中淚出。太息。癲疾短氣。肝積肥氣。洞泄。遺尿。癃閉。崩漏。白濁。寒疝小腹腫。腰痛不可俯仰。驚風。

療法 針三分。灸三壯。

3 太冲 位置 行間後寸半。

主治　虛勞嘔血。恐懼氣不足。嘔逆。發寒。肝瘧令人腰痛。嗌乾。胸脇支滿。太息。浮腫。少腹滿。腰引少腹痛。足寒。或大小便難。陰痛遺溺。溏洩。小便淋癃。小腹疝氣。胻痠踝痛。女子月水不通。或漏血不止。小兒卒疝。產後汗出不止。

療法　針三分。灸三壯。

4 中封

位置　內踝前一寸微下些。屈足見踝前下面有陷凹處是。

主治　痎瘧。色蒼蒼如死狀。善太息振寒。溲白。大便難。小便腫痛。五淋。足厥痛。不嗜食。身體不仁。寒疝痿厥。筋攣。失精。陰縮入腹相引痛。或身微熱。

療法　針四分。灸三壯。

5 蠡溝

位置　內踝前上五寸。

主治　疝痛。小腹滿痛。癃閉。臍下積氣如杯。數噫恐悸。少氣足脛寒痠。屈伸難。腰背拘急。不可俯仰。月經不調。溺下赤白。

療法　灸三壯。針三分。

9 中封　位置　蠡溝上二寸。

主治　腸癖㿗疝。小腹痛。溼熱足脛寒。不能行立。婦人崩中。產後惡露不絕。

療法　針三分。灸五壯。

7 膝關　位置　犢鼻下二寸。向裏橫開寸半之間陷中。

主治　風痺。膝內腫痛。引臏不可屈伸。及寒濕走注。白虎歷節風痛。不能舉動。咽喉中痛。

療法　。針四分。灸五壯。

8 曲泉　位置　膝內輔骨下。屈膝橫紋與陷中。

主治　㿗疝。陰股痛。小便難。少氣洩痢膿血。腹脇支滿。膝痛筋攣。四肢不舉。不可屈伸。風癆失精。身體極痛。膝脛冷。陰莖痛。實則身熱目痛。汗不出。發狂衄血。喘吁痛引咽喉。女子陰挺出，陰癢血瘕。

療法　針七分。灸三壯。

9 陰包　位置　膝上四寸股內廉兩筋間。
　　主治　腰尻引小腹痛。小便難。遺尿。月水不調。
　　療法　針六分。灸三壯。

10 五里　位置　陰廉下斜二寸。去氣衝二寸。
　　主治　腸風。熱閉不得溺。風勞嗜臥。四肢不舉。
　　療法　針三分。灸三壯。

11 陰廉　位置　陰都之旁皮肉之下有如核者名曰羊矢骨。穴在其下。去氣衝二寸。
　　主治　婦人不孕。若經不調未有孕者。灸三壯即有子。
　　療法　針三分。灸三壯。

12 急脈　位置　陰旁二寸半。
　　主治　癩疝。小腸痛。
　　療法　灸六壯。禁針。

13 章門　位置　在季肋之端。與臍直。

主治　兩脇積氣如卵石。膨脹腸鳴。食不化。胸脇痛。煩熱支滿。嘔吐。欬喘不得臥。腰脊冷痛不得轉側。肩臂不舉。傷飽身黃瘦弱。洩瀉。四肢懶。善恐少氣厥逆。

療法　針六分。灸三壯。

14期門　位置　不容旁一寸五分。乳下第二肋端。臍上六寸。橫開三寸半。

主治　傷寒。胸中煩熱。奔豚上下。目青而嘔。霍亂。瀉痢。胸脇積痛。支滿嘔酸。善噫食不下。喘不得臥。

療法　針四分。灸五壯。

10足陽明胃經

凡四十五穴左右共九十穴

胃經經穴分寸歌

胃之經兮起頭難。神庭旁開四五尋。下關耳前動脈經。頰車耳下曲頰詢。承泣目下七分中。四白目下一寸從。巨髎鼻孔旁八分。地倉俠吻四分近。大迎頷前寸三分。人迎喉旁寸五眞。水突筋前迎下在。氣舍突下穴相乘。缺盆舍外橫骨內。相去中行四寸明。氣戶璇璣旁四寸。至乳六寸又四分。庫房屋翳膺窗近。乳中正在乳頭心。次有乳根出乳下。各一寸六不相侵。却去中行須四寸。以前穴道與君陳。不容巨闕旁二寸。却近幽門寸五新。其下承滿與梁門。關門太乙滑肉門。上下一寸無多少。共去中行二寸尋。天樞臍旁二寸間。樞下一寸外陵安。樞下三寸大巨穴。樞下五寸水道全。水下二寸歸來好。氣衝歸來下一寸。共去中行二寸邊。髀關膝上有尺二。伏兎膝上六寸是。陰市膝上方三寸。梁邱膝上二寸記。膝臏陷中犢鼻存。膝下三寸三里至。膝下六寸上廉穴。膝下七寸條口位。膝下八寸下廉看。下廉之旁豐隆係。却是踝上八寸量。解谿跗上繫鞋處。衝陽跗上五寸喚。陷谷庭後二寸間。內庭次指外間陷。厲兌大次趾外端。

1頭維　位置　額角入髮際。去神庭旁四寸五分。本神旁一寸五分。

主治　頭風疼痛如破。目痛如脫。淚出不明。

療法　針三分。沿皮下針。禁灸。

2下關　位置　客主人之下。耳前動脈下。合口有空。張口則閉。

主治 偏風。口眼喎斜。耳鳴。耳聾。痛癢出膿。失欠。牙關脫臼。

療法 針三分。不可久留針。亦不可灸。

3 頰車

位置 在耳下一寸左右。曲頰上端近前陷中。

主治 中風。牙關不開。失音不語。口眼歪斜。頰腫牙痛。不可嚼物。頸强不得回顧。

療法 針三分。灸三壯。至七七壯。炷如小麥大。

4 承泣

位置 目下七分。與瞳子相直。

主治 冷淚出。瞳子癢。昏夜無見。口眼喎斜。

療法 針灸兩忌。

5 四白

位置 承泣下三分。去目一寸。直瞳子。

主治 頭痛目眩。目赤生翳。眼眩癢。口眼喎噼。不能言。

療法 針二分。若深令人目烏色。禁灸。

6 巨髎

位置 四白下。距鼻孔旁七八分。顴骨下。

主治 瘈瘲。唇頰腫痛。口喎。青盲無見。面風鼻腫。

療法　針三分。禁灸。

7 地倉　位置　口吻旁四分。

主治　偏風。口眼喎斜。牙關不開。齒痛頰腫。目不得閉。失音不語。飲食不收。水漿漏落。昏夜無見。

療法　針三分。灸七壯。病左治右。病右治左。艾炷宜小。過大則口反喎。灸承漿即愈。

8 大迎　位置　曲頷前一寸三分。居頦下。

主治　風痙口瘖。口噤不開。唇吻動。頰腫牙痛。舌強不能言。目痛不能閉。口喎數欠。風壅面腫。寒熱　瘰癧。

療法　針三分。灸三壯。

9 人迎　位置　頸部大動脈應手之處。去結喉寸半。

主治　吐逆霍亂。胸中滿。喘呼不得息。咽喉癰腫。

療法　仰而取之。針二三分。過深則殺人。禁灸。

10 水突　位置　人迎下。氣舍上。

主治　欬逆上氣。咽喉癰腫。短氣喘息不得臥。

療法　仰而取之。針三分。灸三壯。

11 氣舍

位置　人迎之直下近陷凹處。旁爲天突穴。

主治　喉痺哽咽。食不下。手腫項强。不能回顧。

療法　針三分。灸三壯。

12 缺盆

位置　結喉旁橫骨上部之陷凹中。

主治　傷寒胸中熱不已。喘急息奔。咳嗽胸滿水腫。瘰癧。缺盆中腫外潰。喉痺汗出。主瀉胸中之熱。

療法　針三分。過深則令人逆息。孕婦禁針。灸三壯。

13 氣戶

位置　鎖骨下一寸。去中行璇璣旁四寸。去俞府二寸。

主治　欬逆上氣。胸背痛。支滿。喘急不得息。不知味。

療法　針三分。灸三壯。仰而取之。

14 庫房

位置　氣戶下一寸六分陷中。

主治　胸脅滿。欬逆上氣。呼吸不利。唾膿血濁沫。

療法　針三分。灸三壯。仰而取之。

15 屋翳

位置　庫房下一寸六分陷中。

主治　唾膿血濁痰。身腫皮膚痛。不可近衣。

療法　仰而取之。針三分。灸五壯。

16 膺窗

位置　屋翳下一寸六分。去中行四寸。

主治　胸滿短氣不得臥。腸鳴泄泄。乳癰寒熱。

療法　仰而取之。針三分。灸五壯。

17 乳中

位置　乳之正中。

主治

療法　禁針。禁灸。

18 乳根

位置　乳下一寸六分陷中。

主治　膈氣不下食。噎病。胸痛。胸下悶。乳痛。乳癰。霍亂。轉筋

療法　仰而取之。針三分。灸三壯。

19 不容

位置　去中行二下。旁幽門一寸五分。傍巨闕二寸。

主治　胸背肩脇引痛。心痛唾血。喘欬嘔吐。

療法　針五分。灸五壯。

20 承滿

位置　不容下一寸。去中行二寸。對上脘。

主治　腹脹腸鳴。脇下堅痛。上氣喘急。食飲不下。膈氣。唾血。

療法　針三分。灸五壯。

21 梁門

位置　承滿下一寸。去中行二寸。對中脘。

主治　飲食不思。氣塊疼痛。大腸滑泄。

療法　針三分。灸七壯。至廿一壯。孕婦禁灸。

22 關門

位置　梁門下一寸。去中行二寸。對建里。

主治　積氣脹滿。泄痢不食。俠臍急痛。遺溺。

療法　針五分。灸五壯。

23 太乙

位置　關門下一寸。去中行二寸。對下脘。

主治　心煩癲狂。吐舌。

療法　針五分。灸五壯。

24 滑肉門位置　太乙下一寸。去中行二寸。對水分。

主治　癲疾狂走。重舌舌强。

療法　針五分。灸三壯。

25 天樞　位置　臍旁二寸。去肓俞一寸五分。

主治　奔豚泄瀉。赤白痢。下痢不止。食不化。水腫腹脹。腸鳴。上氣衝胸。不能久立。久積冷氣。繞臍切痛。時上衝心。煩滿嘔吐。霍亂。寒瘧不嗜食。身黃瘦。女人癥瘕。血結成塊。漏下。月水不調。淋濁帶下。

療法　針五分。灸五壯至百壯。孕婦不可針。

26 外陵　位置　天樞下一寸。去中行二寸。對陰交。

主治　腹痛。心下如懸。下引腹痛。

療法　針三分。灸五壯。

27 大巨　位置　外陵下一寸。去中行二寸。對石門。

主治　小腹脹滿。小便難。四肢不收。驚悸不眠。

療法 針三分。灸三壯。

28 氷道

位置 大巨下一寸。去關元二下。

主治 大小便不利。疝氣偏墜。婦人小腹脹。痛引陰中。月經至則腰腹脹痛。子門寒。

療法 針三分。灸五壯。

29 歸來

位置 水道下一寸。去中極二寸。

主治 奔豚七疝。陰丸上縮入腹。痛引陰中。

療法 針五分。灸五壯。

30 氣衝

位置 歸來下一寸。去曲骨二寸。

主治 逆氣上攻。心腹脹滿。不得正臥。奔豚癀疝。大腸中熱。身熱腹痛。陰腫痙痛。婦人月水不利。小腹痛無子。姙娠子上衝心。産難。胞衣不下。主瀉胃中之熱。

療法 針三分。灸七壯。

31 髀關

位置 伏兎上斜下向裏些。去膝一尺二寸。

31 髀關　主治　腰痛膝寒。足痲木不仁。黃疸。痿痺。股內筋絡急。小腹引喉痛。
療法　針六分。灸三壯。

32 伏兎　位置　膝上六寸。
主治　脚氣。膝冷不得溫。風痺。
療法　正跪坐而取之。針五分。禁灸。

33 陰市　位置　膝上三寸。
主治　腰膝寒如注水。痿痺不仁不得屈伸。寒疝小腹痛滿。少氣。
療法　屈膝取之。針三分。一說不可灸。

34 梁邱　位置　膝上二寸。陰市下一寸。兩筋間。
主治　脚膝痛。冷痺不仁。不可屈伸。足寒。大驚。乳腫痛。
療法　針三分。灸三壯。

35 犢鼻　位置　膝眼外側之陷凹處。
主治　膝痛不仁。難跪起。脚氣。若膝髕癰腫。潰者不可治。不潰者可治。

療法　針三分。禁灸。

36 三里　位置　膝眼下三寸。胻骨外廉。

主治　胃中寒。心腹脹痛。逆氣上攻。藏氣虛憊。胃氣不足。惡聞食臭。腹痛腸鳴。食不化。大便不通。腰痛膝弱。不得俯仰。小腸氣。主瀉胃中之熱。目不明。五勞七傷。

療法　坐而垂膝取之。針五分。留七呼。灸三壯。至百數十壯。

37 上巨虛　位置　三里下三寸。

主治　偏風脚氣。腰腿手足不仁。足脛痠。骨髓冷痛。不能久立。俠臍腹痛。膈中切痛。飧泄食不化。喘息不能行。腹脇支滿。主瀉胃中之熱。

療法　針三分。灸三壯。舉足取之。（足跟着地足尖足背聳起）

38 條口　位置　三里下五寸。上巨虛下二寸。

主治　足膝麻木。寒痠腫痛。轉筋溼痺。足下熱。足緩不收。不能久立。

38 條口　療法　針三分。灸三壯。舉足取之。

39 下巨虛位置　三里下六寸

主治　胃中熱。毛焦肉脫。汗不出。少氣不嗜食。暴驚狂言。喉痺。面無顏色，胸脇痛。餐泄膿血。小腸氣。偏風腿痿。足不履地。熱風風濕。冷痺胻腫。足跗不收。女子乳癰。主瀉胃中之熱。

療法　蹲地而舉足取之。針三分。灸三壯。

40 豐隆　位置　外踝上八寸。去本經約五分。與下廉相並。微下些。

主治　頭痛面腫。喉痺不能言。風逆。癲狂見鬼好笑。厥逆。胸痛如刺。大小便難。怠惰。腿膝痠痛。屈伸不便。腹痛肢腫。足清寒濕。

療法　針三分。灸三壯。

41 解谿　位置　足腕上繫鞋帶處。去衝陽一寸半。去內庭六寸半。

主治　風氣面浮。頭痛目眩。生翳。氣上衝。咳逆。腹脹。癲疾煩心。悲泣。驚痠。轉筋霍亂。大便下重。股膝胻腫。又瀉胃熱。善饑不食。食即支滿腹脹。及瘧痎瘧寒熱。

療法　針三分。灸五壯。

42 衝陽　位置　足跗上五寸。足背最高之處。動脈中。

主治　偏風面腫。口眼喎斜。傷寒發狂。振寒汗不出。腹堅大不嗜食。發寒熱。足痿跗腫。胃瘧。先寒後熱。喜見日月光得火乃快然者。於方熱時。針之出血立寒。

療法　針三分，留十呼。出血不止者死。灸三壯。

43 陷谷　位置　次趾外本節後，去內庭二寸。

主治　面目浮腫。及水病善噫。腸鳴腹痛。汗不出。振寒。疝氣。小腹痛。

療法　針三分。灸三壯。

44 內庭　位置　次趾中趾之間。腳叉縫盡處之陷凹中

主治　四肢厥逆。腹滿不得息。惡聞人聲。振寒咽痛。齒齲口喎。鼻

衂。癮疹。赤白痢。瘧不嗜食。久瘧不愈幷腹脹。

療法　針二分至四分深。留五呼。灸三壯。

45 厲兌　位置　足次趾外側爪甲角。去爪甲如韭葉

主治　尸厥。口噤氣絕。狀如中惡。心腹滿。水腫。熱病汗不出。寒熱瘧不食。面腫。喉痺。發狂好臥。足寒。膝臏腫痛。

療法　針一分。留一呼。灸一壯。

11 足太陽膀胱經

凡六十七穴左右共一百卅四穴

膀胱經經穴分寸歌

足太陽是膀胱經。目內眥角始睛明。眉頭頭中攢竹取。眉冲直上旁神庭。曲差入髮五分際。神庭旁開寸五分。五處旁開亦寸半。細算却與上星平。承光通天絡却穴。相去寸五調勻看。玉枕夾腦一寸三。入髮三寸枕骨取。天柱項後髮際中。大筋外廉陷中獻。自此夾脊開寸五。第一大杼二風門。三椎肺兪厥陰四。心五督六椎下論。膈七肝九十胆兪。十一脾兪十二胃。十三三焦十四腎。

氣海兪在十五椎。大腸十六椎之下，十七關元兪穴椎。小腸十八胱十九。中膂內兪二十椎。白環廿一椎下當。以上諸穴可推之。更有上次中下髎。一二三四腰空好。會陽陰尾尻骨旁。背部第二諸穴了。又從脊上開三寸，第二椎下爲附分。三椎魄府四膏肓。第五椎下神堂尊。第六譩譆膈關七。第九魂門陽綱十。十一意舍之穴存。十二胃倉穴已分。十三肓門端正在。十四志室不須論。十九胞肓二十秩。背部三行諸穴匀。又從臀下橫紋取。承扶居下陷中央。殷門扶下方六寸。委陽膕外兩筋鄉。浮郄寶居委陽上。相去只有一寸長。委中在膕約紋裏。此下二寸尋合陽。承筋合陽之下直。穴在腨腸之中央。承山腨上分肉間。外踝七寸上飛揚。跗陽外踝上三寸。崑崙後跟陷中央。僕參跟下脚邊上。申脈踝下五分張。金門申前墟後取。京骨外側骨際量。束骨本節後肉際。通谷節前陷中強。至陰却在小趾側。太陽之穴始週詳。

1 睛明　位置　目內眥角外一分宛宛中。

主治　目痛視不明。迎風流淚。胬肉攀睛。白翳。眥癢。疳眼。眼痛目眩。雀目。

療法 針一分半。禁灸。

2 攢竹 位置 眉頭之陷凹中。
主治 淚出目眩。瞳子癢。眼中赤痛。煩熱面痛。
療法 針一分。禁灸。

3 眉冲 位置 攢行直上。入髮際五分。去神庭旁五分。
主治 頭痛目眩。鼻塞不聞香臭。
療法 針二分。灸三壯。

4 曲差 位置 眉頭直上入髮際約五分。去神庭旁一寸五分。
主治 目不明。頭痛鼻塞。臭涕。頂巔痛。心煩身熱。汗不出。
療法 針二分。灸三壯。

5 五處 位置 曲差後五分。上星旁一寸五分。
主治 脊强反折。瘈瘲癲疾。頭痛戴眼。眩暈。目視不明。
療法 針二分。禁灸。

6 承光 位置 五處後一寸五分。

主治　風眩嘔吐。心煩。鼻塞不利。目翳口喎。

療法　針二分。禁灸。

7 通天　位置　承光後一寸五分。

主治　頭旋項痛不能轉側。鼻塞偏風。口喎衄血。頭重耳鳴。狂走瘈瘲恍惚。目靑盲內障。

療法　針三分。灸三壯。

8 絡却　位置　通天後一寸五分。

主治　頭旋口喎。鼻塞項腫。癭瘤。內障耳鳴。

療法　針三分。灸三壯。

9 玉枕　位置　絡却後一寸五分。去腦戶旁一寸三分。

主治　目痛如脫。不能遠視。腦風頭項痛。鼻塞無聞。

療法　針三分。灸三壯。

10 天柱　位置　項之後部髮際。大筋外廉之陷凹中。去中行風府七分。

主治　頭旋腦痛。鼻塞淚出。項強肩背痛。足不任身。目眩不欲視。

療法　針二分。灸三壯。

11 大杼

位置　第一胸椎下橫開各一寸五分。

主治　傷寒汗不出。腰脊項背強痛不得臥。喉痺。煩滿。痎瘧。頭痛。咳嗽身熱。目眩癲疾。筋攣。瘈瘲。膝痛不可屈伸。

療法　針三分。不宜灸。

12 風門

位置　第二胸椎下之旁一寸五分。大杼下。

主治　能瀉一身熱氣。傷寒頭痛項強目瞑。胸中熱。嘔逆上氣。喘臥不安。身熱。黃疸。癰疽。發背。

療法　針五分。灸五壯。

13 肺俞

位置　第三胸椎之下。去脊旁一寸五分。風門之下。

主治　主瀉五臟之熱。五勞。傳尸骨蒸。肺風肺痿。咳嗽。嘔吐。上氣喘滿。虛煩口乾。目眩支滿。汗不出。腰脊強痛。背僂如龜。黃疸。

療法　針三分。灸三壯至數十壯。

14厥陰俞　位置　第四胸椎之下。去脊旁一寸五分。

主治　欬逆牙痛。心痛結胸。嘔吐煩悶。胸中膈氣、積聚好吐。

療法　針三分。灸七壯。

15心俞　位置　第五胸椎之下。各開一寸五分。

主治　主瀉五臟之熱。偏風半身不遂。食噎積結。寒熱心氣悶亂。恍惚心驚。汗不出。中風偃臥不得。發癇悲泣。嘔吐欬血。發狂健忘。小兒氣不足者數歲不能語。可灸五壯。艾炷如麥粒。

療法　針三分。正坐取之。灸三壯。

16督俞　位置　第六胸椎之下。去脊一寸五分。

主治　寒熱心痛腹痛雷鳴氣逆。

療法　止坐取之。灸三壯。

17膈俞　位置　第七胸椎之下。去脊一寸五分。

主治　心痛周痺。膈胃寒痰。暴痛心滿氣急。吐食翻胃、痃癖。五積。氣塊。血塊。欬逆。四肢腫痛。怠惰嗜臥。骨蒸。喉痺。熱病汗不出。食不下。腹脇脹滿。

療法　針三分。灸三壯。

18肝兪　位置　第九胸椎之下。去脊一寸五分。

主治　主瀉五臟之熱。氣短欬血。多怒。脇肋滿悶。欬引兩脇。脊背急痛不得悉。轉側難反側。上視驚狂。黃疸。鼻痠。熱病後目中出淚。眼目諸疾。熱痛生翳。或熱瘥後因食五辛患目嘔血。或疝氣筋痙相引轉筋入腹。

療法　針三分。灸三壯。

19胆兪　位置　第十胸椎之下。去脊一寸五分。

主治　頭痛振寒。汗不出。腋下腫。心腹脹滿。口乾苦。咽痛嘔吐。翻胃食不下。骨蒸勞熱。目黃。胸脇不能轉側。

療法　針三分。灸五壯。

20脾兪　位置　第十一胸椎之下。去脊一寸五分

主治　主瀉五臟之熱。痃癖積聚。脇下滿。黃疸。腹脹痛。吐食不食

。飲食不化。或食飲倍多。煩熱嗜臥。身體羸瘦。泄痢善欠。體重四肢不收。

療法　針三分。灸三壯。

21 胃俞　位置　第十二胸椎之下。去脊一寸五分。

主治　胃寒吐逆。翻胃。霍亂。腹脹支滿。肢膚疲瘦。腸鳴腹痛。不嗜食。脊痛筋攣。小兒羸瘦。食少不生肌肉。少兒痢下赤白。秋末脫肛肚疼不可忍。艾炷如麥大。

療法　針三分。灸三壯。

22 三焦俞　位置　第一腰椎下（十三椎下）去脊一寸五分。

主治　傷寒身熱頭痛。吐逆。肩背急。腰脊强。不得俯仰。臟府積聚。脹滿膈塞不通。飲食不化。羸瘦水穀不分。腹痛。下痢。腸鳴目眩。

療法　針五分。灸三壯。

23 腎俞　位置　第十四椎下。與臍平。

主治　主瀉五臟之熱。虛勞羸瘦。面目黃黑。耳聾腎虛。水臟久冷。腰痛夢遺。精滑精冷。膝脚拘急。身熱頭痛。振寒心腹脹。兩脇滿。痛引少腹。少氣溺血。便濁淫濕濼赤白帶下。月經不調。陰中痛。五勞七傷。虛憊無力。足寒如冰。洞泄食不化。身腫如水。男女久積氣痛。變成癆瘵。

療法　針三分。灸三壯。

24 氣海俞位置　第十五椎之下。去脊一寸五分。

主治　腰痛。痔漏。

療法　針三分。灸三壯。

25 大腸俞位置　第十六腰椎之下。去脊一寸五分。

主治　脊强不得俯仰。腰痛腹脹。繞臍切痛。腸鳴瀉痢。食不化。大小便不利。

療法　針三分。灸三壯。伏而取之。

26 關元俞位置　第十七椎之下。去脊一寸五分。

主治　風勞腰痛。泄痢虛脹，小便難。婦人癥瘕。

療法　針三分。灸三壯。伏而取之。

27 小腸俞位置　在荐骨上部。第十八椎之下。去脊一寸五分。

主治　膀胱三焦津液少。小便赤不利。淋瀝遺尿。小腹脹滿。腹痛瀉痢膿血。脚腫。心煩短氣。五痔疼痛。婦人帶下。

療法　針三分。灸三壯。

28 膀胱俞位置　第十九椎下。去中行一寸五分。

主治　小便赤澀。遺尿洩痢。腰脊腹痛。陰瘡。脚膝寒冷無力。女子癥瘕。

療法　針三分。灸三壯。

29 中膂俞位置　第廿椎之下。去中行一寸五分。

主治　腎虛消渴。腰脊强痛。不得俯仰。腸泄。赤白痢。疝痛。汗不出。脇腹脹腫。

療法　針三分。灸三壯。伏而取之。

30白環俞位置　第廿一椎之下。去脊一寸五分。
主治　腰脊痛不得坐臥。疝痛手足不仁。二便不利。温瘧。筋攣痺縮虛熱閉塞。
療法　針三分。灸三壯。

31上髎位置　第十八椎下。直小腸俞。去中行一寸
主治　大小便不利。嘔逆。腰膝冷痛。寒熱瘧。鼻衄。婦人絕嗣。陰中癢痛。陰挺出。赤白帶下。
療法　針三分。灸三壯。

32次髎位置　第十九椎下。直膀胱俞。去中行一寸少。
主治　大小便淋赤不利。心下堅脹。腰痛足腫。疝氣下墜。引陰痛不可息。腸鳴洩瀉。赤白帶下。
療法　針三分。灸三壯。

33中髎位置　第二十椎之下。直中膂俞去中行一寸少。
主治　五勞七傷。二便不利。婦人少子。帶下。目經不調。

療法　針三分。灸三壯。

34 下髎　位置　第廿一椎之下。俠脊陷中。

主治　二便不利。下血。腰痛引小腹急痛。女子淋瀉不禁。

療法　針三分。灸三壯。

35 會陽　位置　在尾閭骨下部之旁側陷中。

主治　腹中寒氣。泄瀉。腸澼便血。久痔。陰汗濕癢。

療法　針三分。灸三壯。

36 附分　位置　第二椎之下。去脊三寸。

主治　肘肩不仁。肩背拘急。風客腠理。頸痛不得囘顧。

療法　針三分。灸三壯。

37 魄戶　位置　第三椎下。去脊三寸。

主治　主瀉五臟之熱。虛勞肺痿。肩膊胸背痛。三尸走注。項强喘逆。煩滿嘔吐。

療法　針三分。灸五壯。

38膏肓兪　位置　第四椎下五椎上。去脊三寸。

主治　百病皆治。虛羸瘦損。五勞七傷。夢遺失精。上氣欬逆。痰火發狂。健忘。

療法　令病人正坐。曲脊。于四肋三間。依胛骨之際。按其中空處。自覺牽引肩中者是。針三分。灸三壯至數十壯。惟須灸足三里

39神堂　位置　第五椎下。去脊三寸。

主治　腰脊强痛。不可俯仰。

療法　針三分。灸五壯。

40譩譆　位置　第六椎之下。去脊三寸。

主治　大風熱病汗不出。勞損不得臥。溫瘧久不愈。肩背脇肋痛急。目痛。

療法　針六分。灸五壯。

41膈關　位置　第七椎下。去脊三寸。

主治　背痛惡寒脊强。嘔吐飲食不下。胸中噎悶。大小便不利。

療法　針五分。灸五壯。

42 魂門　位置　第九椎下。去脊三寸。

主治　尸厥。胸背連心痛。食不下。腹中雷鳴。大便不節。小便黃赤。主瀉五臟之熱。

療法　針五分。灸三壯。

43 陽綱　位置　第十椎下去脊三寸。

主治　腸鳴腹痛。食不下。小便澀。身熱消渴。

療法　針五分。灸五壯。

44 意舍　位置　第十一椎下。去脊三寸。

主治　脊痛腹脹。大便泄。小便黃。嘔吐。飲食不下。

療法　針五分。灸七壯。

45 胃倉　位置　第十二椎下。去脊三寸。

主治　腹滿水腫。食不下。惡寒。背脊痛。不可俯仰。

療法　針五分。灸五壯。

46 肓門　位置　第十三椎下。去脊三寸。
主治　心下痛。大便堅。婦人乳痛。
療法　針五分。灸五壯。

47 志室　位置　第十四椎下。去脊三寸。
主治　陰腫。陰痛。失精。小便淋瀝。脊背强。腰脇痛。腹中堅滿。霍亂吐逆。不食。大便難。
療法　針三分。灸三壯。

48 胞肓　位置　第十九椎下。去脊三寸。
主治　腰脊痛。惡寒小腹堅。腸鳴。大小便不利。
療法　針五分。灸七壯。

49 秩邊　位置　第二十椎下。去脊三寸。
主治　腰痛。五痔。小便赤澀。
療法　針五分。灸三壯。伏而取之。

50 承扶　位置　直立之時。在臀部高肉下垂之橫紋中。委中之直上。

主治　腰脊相引如解。久痔。臀腫。大便難。小便不利。

療法　針五分。不宜灸。

51 殷門

位置　承扶下六寸。

主治　腰脊不可俯仰。外股腫。

療法　針五分。不宜灸。

52 浮郄

位置　殷門下斜向外。委陽上一寸。

主治　霍亂轉筋。小便膀胱熱。大腸結。髀樞不仁。

療法　針五分。灸三壯。

53 委陽

位置　由委中向外之两筋間。去承扶一尺二寸。

主治　腰脊脥下腫痛不可俯仰。引陰中不得小便。胸滿身熱。瘈瘲癲疾。小腹滿。痿厥不仁。

療法　針七分。灸三壯。

54 委中

位置　當膝膕窩之正中。

主治　大風眉髮脫落。太陽瘧從背起。先寒後熱。熇熇然汗出難已。

頭重轉筋。腰脊背痛。半身不遂。遺溺。小腹堅。髀樞風痛。

脚痛足軟無力。主瀉四肢之熱。

療法　針一寸五分。禁灸。

55 合陽　位置　委中下二寸。

主治　腰脊强引腹痛。陰股熱胻酸腫。寒疝偏墜。女子崩帶不止。

療法　針五分。灸五壯。

56 承筋　位置　在合陽與承山之中間。即腨腸之中央。

主治　寥痺。腰背拘急。腋腫便閉。五痔腨痠脚跟痛引少腹。轉筋霍亂。

療法　禁針。灸三壯。

57 承山　位置　委中下八寸腨肉之間。

主治　頭熱鼻衄寒熱癲疾。疝氣腹痛。痔腫便血。腰背痛。膝腫脛痠疝痛。霍亂轉筋。戰慄不能行立。

療法　針七分。灸九壯。以足趾履地两手按壁上取之。

58 飛揚
位置　外踝上七寸。骨後廉。
主治　痔痛不能起坐。脚痠腫。不能立。歷節風不得屈伸。癲疾。寒瘧。頭暈目眩。逆氣。
療法　針三分。灸三壯。

59 跗陽
位置　外踝上三寸。
主治　霍亂轉筋。腰痛不能立。髀樞股胻痛。痿厥風痺不仁。頭重頞痛。時有寒熱。四肢不舉。屈伸不能。
療法　針三分。灸三壯。

60 崑崙
位置　足外踝後五分。跟骨上陷中。
主治　腰尻。脚氣。足踝腫痛。不能步立。頭痛鼽衄。肩背拘急。咳喘目眩。陰腫痛。產難。胞衣不下。小兒發癇。瘈瘲。
療法　針三分。灸三壯。孕婦禁針。

61 僕參
位置　在崑崙直下足跟骨下。陷中。拱足取之。
主治　腰痛。足痿不收。足跟痛。霍亂轉筋吐逆。膝痛。

療法　針三分。不宜灸。

62申脈　位置　外踝下五分陷中。可容爪甲許。赤白肉際。

主治　風眩癲疾。腰脚痛。膝胻寒痠。不能坐立。如在舟車中。氣逆。腿足不能屈伸。婦人氣血痛。腓部紅腫。

療法　針三分。不宜灸。

63金門　位置　在申脈前一寸少。骨下陷中。

主治　霍亂轉筋。尸厥癲癇。疝氣膝胻痠。不能立。少兒張口搖頭身反折。

療法　針三分。灸三壯。

54京骨　位置　足外側大骨下赤白肉際。

主治　腰脊痛如折。髀不可屈。項强不能回顧。筋攣善驚。痎瘧寒熱。目眩。內眥赤爛。癲疾狂走。

療法　針三分。灸七壯。

65束骨　位置　小趾外例。本節後陷中。

主治　腸癖泄瀉。瘄痔攤瘍。發背攤疔。頭痛目眩。內眥赤痛。耳聾。腰膝痛。項强不可回顧。

療法　針三分。灸三壯。

66 通谷

位置　足小趾本節前陷中。

主治　頭痛目眩。項痛鼽衄。善驚。留飲。食不化。

療法　針二分。灸三壯。

67 至陰

位置　足小趾端外側。去爪甲角如韭葉。

主治　風寒頭重。鼻塞目痛生翳。胸脅痛。轉筋寒瘧。汗不出。煩心。足下熱。小便不利。婦人橫產手先出。符藥不效。爲灸右脚小趾尖三壯炷如小麥。下火立產。

療法　針一分。灸三壯。

12 足少陽胆經

凡四十四穴左右共八十八穴

胆經經穴分寸歌

外眥五分瞳子髎。耳前陷中聽會繞。上關上行一寸是。內斜曲角頷厭照。後行顱中釐下廉。曲鬢耳前髮際看。入髮寸半率谷穴。天冲耳後斜二探。浮白下行一寸間。竅陰穴在枕骨下。完骨耳後入髮際。量得四分須用記。本神神庭旁三寸。入髮五分耳上繫。陽白眉上一寸許。上行五分是臨泣。臨後寸半目窗穴。後行相去寸半同。風池耳後髮際陷。肩井肩上陷解中。大骨之前寸半取。淵液腋下三寸逢。輒筋復前一寸行。日月乳下二肋縫。期門之下五分存。臍上五分旁九五。季肋夾脊是京門。季下寸八尋帶脈。帶下三寸五樞真。維道章下五三定。章下八三居髎名。環跳髀樞宛中陷。風市垂手中指尋。膝上五寸是中瀆。陽關陽陵上三寸。陽陵膝下一寸任。陽交外踝上七寸。外邱外踝七寸分。此係斜屬三陽絡。踝上五寸定光明。踝上四寸陽輔地。踝上三寸是懸鐘。邱墟踝下陷中立。邱下三寸臨泣存。臨下五分地五會。會下一寸俠谿呈。欲覓竅陰歸何處。小趾次趾外側尋。

1 童子髎位置　目外眥之五分。

主治　頭痛目癢。外眥赤痛，翳目赤盲。淚出多眵。

療法　針三分。不宜灸。

2 聽會

位置　耳珠微前陷中。

主治　耳聾耳鳴。牙車脫臼。中風瘈瘲。喎斜。

療法　針三分。灸三壯。

3 客主人

位置　耳前起骨上廉。開口有空。即顴骨橋之上口。

主治

療法　禁針禁灸。

4 頷厭

位置　額角之下。顳顬上廉。

主治　頭風。偏頭頸項俱痛。目眩。耳鳴。多嚏。驚癇。歷節風汗出。

療法　針一二分不可深。灸三壯。

5 懸顱

位置　曲周下。顳顬中廉。

主治　頭痛。齒痛。偏頭痛引目。熱病汗不出。

療法　針三分。灸三壯。

6 懸厘　位置　曲周下。顳顬下廉。距懸顱下半寸。
主治　偏頭痛。面痛。目銳眥痛。熱病煩心。汗不出。
療法　針三分。灸三壯。

7 曲鬢　位置　在耳上入髮際一寸後些。
主治　頷頰腫引牙車不得開。口噤不得言。項强不得顧。頭角痛。
療法　針二分。灸三壯。

8 率谷　位置　在耳上入髮際一寸五分。
主治　腦痛。兩頭角痛。胃脘寒痰。煩悶嘔吐。酒後皮風膚腫。
療法　針三分。灸三壯。

9 天衝　位置　耳後入髮際二寸。率谷之後約三分。
主治　癲疾風痙。牙齦腫。驚恐頭痛。
療法　針三分。灸三壯。

10 浮白　位置　耳後入髮際一寸，
主治　欬逆胸滿。喉痺。耳聾齒痛。項癭痰沫。不得喘息。肩臂不舉。足不能行。

11 竅陰

療法　針三分。灸三壯。

位置　浮白下一寸。

主治　四肢轉筋。目痛頭項痛。耳鳴。癰疽發熱。手足煩熱。汗不出。欬逆喉痺。舌强。脇痛口苦。

12 完骨

療法　針三分。灸三壯。

位置　竅陰下七分。

主治　頭痛頭風。耳鳴齒齲。牙車急。口眼喎斜。喉痺頰腫。瘻氣便赤。足痿不收。

療法　針三分。灸三壯。

13 本神

位置　曲差旁一寸五分。入髮際五分。

主治　驚癇吐沫。目眩。項强急痛。胸脇相引不得轉側。偏風癲疾。

療法　針三分。灸三壯。

14 陽白

位置　眉毛上直一寸。與瞳子直。

主治　頭痛。目昏多眵。背寒慄。重衣不得温。

療法　針二分。灸三壯。

15 臨泣

位置　目上直入髮際五分。

主治　鼻塞目眩。生翳冷淚。眼目諸疾。驚癇反視。卒暴中風不識人。脇下痛。瘧疾日西發。

療法　針三分。禁灸。

16 目窗

位置　臨泣後一寸。

主治　頭目眩。痛引外眥。遠視不明。面腫寒熱。汗不出。

療法　針三分。灸五壯。

17 正營

位置　目窗後一寸。

主治　頭痛目眩。唇吻強急。

療法　針三分。灸三壯。

18 承靈

位置　正營後一寸五分。

主治　腦風頭痛。鼻塞不通。

療法　禁針。灸五壯。

19 腦空　位置　承靈後一寸五分。玉枕骨之下陷中。

主治　勞瘵身熱。羸瘦。腦風頭痛不可忍。項强不得顧。驚悸癲風。引目鼻痛。

療法　針四分。灸五壯。

20 風池　位置　在腦空之後部。髮際之陷凹處。

主治　中風。偏正頭痛。傷寒熱病汗不出。痎瘧頸項如拔。痛不得回。目眩赤痛淚出。耳聾腰痛背痛。傴僂引項。肘力不收。脚弱無力。

療法　針四分。灸三壯。

21 肩井　位置　在肩上陷解中。缺盆上大骨前一寸半。以三指按取之。當中指下陷者是。

主治　中風氣塞。涎上不語氣逆。五勞七傷。頭項頸痛。臂不能舉。或因仆傷腰痛。脚氣上攻。若婦人難產墜胎後。手足厥冷。針之立愈。

療法 針四分。灸三壯。孕婦禁針。

22 淵腋 位置 在腋下三寸。

主治

療法 禁針。禁灸。

23 輙筋 位置 在脇下三寸。復前向乳房一寸。

主治 太息多唾。言語不正。四肢不收。嘔吐宿汁。呑酸。胸中暴滿不得臥。

療法 針六分。灸三壯。

24 日月 位置 期門下五分。

主治 小腹熱。言語不正。四肢不收。

療法 針六分。灸七壯。

25 京門 位置 在俠脊季脇之端。即臍上五分旁開九寸半也。

主治 腸鳴洞泄。水道不利。小腹急痛。寒熱䐜脹。肩背腰髀引痛。

不得俯仰久立。

療法　針三分。灸三壯。側臥屈上足。伸下足。舉臂取之。[illegible]。

26 帶脈

位置　京門下一寸八分。去臍旁八寸半。

主治　腰腹縱溶液如坐水中狀。婦人小腹痛急。瘈瘲。月經不調。赤白帶下。兩脇氣引背痛。

療法　針六分。灸五壯。

27 五樞

位置　帶脈下三寸。

主治　痃癖。小腸膀胱氣攻兩脇。小腹痛。腰腿痛。陰疝睪丸上入腹。婦人赤白帶下。

療法　針五分。灸五壯。

28 維道

位置　章門直下五寸三分。五樞之前下部。

主治　嘔逆不止。三焦不調。水腫。

療法　針八分。灸三壯。

29 居髎

位置　維道下三寸。後開五分。橫直環跳三寸。稍高些。

主治 痛引胸脅。攣急不得舉腰。引小腹痛。

療法 針三分。灸三壯。

30 環跳

位置 在髀樞中通京門之下。並兩足而立 腰下部有凹陷處是也。

主治 冷風溼痺不仁。胸脅相引。半身不遂。腰胯痠痛。膝不得伸。遍身風疹。

療法 側臥。伸下足屈上足取之。有大空。針入一寸五分 灸十壯。

31 風市

位置 膝上外廉兩筋中。

主治 腿膝無力。脚氣。渾身搔癢。痲痺。厲風症。

療法 正立。以兩手垂直覆腿上。中指盡處是穴。針五分。灸三壯。

32 中瀆

位置 髀骨外。屈膝橫紋外角直上五寸

主治 寒氣客於分肉間。攻痛上下。筋痺不仁。

療法 針五分。灸三壯。

33 陽關

位置 陽陵泉上三寸。犢鼻外陷中。即膝蓋之旁。兩筋之間盡處。

主治 風痺不仁。股膝冷痛。不可屈伸。

療法 針五分。禁灸。

34 陽陵泉 位置 膝下一寸外尖骨前之凹陷處。

主治 偏風半身不遂。足膝冷痺不仁。無血色。脚氣筋攣。

療法 針六分。灸七壯。

35 陽交 位置 外踝上七寸。崑崙之直上。

主治 胸滿喉痺。足不仁。膝痛寒厥。驚狂面腫。

療法 針六分。灸三壯。

36 外邱 位置 外踝上七寸。與陽交相並。陽交在後。外邱在前。相隔一筋。

主治 頸項痛。胸滿痿痺。惡犬傷毒不出。

療法 針三分。灸三壯。

37 光明 位置 外踝上五寸。

主治 熱病汗不出。卒狂嚼頰。淫濼脛胻痛。不能久立。虛則痿痺偏細。坐不能起。實則足胻熱膝痛。身體不仁。

療法 針三分。灸三壯。

38 陽輔
位置　外踝上四寸。光明懸鐘二穴之中。
主治　腰溶溶如水浸。膝下膚腫。筋攣。百節痠痛痿痺。頸項痛。喉痺汗不出。及汗出振寒。痎瘧。腰胻痠痛。不能行立。
療法　針三分。灸三壯。

39 懸鐘
位置　外踝上三寸。
主治　心腹脹滿，胃熱不食。喉痺。欬逆，頭痛中風。虛勞。頸項痛。手足不收。腰膝痛。脚氣。筋骨攣。
療法　針五分。灸三壯。

40 邱墟
位置　外踝下微前陷中。
主治　胸脇滿痛不得息。寒熱。目生翳膜。頸腫。久瘧。振寒。痿厥。腰腿痠痛。髀樞中痛。轉筋足脛偏細。小腹堅。卒疝。
療法　針五分。灸五壯。

41 臨泣
位置　足小趾次趾本節後。去俠谿一寸五分。
主治　胸滿氣喘。目眩心痛。缺盆中及腋下馬刀瘍。痺痛無常。厥逆。瘧日西發者。胻痠洒淅振寒。婦人月經不調。季脇支滿。乳癰。

療法　針二分。灸三壯。

42 地五會

位置　去俠谿一寸。

主治　腋痛內損吐血。足外無膏澤。乳癰。

療法　針一分。禁灸。

43 俠谿

位置　足小趾次趾歧骨間。本節前陷中。

主治　胸脇支滿。寒熱病。汗不出。胸痛耳聾。

療法　針二分。灸三壯。

44 竅陰

位置　第四趾外側爪甲角。

主治　脇痛。欬逆不得息。手足煩熱。汗不出。癰疽。口乾口痛。喉痺舌強。耳聾。轉筋肘不可舉。

療法　針一分。灸三壯。

13 任脈　凡廿四穴

任脈經穴分寸歌

任脈會陰兩陰間。曲骨毛際陷中安。中極臍下四寸取。關元臍下三寸連。臍下二寸石門是。臍下寸半氣海泉。臍下一寸陰交穴。臍之中央即神闕。臍上一寸爲水分。臍上二寸下脘列。臍上三寸名建里，臍上四寸中脘許。臍上五寸上脘在。巨闕臍上六寸步。鳩尾蔽骨下五分。中庭膻下寸六取。膻中却在兩乳間。膻上寸六玉堂主。脘上紫宮三寸二。膻上四八華蓋舉。膻上璇璣六寸四。璣上一寸天突取。天突結喉下二寸。廉泉頷下結上已。承漿頤前下唇中。齦交齒下齦縫裏。

1 會陰　位置　在兩陰之間。

主治　陰汗陰中諸病。前後相引痛。不得大小便。穀道病。久痔相通。男子陰寒衝心。女子陰門痛。月經不通。

療法　不宜針灸。惟卒死溺死可針一寸。

2 曲骨 位置 中極下一寸。陰毛中。

主治 小便脹滿。小便淋澀。血癃。癲疝小腹痛。失精虛冷。婦人赤白帶下。

療法 針八分至寸二分。灸五壯。

3 中極 位置 關元下一寸。

主治 陽氣虛憊。冷氣時下衝心。尸厥恍惚。失精無子。腹中臍下結塊。水腫奔豚。疝瘕。五淋。小便赤澀不利。婦人下元虛冷。血崩白濁。因產惡露不行。胎衣不下。經閉不通。血積成塊。子門腫痛。轉脬不得小便。

療法 針八分。灸三壯。

4 關元 位置 石門下一寸。

主治 積冷諸虛百損。臍下絞痛。漸入陰中。冷氣入腹。小腹奔豚。夜夢遺精。白濁五淋。七疝。溲血。小便赤澀。遺瀝。轉胞不得溺。婦人帶下瘕聚。經水不通。不妊或妊娠下血。或產後惡露不止。或血冷月經斷絕。

療法　針八分至一寸二分。灸三壯。

臍下1寸

5 石門

位置　氣海下半寸。

主治　腹脹堅硬。水腫支滿。氣淋。小便黃赤不利。小腹痛。洩瀉不止。身寒熱，欬逆上氣。嘔血。卒疝疼痛。婦人因產惡露不止遂結成塊。崩中漏下血淋。

療法　針六分。灸三壯。婦人不宜針灸。犯之絕嗣。

臍下寸半

6 氣海

位置　陰交下半寸。

主治　下焦虛冷。上衝心腹。或嘔吐不止。或陽虛不足。驚恐不臥。奔豚七疝。小腸膀胱癖瘕結塊。狀如覆杯。臍下冷氣。陽脫欲死。陰症傷寒卵縮。四肢厥冷。小便赤澀。羸瘦。白濁。婦人赤白帶下。月事不調。產後惡露不止。繞臍腹痛。小兒遺尿。

療法　針一寸。灸百壯。

7 陰交

位置　臍下一寸。

主治　衝脈生病。從小腹衝心而痛。不得小便。疝痛。陰汗溼癢。奔豚腰膝拘攣。婦人月事不調。崩中帶下。產後惡露不止。繞臍冷痛。

8 神闕

位置　臍中。

療法　針八分。灸五壯。

主治　陰症傷寒。中風不省人事。腹中虛冷。腸燃。腸鳴泄瀉不止。水腫鼓脹。小兒乳痢不止。腹大。風癇角弓反張。脫肛。婦人血冷不受胎者。灸此永不脫肛。

9 水分

位置　臍上一寸。下脘下一寸。

療法　可灸不可針。。

主治　水病腹堅。黃腫如鼓。衝胸不得息。繞臍痛。腸鳴泄瀉。小便不通。小兒陷顱。

療法　此穴宜灸。不宜針。

10 下脘

位置　建里下一寸。

主治　臍上厥氣堅痛。腹脹滿。寒穀不化。虛腫癖塊連臍。瘦弱少食。翻胃小便赤。

療法　針八分。灸五壯。孕婦忌灸。

11 建里

位置　中脘下一寸。

主治　腹脹身腫。心痛上氣。腸鳴嘔逆不食。

療法　針五分。灸五壯。孕婦忌灸。

12 中脘

位置　上脘下一寸。

主治　心下脹滿。傷飽食不化。五膈五噎。翻胃不食。心脾煩熱。疼痛。積聚。痰飲。面黃。傷寒飲水過多。腹脹氣喘。溫瘧。霍亂吐瀉。寒熱不已。或因讀書得奔豚氣上攻。伏梁心下。寒癖結氣。凡脾冷不可忍。心下脹滿。飲食不進不化。氣結疼痛雷鳴者。皆宜灸之。

療法　針八分。灸八壯。

13 上脘

位置　巨闕下一寸。臍上五寸。

主治　心中煩熱。痛不可忍。腹中雷鳴。飲食不化。霍亂翻胃。嘔吐。三焦多涎。奔豚伏梁。氣脹積聚。黃疸。心風驚悸嘔血。身熱汗不出。

療法　針八分。灸五壯。

14 巨闕　位置　去鳩尾一寸。

主治　上氣欬逆。胸滿氣痛。九種心痛。冷痛。少腹蚘痛。痰飲咳嗽。霍亂腹脹。恍惚發狂。黃疸。膈中不利。煩悶。卒心痛。尸厥蠱毒。息賁嘔血。吐痢不止。

療法　針六分。灸七壯。

15 鳩尾　位置　岐骨下一寸。

主治　心驚悸。神氣耗散。癲癇。狂病。

療法　不可輕針。必欲針。須兩手高舉。方可下針。灸三壯。針三分。

16 中庭　位置　膻中下一寸六分。

主治　胸脇支滿噎塞。吐逆。食入還出。小兒吐乳。

療法　針三分。灸三壯。

17 膻中

位置　玉堂下一寸六分。即两乳之間。

主治　一切上氣短氣。痰喘哮嗽。欬逆噎氣。膈食反胃。喉鳴氣喘。肺癰。嘔吐涎沫膿血。婦人乳汁少。

療法　禁針。灸七壯。

18 玉堂

位置　紫宮下一寸六分。

主治　胸膺滿痛。心煩欬逆。上氣喘急不得息。喉痺咽壅。水漿不入嘔吐寒痰。

療法　針三分。灸五壯。

19 紫宮

位置　華蓋下一寸六分。

主治　胸脅支滿膺痛。喉痺咽壅。水漿不入。欬逆上氣。吐血煩心。

療法　針三分。灸五壯。

20 華蓋

位置　在璇璣下一寸六分。

主治　欬逆喘急上氣。哮咳喉痺。胸脅滿痛。水飲不下。

療法　針三分。灸五壯。

21 璇璣
位置　天突下一寸。
主治　胸脇滿。欬逆上氣。喘不能言。喉痺咽腫。水飲不下。
療法　針三分。灸三壯。

22 天突
位置　甲狀軟骨下二寸。
主治　上氣哮喘。咳嗽喉痺。五噎。肺癰咯吐膿血。咽腫暴瘖。身寒熱。咽乾舌下急。不得食。
療法　針五分。灸二壯。低頭取之

23 廉泉
位置　在頷下。舌本之下。結喉之上。
主治　咳逆上氣吐沫，舌下腫。舌根急縮。
療法　針三分。仰而取之。灸三壯。

24 承漿
位置　在下唇下之陷凹中。
主治　偏風半身不遂。口眼喎斜。口禁不開。暴瘖不能言。
療法　針三分。開口取之。可灸七壯。

14 督脈　凡廿七穴

督脈經穴分寸歌

尾閭骨端是長强。二十一椎腰兪當。十六陽關十四命。十三懸樞脊中央。十椎中樞筋縮九。七椎之下乃至陽。六靈五神三身柱。陶道一椎之下鄉。一椎之上大椎穴。上半髮際瘂門行。風府一寸宛中取。腦戶二五枕當方。再上四寸强間位。五寸五分後項强。七寸百會頂中取。耳尖直上髮中央。前頂前行八寸半。前行一尺顖會量。一尺一寸上星會。入髮五會神庭當。鼻端準頭素髎穴。水溝鼻下人中藏。兌端唇上端中取。齦交齒上齦縫鄉。

1 長強　位置　尾閭骨端五分之處。肛門之上。

主治　腰脊强急。不可俯仰。狂病。大小便難。腸風下血。五痔五淋。下部疳蝕。洞泄失精。嘔血。小兒顖陷。驚癎。瘈瘲。脫肛。瀉血。

療法　針二分。伏地取之。灸二三十壯。

2 腰俞　位置　尾閭骨之上部。二十一椎之下。
主治　腰脊重痛不得俯仰。腰以下至足冷痺不仁。强急不得坐臥。灸隨年壯。
療法　針三分。灸五壯。

3 陽關　位置　第十六椎之下。
主治　膝痛不可屈伸。風痺不仁。筋攣不行。
療法　針五分。灸五壯。伏而取之。

4 命門　位置　第十四椎之下。
主治　腎虛腰痛。赤白帶下。男子洩精。耳鳴。手足冷痺攣。急驚恐。頭眩。頭痛如破。身熱如火。骨蒸汗不出，痎瘧。瘈瘲。裏急腹痛。淋濁。
療法　針三分。伏而取之。灸三至數十壯。年滿二十者灸之有絕子之恐。

5 懸樞　位置　第十三椎之下。

主治　腰脊强，不得屈伸。腹中積氣。上下疼痛。水穀不化。瀉痢不止。

療法　針三分。灸三壯。伏而取之。

6 脊中

位置　第十一椎之下。

主治　風癇癲邪。腹滿不食。五痔。積聚。下痢。小兒痢下赤白。秋末脫肛。每廁則肛痛不可忍。灸之。

療法　針三分。灸三壯。伏而取之。

7 筋縮

位置　第九椎下。

主治　癲疾。驚狂。發强。風癇。目上視。

療法　針五分。灸三壯。俯而取之。

8 至陽

位置　第七椎下。

主治　腰脊强痛。胃中寒不食。少氣難言。胸脇支滿。羸瘦身黃。脛痠。四肢重痛。

療法　針五分。灸三壯。俯而取之。

9 靈台

位置　第六椎之下。

主治　今俗以灸氣喘不得臥，及風冷久嗽。火到便愈。

療法　針三分。灸三壯。俯而取之。

10 神道

位置　第五椎之下。

主治　傷寒頭痛。寒熱往來，痎瘧悲愁。健忘。驚悸，牙車急，口張不合。小兒風癇。瘈瘲

療法　灸五壯。不宜針。

11 身柱

位置　第三椎之下。

主治　腰背痛、癲癇狂走　怒欲殺人。瘈瘲身熱。妄見妄言。小兒驚癇。

療法　針三分。灸五壯。俯而取之。

12 陶道

位置　第一椎之下。

主治　痎瘧寒熱。灑淅脊强，煩滿汗不出。頭重目眩。恍惚不樂。善退骨蒸之熱。

療法　針五分。灸五壯。

13大椎　位置　第一椎上之陷凹中。

主治　五勞七傷乏力。風勞食氣。痎瘧久不愈。肺脹脇滿。嘔吐上氣。背膊拘急。項頸强不得回顧。

療法　針五分。灸三壯。

14啞門　位置　項之上入髮際五分。

主治　頸項强急不語。諸陽熱盛。衄血不止。脊强反折。瘈瘲癲疾。頭風疼痛。汗不出。寒熱風痓。中風尸厥。暴死不省人事。

療法　針二分。不宜深。禁灸。灸令人啞。

15風府　位置　在項部入際一寸。腦戶後一寸五分。

主治　主瀉胸中之熱。中風舌緩暴瘖不語。振寒汗出。身重。偏風半身不遂。傷風頭痛。項急不得回顧。目眩反視。鼻衄咽痛。狂走悲恐驚悸。

療法　針三分。禁灸。

16 腦戶 位置 枕骨下强間後一寸五分。
主治
療法 禁針。禁灸。

17 强間 位置 後項後一寸五分。
主治 頭痛項强。目眩腦旋。煩心嘔吐涎沫。狂走。
療法 針二分。禁灸。

18 後項 位置 百會後一寸半。
主治 頸項强急。額顱上痛。偏頭痛。目眩不明。
療法 針二分。灸五壯。

19 百會 位置 當頭正中。前項後寸半。
主治 頭風頭痛。耳聾鼻塞。鼻衄。喑瘂言語蹇澀。口噤不開。或多悲哭。偏風半身不遂。風癇卒厥。角弓反張。吐沫。心神恍惚。驚悸健忘。痎瘧。女人血風。胎前產後風疾。小兒癇風驚風。脫肛久不瘥。

療法　針二分。灸宜多壯。

20 前頂

位置　顱顖後一寸五分。

主治　頭風目眩。面赤腫。小兒驚癇瘈瘲。鼻多清涕。頸項腫痛。

療法　針二分。灸五壯。

21 顖會

位置　上星後一寸。

主治　腦虛冷痛。頭風腫痛。項痛目眩。鼻寒不聞香臭。驚癇戴目。

療法　針二分。灸五壯。

22 上星

位置　鼻之直上入髮際一寸。

主治　頭風頭痛。頭皮腫。面虛。惡寒。痎瘧寒熱。汗不出。鼻衄。鼻涕。鼻寒不聞香臭。目眩睛痛。不能遠視。以三稜針刺之。

療法　針三分。不宜多灸。

23 神庭

位置　鼻上入髮際半寸。

主治　發狂。發癲狂走。風癇癲疾。角弓反張。目上視不識人。頭風鼻淵。流涕不止。頭痛目淚。煩滿喘咳。驚悸不得安寢。

療法　禁針。灸三壯。

24 素髎

位置　鼻端準頭。

主治　鼻中瘜肉不消。喘息不利。多涕。衄血。霍亂宜刺之。

療法　針一分。禁灸。

25 水溝

位置　鼻下溝之正中。俗稱人中。

主治　中風口噤。牙關不開。卒中惡邪。不省人事。癲癇卒倒。消渴多飲水。口眼喎斜。俱宜針之。若風水面腫。針此一穴。出水盡頓愈。

療法　針三分。不宜灸。

26 兌端

位置　上唇之端。

主治　癲癇吐沫。齒齦痛。消渴衄血。口噤口瘡。

療法　針三分。

27 齦交

位置　唇內齒上齦縫筋中。

主治　面赤心煩痛。鼻生瘜肉不消。頸額中痛。頭項强。目淚多眵赤痛。牙疳腫痛。小兒面瘡。

療法　針三分。逆針之。

（四）十二經絡變化簡明一覽表

經絡＼類別	左右穴數	起穴	止穴	募穴	絡脈	補	瀉
手太陰肺經	11	中府	少商	中府	列缺	太淵	尺澤
手陽明大腸經	20	商陽	迎香	天樞	偏歷	曲池	二間
足陽明胃經	45	頭維	厲兌	中脘	豐隆	解谿	厲兌
足太陰脾經	21	隱白	大包	章門	公孫 大包	大都	商邱
手少陰心經	9	極泉	少冲	巨闕	通里	少冲	神門
手太陽小腸經	19	少澤	聽宮	關元	支正	後谿	小海
足太陽膀胱經	67	睛明	至陰	中極	飛揚	至陰	束骨
足少陰腎經	27	湧泉	俞府	京門	太鐘	復溜	湧泉
手厥陰心包絡經	9	天池	中冲		內關	中冲	大陵
手少陰三焦經	23	關冲	耳門	石門	外關	中渚	天井
足少陽胆經	44	童子髎	竅陰	日月	光明	俠谿	陽輔
足厥陰肝經	14	大敦	期門	期門	蠡溝	曲泉	行間

主	客	致病	五行	五色
太淵	偏歷	熱	辛金	黄
合各	列缺	熱	庚金	赤
冲陽	公孫	熱	戊火	赤
太白	豐隆	熱	巳土	黄
神門	支正	寒	丁火	白
腕骨	通里	痺	丙火	黑
京骨	大鐘	痺	壬水	黑
太谿	飛揚	寒	癸水	白
大陵	外關	痛	相火	青
陽池	內關	熱	相火	紫
邱墟	蠡溝	熱	甲木	紫
太冲	光明	痛	乙木	青

說明

一募　募者聚也。言經氣之結聚也○凡募穴皆在胸腹。難經曰募在陰而俞在陽。

二絡　支而横出者爲絡。十二經各有別絡○別絡者由此經分支而與別經相連屬之路也。

三主客　主客者。主病與客症。何謂主病○即其本經之主症。何謂客症。因本經之主症而涉及標病。標病即爲客症。譬如太陰肺與陽明大腸爲表裏太陰肺之本病而牽及陽明大腸病。則肺爲主病。大腸爲客症。主病刺本經之原穴。客症刺客經之絡穴。治時感病能認識其主客。按穴施治。無不應手而愈者。

(五)井滎俞經合原主治表

經絡 ＼ 症病	井	滎	俞	經	合	原	各經主病
	心下滿	身熱	體重節痛	喘咳寒熱	熱氣而泄	總刺	
肝	大敦	行間	大冲	中封	曲泉		淋溲便難轉筋四肢滿閉臍左右有動氣
胆	竅陰	俠谿	臨泣	陽輔	陽陵	坵墟	喜潔面青善怒
小腸	少澤	前谷	後谿	陽谷	小海	腕骨	面赤口乾喜笑
心	少冲	少府	神門	靈道	少海		煩心心痛掌中熱脘臍上有動氣
胃	厲元	內庭	陷谷	解谿	三里	冲陽	面黃善噫善思善咏
脾	隱白	大都	太白	商邱	陰陵		腸脹滿食不消體重節痛怠惰嗜臥四肢不收當臍自動按之牢若痛
大腸	商陽	二間	三間	陽谿	曲池	合各	面白善嚏悲不樂欲哭
肺	少商	魚際	太淵	經渠	尺澤		咳嗽洒淅寒熱臍右有動氣按之牢痛
膀胱	至陰	通谷	束骨	崑崙	委中	京骨	面黑善恐

腎	涌泉	然谷	太谿	復溜	陰谷		逆氣小腸急痛泄瀉下重足脛寒而逆臍下有動氣按之牢若痛
三焦	關冲	液門	中渚	支溝	天井	陽池	
包絡	中冲	勞宮	大陵	間使	曲澤		

說明

井　靈樞經曰。廿七氣之所行爲井。井者泉也。水源之所出也。主經脈之氣由此起源發出也。

滎　靈樞經曰。廿七氣之所溜爲滎。溜者流也。如水之流也。言經脈之氣由此處急流而過也。

俞　靈樞經曰二十七氣之所注爲俞。俞者輸也。如水之注也。言經氣由此而輸注也。

經　血脈之直行者爲經。又曰經者如水之行也。靈樞經曰廿七氣之所行爲經。言經脈之氣由此處通行也。

合　靈樞經曰。廿七氣所入爲合。素問曰治府者治其合。又曰陽氣在合。取合以㢸陽邪。合者如水之會也。所入爲合者。言經絡之啣接處也。亦此經與彼經相應之處也。

原　脈之所過爲原。原者如水之原也。經曰瀉必針其原。言瀉該經之氣則針其原穴。考六府之經有原穴。五臟之經無原穴。以俞穴作原穴。

（六）經外奇穴表

穴名	穴數	部位	主治	附記
1 內迎香	二	鼻孔中	目熱暴痛	用蘆管子搐出血
2 鼻準	一	鼻柱尖上	鼻上生醉風	宜用三稜針
3 耳尖	二	耳尖上	眼生翳膜	捲耳取之灸五壯
4 機關	二	耳下	卒中風口噤不開	在耳下八分微前灸五壯
5 聚泉	一	舌中央	哮喘咳嗽舌胎舌強	吐舌取之蓋片灸
9 金津玉液	二	舌下兩傍	重舌腫痛喉痺	捲舌取之卽舌紫脈宜用三稜針
7 海泉	一	舌下中央	消渴	同前
8 魚腰	二	眉中	眼生垂簾翳膜	針一分沿皮向兩傍
9 太陽	二	眉後陷中	眼紅腫及頭痛	宜用三稜針
10 印堂	一	兩眉中陷中	小兒驚風	針一分灸五壯
11 中魁	二	手中指二節	五噎反胃吐食	屈指骨尖陷中灸七壯

12	大骨空	二	手大指中節	目久痛及翳膜內障	同前
13	小骨空	二	手小指二節	手節痛目痛	同前
14	十宣	十	手十爪甲後	乳鵝	每指去爪甲一分宜三稜針
15	鬼眼	二	手大指甲後	五癎	去爪甲如韮葉縛指灸之
16	五虎	四	手食指及無名指二節尖	五指拘攣	握拳取之灸五壯
17	四縫	四	手四指內中節	小兒猢猻癆症	宜用三稜針
18	二白	四	掌後橫紋上四寸	痔疾脫肛	一手二穴一在筋內兩筋間卽間使後一穴在筋外與筋外之穴相並
19	肘尖	二	肘骨尖上	瘰癧	屈肘取之灸七壯
20	池泉	二	手背腕中	心腹諸氣痛不可忍	在陽谿陽池間陷中灸二七壯
21	肩柱骨	二	肩端	瘰癧及手舉不動	起骨尖上灸七壯
22	八風	八	足五指岐骨間	脚背紅腫	針一分灸五壯
23	獨陰	二	足二指橫紋中	小腸疝氣及死胎包衣不下	灸五壯又治婦人乾嘔吐血月經不調。
24	足小指尖	二	足小指尖端	難產	灸足小指尖
25	足太陰	二	足內踝後	逆產	足內踝後白肉際骨陷宛宛中

26 足太陽	二	足外踝後	足痺無力	足外踝後一寸宛宛中
27 百勞	二	大椎旁	瘰癧連珠瘡	在大椎各開一寸灸七壯
28 通關	二	中脘旁	五噎	在中脘旁各開五分。此穴左撚能進飲食右撚能合脾胃
29 直骨	二	乳下	遠年咳嗽	乳下一指頭低陷處。男左女右灸三壯
g0 精宮	二	背後	夢遺	在背十四椎下各開三寸灸七壯
31 子宮	二	中極旁	婦人久無子嗣	中極各開三寸針二分灸七壯
32 闌門	二	曲池旁	膀胱七疝奔豚	卽曲池各開五寸
33 命關	二	脇下脘中	脾家一切病症	中脘向乳三角取之可灸百十壯
43 內太冲	二	足掌側	疝氣上衝氣不通	足太冲對肉旁隔大筋陷中舉足取之針一分灸三壯
35 甲根	四	足大指甲角	七痕	足大指端爪甲角罎皮爪根左右廉內甲之隙針際一分灸三壯
36 腰眼	二	腰兩傍微陷處	癆瘵	灸七壯
37 鶴頂	二	膝蓋尖上	兩足癱瘓無力	灸七壯
38 膝眼	二	膝	膝濱瘦痛	膝蓋骨下兩傍陷中針五分
39 四關				卽兩合谷兩太冲也

40	夾	二	脊間	霍亂轉筋	令病者仰臥伸兩手著身以繩索平兩肘尖向脊橫位開寸半灸百壯

（七）禁針禁灸穴一覽表

經名	禁針穴	禁灸穴	孕婦禁針禁灸穴
手太陰肺經	青靈	天府 尺澤 經渠 少商	
手少陰心經		少海	
手厥陰心包絡經			
手陽明大腸經	五里 臂臑 巨骨	禾髎 迎香	合谷
手太陽小腸經		秉風 顴髎	
手少陽三焦經	會宗 三陽絡 角孫	陽池 絲竹空 天牖 瘈脈 顱息 和髎	
足太陰脾經	箕門	隱白 漏谷	三交
足少陰腎經			
足厥陰肝經	急脈		
足陽明胃經	承泣 乳中	頭維 下關 承泣 四白 巨髎 人迎 乳中 伏兔 犢鼻	缺盆 梁門 天樞

足太陽膀胱經	承筋	睛明 攢竹 五處 承光 大杼 承扶 殷門 委中 僕參 申脈	崑崙
足少陽胆經	客主人 承靈 淵液	瞳子髎 客主人 臨泣 淵液 陽關 地五會	肩井
任脈	會陰 水分 鳩尾 膻中	會陰	石門 下脘 建里
督脈	神道 神庭 腦戶	瘂門 風府 腦戶 強間 齦交 上星 素髎 水溝 兌端	

（八）配穴精義

1 大椎曲池合谷

大椎手足三陽督脈之會。純陽主表。故凡外感六淫之在表者。皆能疏解也。佐以曲池合谷者。以陽從陽。助大椎而斡旋營衛。清裏以達表也。審其身熱自汗。則瀉大椎以解肌。無汗惡寒。則補大椎以發表。或先補而後瀉。或先瀉而後補。神而明之。存乎其人矣。至於外感變症。至繁且雜。兼他症者。尤必兼而治之。是以邪在於經。頸項强痛者。則加風池。（透風府）熱甚而心煩溺赤者則加內關。譫語便燥胃家實者。則加豐隆三里。脅痛嘔吐見少陽症者。則加支溝陽陵泉。氣逆喘嗽則加魚際。傷風鼻塞，則加上星。又若瘧疾之病。雖有表裏陰陽之別。而其寒往熱來。無不關乎營衛。故是法亦能兼治。再如骨蒸潮熱盜汗等症。雖係陰虛勞損之候。余採用此法。亦大有養陰清熱之功。誰謂個中無活潑潑天機耶。

2 合谷復溜

二穴止汗發汗，書有明文。鍼家皆知之。而其所以能止汗發汗之理。則多未知也、試伸言之。夫止汗補復溜者，以復溜屬腎，能溫腎中之陽，升膀胱之氣，使達于周身，而外衛自實也。瀉合谷者即所以清氣分之熱。熱解則汗自止矣。發汗補合谷者。則以合谷屬陽。清輕走表故能發表托邪，隨汗出而解也。佐以瀉復溜者，疎外衛之陽，而成其開皮毛之作用也。至若陽虛之自汗，陰虛之盜汗。固與外邪有別。而合谷復溜亦能止之者。蓋又以復溜匪特能溫腎中之陽。亦且以滋腎中之陰也。尤有進者，寒飲咳逆水腫等症，余推詳其理，借用復溜以振陽行水。合谷利氣降逆，頗有奇效，可見此中變化無窮。學者當隅反之。

3 曲池合谷

二穴屬手陽明經。主氣。曲池走而不守，合谷升而能散。二穴相合，清熱散風。爲清理上焦之妙法。以清輕之氣上浮故也。頭者諸陽之會也。耳目口鼻咽喉者，清竅也。故稟諸陽之氣者。皆能上走頭面諸竅也。以合谷之輕載曲池之走。上升于頭面諸竅。而實行其清散作用。故能掃蕩一切邪穢。消弭一切障礙也。雖然二穴之上行也。漫無定所，苟欲其專達某處。勢必再取某穴以爲嚮導。則其徑捷。其力專。其收效也亦速。故頭痛頭暈取風池頭維。目赤目翳加絲竹睛明。鼻痔鼻淵配迎香禾髎。耳鳴耳聾，選聽會翳風。口臭舌裂水溝勞宮。咽腫喉痺魚際頰車。齦腫齒痛則有下關。口眼喎斜則參地倉。君臣合力。標本兼施。何患疾之不瘳也乎。

4 水溝風府

風者百病之長也。善行而數變。金匱曰。邪入于臟舌即難言口吐涎。蓋腎脈俠舌本。脾脈絡舌本散舌下。心之別絡亦繫舌本。故風邪中于此三臟。則令人舌强難言，口吐涎而神昏不省也。又三陽之經並絡入頷頰挾于口。令諸陽爲風寒所客。故經急而口噤不開也。是法補水溝以開關解禁。通陽安神。瀉風府搜舌本之風。舒三陽之經。凡一切卒中急症。牙關不開。不省人事。施于關竅立開。隨即甦醒。語言自和。轉危爲安。誠鍼科之首選。起死回生之寶筏也。他如口眼喎斜。偏枯不遂等症。雖有中經中絡之別。然異流同源。亦其所宜乎

5 肩顒曲池

二穴皆屬手陽明大腸經。大腸爲肺之腑。故是法有調理肺氣之特效。尤妙在肩顒臥鍼。有舒通之象。而曲池更走而不守。擅能宣氣行血。搜風逐邪。二者相配。眞可謂之珠連璧合。舉凡一切經絡客邪氣血阻滯之病。無不能舒暢而調和之。而尤以中風偏枯諸痺七氣等症爲對工。所謂一通百也。昔仲景有云。客氣邪風中人多死。預料此法風行後。其或能滅少客氣邪風中人之死率歟。

6 環跳陽陵泉

二穴皆屬足少陽胆經。厥性舒通宣散。善能理氣調血。驅風袪濕。且陽陵泉又爲筋之所會。尤有舒筋利節之功。故凡中風偏枯不遂諸痺不仁以及痿𤸷筋攣腰痛痿𤸷等症。皆其傑奏。實嘗以環跳擬肩顒。陽陵泉擬曲池。以彼此上下相應。形性相仿。而功效又雷同也。

7曲池委中下廉

痺者風寒濕三邪合而爲病也。風氣勝者爲行痺。以風性遊走也。寒風勝者爲痛痺。以寒性凝結也。濕氣勝者爲著痺。以濕性重著也。主以是法者。曲池搜風以行濕。委中疎風以利濕。下廉通陽以滲濕。其寒氣勝者。則補瀉兼行。散寒去風而燥濕。兼以各舒其經。各通其絡。邪去而經絡亦通。何痺之有哉。

8曲池陽陵泉

曲池居于肘內。陽陵泉位于膝下。同爲大關節要。曲池行氣血通經絡。陽陵泉舒經利節。皆具有宣通下降之功。以之配合。相得益彰。百症賦列其治半身不遂。是舉其要。餘如痠瘲歷節諸痺等症。可一望而知矣。且也二穴尤有降濁瀉火之功。曲池清肺走表。陽陵泉瀉肝胆于裏。余因推廣其用。凡肝肺抑鬱胸脅作痛或熱結腸胃腹脹便濁等症。借其清利疎泄之力。靡不獲效。由是可見穴法之妙。全在善用者之配合也。

9曲池三陰交

一陰一陽。恰相配偶。曲池性遊走通導。擅能清熱搜風。三陰交乃三陰之會。爲肝脾腎三經之樞紐。亦即血科之主穴。二者相合。曲池入三陰之分。故能清血中之熱。搜血中之風。而瘀自行血自通矣。是以諸般腫痛。得之而腫消痛止。花柳毒瘡。得之而毒消瘡平。餘如風濕諸痺。腰痛脚氣癱瘓、以及婦女崩帶癥聚經閉等症。尤能著手成春也。

10 三里三陰交

三里外陽益胃。三陰交滋陰健脾。陰陽相配爲脾胃虛寒氣血虧薄之主法。虢損門所不可少者也。亦有胃濁脾弱陽亢陰虧者，則補陰之中。勢必兼行清導。補三陰交瀉三里是也。更有陽虛氣乏。風温客邪成痺腿胻痲木疼痛者，則一以振陽氣，一以和陰血，合而舒經理痺，其功效尤卓著者也。

11 陽陵泉三里

陽陵泉爲胆經之關鍵。三里爲胃府之樞紐。二穴相合。瀉陽陵泉以肅清淨之府。平肝火之横。降上逆之勢。輸膽汁入胃。從木疏土而完成其中精之府之更能也。再瀉三里以導胃中之濁。通胃之陽。於是清陽得升。濁陰得降。凡木土不和之病。如中消停痰呑酸口苦泄瀉嘔吐等症。得之自然煙消瓦解。而飲食亦因之暢和矣。且陽陵泉爲筋之所會。大有舒筋利節搜風袪濕之特力。三里亦有通陽活血燥濕散寒之功能。再進而治諸痺膝痛筋攣歷節痿躄脚氣等症。亦未始非針法之妙用也。

12 四關

四關者合谷太衝四穴也。經外奇穴以之名關。蓋有精義存焉。夫合谷原穴也。太衝亦原穴也。以形勢言。合谷位于兩歧之間。而太衝亦位于两歧之間。是二者相同之處也。再以性質言。合谷屬陽主氣。而太衝則屬陰主血。是又二者同中之異也。然二者之同正所以成其虎口衝要之名。二者之異。亦正所以竟其斬關破巢之功。觀其開關節以搜風理痺。行氣血以通經行瘀。及乎配豐隆陽陵泉以墜痰瀉火而治癲狂。配百會神門以鎭頂安神而療五癇。是明證矣。

13 豐隆陽陵泉

二穴爲通大便之主法。何以言之。夫豐隆爲足陽明胃經之絡脈。別走太陰。其性通降。從陽明以下行也。得太陰濕土以潤下也。陽陵泉性亦沉降。斜針向下透三里。從木以疎土也。余嘗以是法擬承氣。有承氣之功。而不若承氣之猛峻。其治癲狂等症。非但瀉其實。亦且折其燄也。

14 氣海天樞

氣海者氣血之會。呼吸之根。藏精之所。生氣之海。下焦至要之穴也。補之益臟眞。回生氣。溫下元。振腎陽。有如釜底添薪。故能蒸發膀胱之水。使化氣上騰。而布于周身也。天樞乃大腸之募。胃經之穴。其分理水穀糟粕。清導一切濁滯。實有特效。以之與氣海相配。取氣海振下焦之陽。以散羣陰。取天樞調腸胃之氣。以利運行。故擅治腹寒疝瘕賁豚脫陽失精陰縮。厥逆脹滿疞痛氣喘小便不利婦女轉胞崩帶月事不調等症。爲虛勞羸瘦積寒痼冷之首法。轉諸天雄散腎氣丸等方。猶且過之無不及也。

15 中脘三里

經云陽明之上。燥氣治之。燥者陽明之本氣也。胃府禀此燥氣。故能消腐水穀。若此燥氣不足。則水穀停矣。太過則又爲中消噎膈等症。燥氣之關乎胃者如此。是法專理胃腑。兼治腹中一切疾病。君以中脘者以中脘爲六府之會。胃之募也。臣以三里者。正所以應中脘而安胃也。審其胃中虛寒。飲食不下。

脹痛積聚。或停痰蓄飲者則補中脘即所以壯胃氣散寒邪也。瀉三里者，引胃氣下行。降濁導滯。而襄助中脘以利運行也。其或胃腑燥化大過。消穀引飲嘔吐反胃者。則中脘亦可配瀉也。至於霍亂爲病。總由夏秋之時。飲食不節。暑濕污穢擾亂中宮。以致清濁不分。陰陽混淆。上吐下瀉。腹中疞痛而揮霍變亂。治之先刺出惡血以去暑穢。然後補中脘以升清。瀉三里以降濁。中氣調暢。陰陽接續。斯愈矣。再者胃病而兼有其他症候者。兼治必須加減。如下元虛寒補氣海。上焦鬱氣瀉通谷。臟氣微補章門。腸中滯瀉天樞。或取上脘或去三里等是也。

16 合谷三里

二穴皆屬陽明。一手一足。上下相應。合谷爲太腸經原穴。能升能降。能宣能通。三里爲土中眞土。補之益氣升清。瀉之通陽降濁。二穴相合。腸胃並調。若清陽下陷胃氣虛弱納穀不暢者。則補三里應合谷以升下陷之陽。俾胃氣充而食自進。若濕熱壅塞濁滯中宮或蓄食停飲而痞脹噫噦者。則瀉三里引合下行以導濁降逆。斯中宮利而氣自暢矣。昔賢調理中宮以宣通爲胃腑立法。信不誣也。

17三里二穴

五臟六腑。皆賴胃氣以爲營養。有胃氣則生。無胃氣則死。蓋以胃爲後天之本。水穀之海。主消納者也。胃氣盛則納穀自暢。營養自周。否則臟腑失養而生氣絕矣。夫胃者戊土也。三里者合土也。是三里爲土中眞土。胃之樞紐。後天精華之所根也。秦承祖云諸病皆治。蓋又以胃爲五臟六腑之海也。余取之以壯人身之元陽。補臟腑之虧損。凡寒氣積聚之癥瘕。皆得而溫之化之。濕濁瀰滿之腫脹亦得而燥之消之。至其升清降濁之功，導痰行滯之力，補中升陽等方。不能擅美于前也。

18勞宮三里

勞宮屬心包絡。性清善降。功能理勞役氣滯。開七情鬱結。尤擅清胸膈之熱。導火腑下行之路。與三里相合。大瀉心胃之火。挫上逆之勢。凡結胸痞悶嘔吐乾噦噫氣吞酸煩倦嗜臥等症。無不效若桴鼓。用鍼者其勿忽諸。

19三陰交

李東垣治病以脾胃爲主。宗之者頗不乏人。惟立方皆升提辛燥。與陰虛體質大相違背。自唐容川氏滋脾陰說唱與以來。深得醫林多數人之信仰。蓋脾陽虛陷運化失司。誠宜益氣升陽。若脾陰枯槁。津液不行者。則溫燥之法斷乎不可嘗試。而當滋陰潤燥者也。考三陰交爲肝脾腎三經之交會。故其補脾之中。間接可補肝陰腎陽。是三陰交獨有氣血兩補之功。不特爲女科之主穴。亦爲內傷虛勞雜病門中之要法也。其治腹痛瀉痢疝瘕轉胞崩帶經閉絕嗣等症。較之理中建中八珍腎氣等方。實不可同日而語也。

20隱白二穴

脾主運化。全賴陽氣爲之旋轉。苟脾陽不運。則腹脹瀉泄倦怠少氣崩帶等症作矣。東垣立補中調中升陽等方。即本此意。余取隱白。亦復如是。緣隱白爲太陰之根。補之大益脾氣。升舉下陷之陽。溫散沉痼之寒。直如統馭中州之主帥。內傷虛勞門中之良相。所謂扶中央即可固四外也。

21大敦

肝主筋。前陰爲宗筋所聚。而足厥陰之經又環陰器抵小腹。故諸疝皆屬于肝。大敦爲肝經井穴。余取其直接舒筋調肝去邪。寒則補之。熱則瀉之。兼風濕者加曲池委中。寒甚卵縮引小腹痛者加隱白。見效後再取三陰交太衝行間中封蠡溝曲泉諸穴繼之。即可痊癒。又若婦女寒瘕下墜痛引小腹陰挺腫痛等症。與男子諸疝無異。故此法亦爲對症。學者其細參可也。

22 大椎內關

夫飲水邪也。水停于胸膈之間。氣道壅塞。則作喘咳胸滿吐逆等症。然水何以能停也。是又當責之於三焦。經云三焦者決瀆之官。出道出焉。蓋三焦即人身之油膜。水之道路全在油膜之中。人飲之水由三焦而下膀胱。則決瀆通暢。水自無停留之患。如三焦之油膜不利。於是水道閉塞。氣化不行而飲症作矣。此法大椎爲督脈手足三陰之會。余取之以調太陽之氣。氣行則水自利也。內關爲手厥陰心主之絡。別走少陽三焦。余取之宣心陽以退其羣陰。利油膜以通其淤塞。則決瀆暢而飲症自蠲矣。是說本自內經。參之唐氏。又與仲景靑龍苓桂諸方吻合。其亦愚者之千慮一得歟。

23 內關三陰交

內手闕厥陰心主之絡。別走少陽三焦。能淸心胸鬱熱。使從水道下行。配以三陰交滋養陰血。交濟坎離。爲陰虛勞損之要法。蓋下焦之陰精一虧。則上焦之陽獨亢。而骨蒸盜汗咳嗽失血夢遺經閉等症作矣。內關淸上。三陰交滋下。一以和陽。一以固陰。陰陽和合。斯可滋生化育矣。

24 魚際太谿

虛勞之病。現咳嗽吐血骨蒸潮熱者。十居七八。皆緣近世之人。溺于酒色。沉於思慾。脾腎兩虧。陰液枯涸 不能上滋心肺。以致上炎肺萎。柔金遭尅。遂現損症。施治大法。宜仿喻氏清燥救肺湯之意。淸火勢以減金刑。滋陰液以潤肺燥。水火交際。子母相生。庶幾有一線生機也。是法君太谿補水中之土。潤燥而生金。臣魚際瀉金中之火。逐邪而扶正。理腎者兼埋色慾。淸肺者亦淸酒傷。絲絲入扣。宜其屢奏奇功也。

25 天柱大杼

東垣曰五臟氣亂于頭者取之天柱大杼。不補不瀉。以導氣而已。旨哉斯言。夫膀胱者州都之官。氣化所出。故統周身之陽氣。而名太陽經也。且五臟之兪穴。皆在于背。是五臟之氣。又皆通于太陽也。若夫氣亂于頭者，則頭暈目眩者有之。頭冒者亦有之。治者當然以導氣下行爲定律。今考天柱大杼二穴。皆屬足太陽經。而大杼更爲督脈別絡。手足太陽少陽之會。其能調理氣道可知。至云不補不瀉者。蓋又以氣旣亂矣。補之瀉之。皆足以益其亂。故不必操之過急。但覓得其頭緒。徐徐導之。使循太陽經而下。則無紊亂之弊矣。再如風寒客于太陽之經。頸項脊背强痛。是法亦所當用。惟邪之所在。勢不得不行瀉法。以舒經散邪也。

26 巨骨二穴

巨骨屬手陽明大腸經。穴在肩端两叉骨罅中。刺之居高臨下。宛如左右各樹一鎭壓物然。且其性沉降。大能開胸鎭逆。宣肺利氣。舉凡胸中瘀滯及一切上逆之邪。均能椎之使下。故爲定喘之無上妙法。他如咳逆上氣肝火上衝嘔血吐血等症。亦能挫其上逆之勢。急切收效也。

27 兪府雲門

咳嗽喘息本至普通之症。而施治每多不效何也。一言以蔽之。要皆未澈底認識其標本原因也。夫咳嗽喘息。固是肺病。然而近因也。標病也。其根本原因，固不於肺。而在腎也。以腎司收納。衝脈又交乎腎經。至胸中而散。若下元空虛。收納失司。則濁陰之氣。隨衝脈上逆入胸。鼓動肺葉。故咳嗽而喘息也。今人不問來源。只知治肺。一味宣散清利。輕者或可取效一時。重則不啻隔靴搔癢。毫無所覺。良以肺部未遑廓清。而衝氣已復上逆。前仆後繼。倘夢想咳止嗽寧喘定耶。余取此法。君俞府以降衝氣之逆。理腎氣之源。佐雲門以開胸順氣。導痰理肺。標本兼施。則諸症悉愈矣。亦有陰火隨衝脈上逆。以致胸中結悶煩熱嗆咳者。此法亦有奇效。是又在學者之遴選耳。

28 氣海關元　中極子宮

方書求嗣之方。不勝枚舉。而有應不應者何也。蓋未得其癥結所在故耳。經云。女子二七天癸至。任脈通。太衝脈盛。月事以時下。男子二八腎氣盛天癸至。精氣溢瀉。又云陰陽和故有子。夫惟其陰陽和始能有子。惟其女子月事以時下。男子精氣溢瀉。陰陽斯之謂和。否則陰陽已不和。則子嗣又烏從而得哉。是以求嗣之道。男子首在調精。女子首在經行。在男子有淫慾過度。陰精虧竭。稀薄散淡者。亦有先天不足。腎氣不充。精不注射者。在女子則月經不調之外。更有子宮寒冷。胞門閉塞者。凡此等等皆無成孕之可能。求嗣之士。可知着眼所在矣。余於男子之陽不和者。取氣海以振陽氣。取關元以滋陰精。蓋以氣海爲男子生氣之海。關元爲三陰任脈之會。藏精之所也。其於女子之陰不和者。則取中極以調經。取子宮以開胞。蓋又以中極亦爲三陰任脈之會。胞宮之門戶也。子宮二穴。在中極旁三寸。位居小腹。正當胞宮之處。胞宮今亦名子宮。此穴此名其義可知。補之者止所以暖胞開胞。俾其直接受孕也。育嗣之穴。因不止此。然苟能于此法此理融會貫通之。則求嗣之道。思過半矣。

29 合谷三陰交

二穴安胎墮胎之理。已詳于鍼灸大成中。茲不再贅。茲所欲言者。不過引伸其義而已。夫三陰交補脾養血。因爲姙娠要穴。然其安胎之力。尤賴乎合谷之清熱也。何言之。徐靈台先生之言曰。婦人懷孕中一點眞陽。日吸母血以養。故陽日旺而陰日衰。凡半產滑胎。皆火盛陰衰不能全其形體故也。又讀葉天士先生胎得涼而安一語。益信其眞。故昔賢安胎。皆主黃芩以清熱也。脾主後天生化。故又佐白朮以補脾而養胎也。再參之是法。合谷亦猶黃芩也。三陰交亦猶白朮也。白朮慮其燥而黃芩適以平之。三陰交慮其溫。而合谷亦適以和之。是法與是方吻合者如此。且三陰交爲三陰之會。中寓肝陰腎陽。能溫補而又能滋潤者也。余常借用是法。取合谷以清上中之熱。取三陰交以滋中下之陰。故凡陽亢陰虧上熱下寒者。皆其宜也。

30 少商商陽合谷

此三穴醫家多取以爲喉科之主法。以其清肺瀉熱也。余因推廣其用。以爲兒科之主。以小兒禀質純陽。內熱最盛。肺爲嬌臟。首當其衝。且小兒衛氣未充。感邪尤易。肺合皮毛。故見症輒多咳嗽喘逆發熱。由是觀之。余主此法。不無相當理由也。惟加減之法。他書未詳。。茲特分別述之。夫咽喉見症。因由內熱蟠結。然熱有臟腑之殊。輕重之別。取之必絲絲入扣。方能有效。今是法僅瀉太陰陽明之熱。爲力有限。故必再取關冲少冲中冲少澤等穴配之。以竟全功。至小兒外感時邪。兼停食積滯以致吐瀉者加四縫四穴。腹痛者加隱白厲兌大敦。熱甚咳逆煩燥者酌加少冲中冲少澤。熱極生風驚癇瘈瘲目直色青。或角弓反張者。必再取手足諸井十宣穴應之。若邪熾病危。險象叢生。諸治不效者。則必取水溝風府百會前項素髎瘈脈湧泉崑崙身柱命門等穴盡取之。庶幾能挽回一二也。尤有進者此特不特爲兒科之主。即成人內熱外感見症。先刺之出血。重者亦可見效。輕者能使立愈。余經此有素。裨益殊多也。

31 曲澤委中

二穴皆大經動脈所在。故能出血。爲霍亂吐瀉之妙法。其出血之能力。非只放出暑濕風熱毒穢而已。他如暴絕厥逆陰陽氣不相接續等閉症。亦有起死回生之功。蓋邪之卒中於人也。內外爲之閉絕。有如河道爲淤泥阻塞。則水無去路。上下斷隔。苟决以出口。則河流通行。淤塞自去也。且曲澤通於心。有清煩熱滌邪穢之力。故凡心亂神昏。皆其所宜。委中位于下。有袪風濕解暑穢清血毒之功。故善海瀉痢。而花柳惡瘡之未潰者。刺之出血即消。尤具特效也。惟金鑑鍼科以曲澤誤爲尺澤。未免差之毫釐。謬以千里。以尺澤既無大經可以出血。亦無清心安神之可能也。甚有更誤爲曲池者。尤屬風馬牛之不相及。宜其傳爲笑柄也。至於加減之法。亦當審愼。如霍亂嘔吐不止者可加金津玉液少商商陽合谷。心煩亂者再加中冲少冲百會。不瀉痢者去委中。如刺之後腹痛吐痢仍不止者。可再取中脘天樞三里留針以繼之。始克竟其全功也。

第四編　手術

一　鍼術

1　鍼之形式

古人之針分爲九種，亦稱九式。素問有九針之論，然多不適用。在今日之所常用者，祇毫針一種耳。姑將古之九式說明之。一曰鑱針。頭大末鋭，主泄頭部之熱。二曰圓針。身圓而尖，鋒如卵形不鋭。捽皮而不傷內之筋肉。三曰鍉針。其鋒如黍粟芒之利，與今日所用粗毫針同。四曰鋒針。用以泄血，即三稜針也。五曰鈹針，其形如劍，用以破膿發潰，即今之外科刀之代用品也。六曰圓利針，形如牛尾，圓而且利，用以去暴痺。七曰毫針，有如毫毛，即今之所賞用者。八曰長針，較毫針微粗而長。九曰火針，與長針相似，惟頭較圓耳。破膿于骨節間，不宜開刀者用之。九針之中，毫針應用最多。長者鋒針火針偶一用之，餘則儆屣視之矣。

2 鍼之製造

今之鍼家每稱八法金針。針以金製。矜奇炫異。實則古之所謂金針者。皆屬鐵製。稱爲金針者。鐵亦金屬之一也。今之人每好炫奇。或以眞金製。或以紋銀製。其效用固無軒輊。然運用澀滯。徒使患者多受痛苦。遠不如鐵針之圓利滑疾。故製針當從古法。以馬口銜鐵。再三鍛鍊之。百鍊鋼製爲繞指柔。剛柔適宜。錘或細圓絲而斷之。一端摩之尖利。一端繞以銅絲。煑以藥汁。用黃土磨擦光利即成。煑針之法。先以烏頭巴豆肉各一兩。麻黃五錢。木鼈子肉十枚。烏梅五枚。與針同置瓦器內。水煑一日。取出洗淨。再用乳香沒藥當歸花蕊石各半兩。同針再水煑一日。復取出用皂角水洗淨。復插入犬肉內同煑一日夜。仍用黃土或瓦屑粉擦磨光圓滑利。始可應用矣。

3 針之選擇及保存

針常在人身體緻密之組織中刺入。故不得不加選擇。第一針尖之銳利。第二屈曲或損傷否。第三彈力。針尖不銳利則穿皮時覺疼痛。針無彈力與曲屈損傷等。則刺入時恐有折針碎折等之虞。

近年針科發達。針具之考案製作頗多。因之有治療診察室備用針具。與應診携帶用針具二種。治療室備用之針。常置于玻璃瓶類之製器中央。或金屬木材之板上。下置棉花。上掩絹布。應診用之針。每置于金筒中。頭塞棉花以防針尖之損傷。

今日所製之金銀針。多以不純粹之金屬混合而成。瓶內之空氣常恐因酸化而生銹。（或塗干猪油或凡士林，外包塗油或凡士林之紙）故宜時加淨拭。或以棉花絹布等。包裝針器。曝之日光中以免生銹。又宜于刺入時。隨時注意針尖之損傷。

上述針之保存應有左列二點之注意：

1 不可生銹　2 針尖及針體不可損傷。

4 針之大小長短

毫針區別針柄針體針尖三部。針之長普通以一寸乃至四寸。而尤以一寸二寸半爲便。蓋毫針太長必甚柔軟。刺入不易。且不方便。有一寸及二寸半長。無論任何部份皆足應用矣。

至于針之大小，以細如毫毛者爲最良。蓋用大於毫毛者，刺後有痕跡存留，有失美觀。針孔大恐有微菌竄入，或有液質滲出，有碍衛生者也。

5 運針不痛法

病者一聞針刺，必以爲甚痛楚，其實擅針術者，針刺只如蟻咬，並無痛苦，蓋有法焉。一養氣。淸晨晚間，於寂靜之處，無呼喧之地，舖位靜坐，舉行深呼吸。惟須迴避迎面之風，腰直胸挺，口閉目垂數息，三者不可缺一，腰直胸挺，則身端正，肺張腹滿，目垂內視，則外物不亂其心，口閉不張，則冷氣不侵，吸之以鼻，呼之以口，宜徐宜緩，愈緩愈妙，以數計之，心神合一。久久行之，則腹部充實，氣力倍增，針雖柔軟，有氣力刺入矣，二曰練指，以二寸方厚之木條，裝成一方架。其大小適合一粗紙，四角插入四寸長尖釘，即以粗紙糊上三四張，懸掛壁間，高與肩齊，木架懸壁，紙面向外，即用右手拇食二指持針刺入之。刺入之時，以鍼尖點于紙上。二指捻動疾行刺入，再加一二紙，久久行之，依次遞加，滿一寸厚而能不須用力捻入者，指力功候已到，可以出而問世矣。三曰理針。用銀針數枚，長約四寸，細如棉紗線，針尖須磨銳，再以較細之銀絲緊繞于針尾，長約寸許，復用淨白棉花三四兩，搓成球形，每晨用棉紗線緊繞二十轉，暇時即以銀針將右手大指與食指及中指，時時捻進捻出，日復一日，經一年之久，此球經棉紗線凡六七千次之繞紮，則結實異常，而轉捻亦復自如也。由是而施之於人身，即可使病者除痠痲走氣之外，分毫不覺針刺也。

6 鍼術之手技

針術之手技，即刺入時針之動作，適當與否，以發揮刺戟之技也。針治上以病症之見效，定適當之刺戟，爲治療經過上重大之關係，其手技多甚，茲述出十種。

一單刺法　針尖之達于目的部位時，即行拔去，此法主與輕微的刺戟時用之。

二旋撚術　針之刺入中，或針達于目的部時，或拔出之際，行左右旋撚之手技，此法較單刺法，與以稍强的刺戟時用之。

三雀啄術　此法恰如雀之啄餌。先使針達于目的部後；於組織中，將針上下動搖，加以强的刺戟、此手技於强弱之制止、或達興奮之目的時，應用最多。

四皮針術　在極淺之皮膚，行刺針方法，此專應用于小兒。

五置針術　於刺針部位，一針乃至數針刺入達目的部位時，行二分乃至數分或十分十五分之長時間放置而後拔出，此專應用于制止興奮神經，或達鎭靜目的

六亂刺術　針之刺入達目的部位點，即行拔出，再就原處刺入，如此頻頻反覆。

七間歇術　針刺入後或在中途間即行拔出，逾相當時間，復又刺入，此方法于血管擴張，筋肉弛緩之目的應用之。

八廻旋術　針刺入時，向左右廻旋刺進，拔出時向反對方廻旋拔出，此法在稍稍與以緩刺戟時應用之。

九細振術　刺針中將針行極微之振動，此法在收縮血管筋肉時應用之。

十歇啄術　針體刺入達三分之一時，行雀啄術，更刺入三分之一時，行第二次雀啄術，更于末後三分之一時，行第三次雀啄術，而後拔出，此法在深部疾患，須強刺戟時應用之。

以上十手技視患者之年齡，體質疾病之如何而適宜定之，猶之中西醫師，細心決定其藥物之量，不可稍稍疎忽也。

7 刺針之方向

針於刺入組織中之方向有三種，即直針斜針，水平針是也。直針直直刺入。斜針向斜方刺入。水平針最初斜入，入皮膚後與皮膚並行，直針應用于腰部等深部之刺針，斜針因內部貴要內臟，不可深深刺入，或應用于淺層部之手術，水平針應用于皮膚刺針。

通常刺入之方向，於押手手指間時決之。

8 刺針之押手

押手爲刺針上最重要之事，先以左右中指或食指輕輕接撫刺針部位，預使慣以刺戟，次就拇指與食指之腹側，置刺針部位，在其兩指間預備置針，此拇指與中指除固定刺針部位外，更加以適度之壓迫，即押手是也。押手之任務，具體的說明如左：

1 保持針之固定。

2 若刺針部之皮膚滑動，必覺疼痛，故押手所以防皮膚之轉動。

3 施針中患者身體每有動搖之事，此所以制御動搖。

4 用押手則針之組織刺戟容易。

押手宜視其刺入部位及其病理，而異其壓力之輕重，例如皮膚易於搖動之處。或刺針强刺激時，不得不加相當之强壓。皮膚知覺銳敏，不堪强壓之處，或炎症等覺疼痛之時，則押手不得不輕輕施術。輕押手手指只觸皮膚。强壓則術者不得不用全身之力，此點應各自實地研究可知。

9 針術之消毒

消毒之目的，在乎絕對的死滅病原菌，防止細菌之發育，消滅其毒性，故消毒不得不充分。茲述施行針術時必要之消毒順序如左。

先將治療器具即針浸于沸湯中或蒸氣中五分乃至十分間。各種之消毒液中浸十分乃至二十分間。然後脫患者之衣類，先將自己之手指，用酒精充分洗滌，充分消毒。然後在施術部用酒精充分洗滌，使患部無菌，然後將無毒菌之針施術于患部。施術後在患部消毒。並將針消毒，然後拭乾置回原處，倘針結核菌病者，花柳毒者惡瘡……等病者，須將該針用火焚燒或丟棄，以免傳染。

10 刺針之深淺

人有大小肥瘦之別，針之深淺，極難一定。惟須知針術不在刺之深淺，而在能否刺着神經，使之起反應。能刺着神經，則能事已盡。如不能刺着，則或加深之，或向偏左右刺之，直至病者感覺痠痳走氣爲主。

惟須記着頭部頸部胸背部，因腦及貴要臟腑所在，不可深刺，針着腦，及延髓，心，肝，肺，等要發生危險，素問之刺禁論，學者不可不讀也。

11 刺針刺戟之强弱

鍼治上定針刺戟强弱之度，爲最大之要素。猶之中西醫對于醫藥，定其適宜之度量也。假如對于鍼治之適應症，不當其刺戟之度，不能奏效。刺戟標準如何决定，據多年經驗所得先要參酌左之事項：

1 患者之體質（神經質粘液質）

2 性之差別，即男女之別。

3 年齡。

4 體質營養如何。

5 病症如何

通常男子比女子，堪當强大刺戟。又生後六個月之小兒，當然不及三十歲以上年齡之人，堪當强大刺戟。其外多血質脂肪質之人，通常較神經質之人堪當强大刺戟。神經質之人，有因受輕度之刺戟，大受感覺，甚致全身汎發痙攣。或因腦血管之收縮，起一時性之腦貧血，而有失神等事。故對于神經質之人，宜先施一二次皮膚針之刺戟，其後以極細之鍼，加以比較的淺而又輕度之刺戟。

又對于神經痛痙攣麻痺知覺脫失等病症，應加强大之刺戟，對于腹部內臟交感神經之刺鍼，應極緩刺戟，患者眠時，應起立爲佳。又身體之部位，如顏面手掌等。較之身體他部知覺敏銳，亦宜注意。

12 針之響

針術無一息之留滯，隨呼吸刺入時，針尖通過皮膚决不感刺痛。在觸其神經時恰如電流，或起一種牽掣而感覺，此之謂響，或謂之氣。此響可收針之效果。蓋刺針之要，氣至而效也。響有緩急。有强弱。施之適度，爲吾鍼灸家最要之事，此技不至，其術徒勞。此中宜據針之細大長短而各差異，大概長針深刺，其刺激宜稍稍强大。短針淺刺，刺戟亦隨之而微弱。大針比小針增劇。此在手術者之手腕，苟能熟習其手技則響之度自能自由自在也。

刺戟之强弱，因各個之體質，刺戟之部位，或治療之目的，而各異其度。若不適其度即不能奏效。且生危害。假如針胃痙之症，若過弱刺戟，反增疼痛。反之若稍微弱，則奏鎮靜之效。故雖同一疾病，必隨其病狀酌量行之。又未曾有受過針之經驗者，即初針者每抱恐怖之念，故宜輕度行之。俟其習慣，漸次强大。而多血質及脂肪質或常受刺戟之習慣者，則較能受刺戟，反之若爲神經質歇斯的里性者，其感覺敏，故宜輕微刺戟，强大則恐失神，又如身體中之腹部手尖足蹠等比之頭部及肩背腰部知覺銳敏，故施術之先應預探知患者之體質，及知覺之銳鈍等爲要。

13 刺針之時間

鍼經云凡刺之禁，新內勿刺，新刺勿內，已醉勿刺，已刺勿醉，新怒勿刺已刺勿怒，新勞勿刺，已刺勿勞，已飽勿刺，已刺勿飽，已飢勿刺，已刺勿飢，已渴勿刺，已刺勿渴，大驚大恐必定其氣乃刺之。乘車來者臥而休之，如食頃乃刺之。出行來者，坐而休之，如行十里頃乃刺之。凡此十二禁者，其脈亂氣散，逆其營衛經氣不足，因而刺之，則陽病入于陰，陰病出于陽，則邪氣復生也。

14 放血

放血爲針治療法之一。每用于充血性疾病或鬱血性疾病。出血後輕者即愈重者轉輕。其手術乃擇淺在靜脈將血液之去路結紮，使血管特別擴張刺破血管前壁血自流出，但勿刺破血管後壁，使血液流出後壁外，滲入組織，致起靜脈瘤。又動脈不可放血，苟或誤傷爲害甚大。

15 補瀉之意義

前賢對于補瀉之說，不外有餘者瀉之，不足者補之、實則瀉之，虛則補之，不實不虛，以經取之之義，開常凝思之，凡百疾病，無不繫乎神經機能之亢盛，或衰弱，血行之增進或遲緩。例如熱病也，由於神經性之造溫機能亢進，或散溫機能減退，咳嗽也，嘔吐也，由于肺胃神經叢之反射機能亢進，瀉痢也，遺尿也，由于腹膀胱之蠕動過甚，神經制止之機能不振。凡百痛也，或由于血管充血刺壓神經，或由殘廢物質之停滯而擠壓神經，或由于內臟分泌過盛而刺戟神經，痠麻也，眩暈也，大都由于血虛而神經與筋肉失其營養，畧舉數例即可以概其餘。簡言之所謂實有餘者，不外血行之速度過甚或充血，神經各種機能亢進也，所謂虛者，不外血行之迂緩過甚或貧血，神經各種機能不振或衰弱也。用針瀉者，所以排除充血，制止神經之興奮，用針補者，所以刺戟神經使之興奮而活動其機能，促進血液之行運也。他如四肢運用不愼，偶失活動之能，非爲六經外邪之侵襲，亦非七情之所興者，則前賢所謂不實不虛，以經取之是也。

16 補瀉之手技

前賢云隨而濟之爲之補，迎而奪之爲之瀉，又曰，三進一退謂之補，三退一進謂之瀉，又曰提則爲瀉，插則爲補，夫隨而濟之，迎而奪之，進插提退實爲補瀉不易之要法。今將十二經補瀉手法分別述明之。手陽明大腸經，手少陽三焦經，手太陽小腸經，皆自手而至頭。足太陰脾經，足厥陰肝經，足少陰腎經，俱自足而至腹；六經悉皆自下而至上，如針左邊而行補法，針入穴內相當之分寸，微停，凝神集意，專注于針，以右手拇食二指持針柄捻動，轉向右邊，大指向後，食指向前，如針右邊而用補法，則針轉向左邊，大指向前，食指向後，是爲手三陽足三陰之補法。如針左邊而行瀉法，則針轉向左邊，大指向前，食指向後，如針右邊而行瀉法，則針轉向右邊，大指向後，食指向前，是爲手三陽足三陰之瀉法。手太陰肺經，手少陰心經，手厥陰心包絡經，俱自胸而至手。足陽明胃經，足太陽膀胱經，足少陽胆經，俱自頭而至足，斯六經者，俱自上而至下，如針左邊而行補法，針頭轉向左邊，大指向前，食指向後，如針右邊而行補法，則針頭轉右邊，大指向後，食指向前，此爲足三陽手三陰之補法。若針瀉左邊，則針捻向右轉，大指向後，食指向前，如針瀉右邊，則針轉左面，大指向前，食指向後，斯爲足三陽手三陰之瀉法。任督二經俱屬中行，補法悉向左轉，大指向前，食指向後，瀉法悉向右轉，大指向後，食指向前，毋分背陽腹陰而異其法。十二經之補瀉捻法既如上述，而於進揷退提及出針諸法亦須明焉。凡屬補針，當捻動時，微深進分許，提起再捻進、往返行之、出針時漸去針而疾按其孔，凡屬瀉針，當捻動時微向上提分許，揷進再提起，往返行之。出針時疾出針而不按其孔，此運針補瀉之眞義，千古奉爲秘訣輕易不宣者也。

附十四經絡補瀉手法表

手佈／經絡／經穴	行度	
手陽明大腸經	自手至頭	自下而上
手少陽三焦經		
手太陽小腸經		
足太陰脾經	至足至腹	
足厥陰肝經		
足少陰腎經		
手太陰肺經	自胸至手	自上而下
手少陰心經		
手厥陰心包絡經		
足太陽膀胱經	自頭至足	
足少陽胆經		
足陽明胃經		
任脈	前後正中	
督脈		

中国近现代针灸文献研究集成·教材卷

		補法		瀉法		說明
	左	右	左	右	
大指向後食指向前從左轉右	大指向前食指向後從右轉左	大指向前食指向後從右轉左	大指向後食指向前從左轉右	凡屬補法當捻動時微深進分許。漸出針面疾閉其孔。凡屬瀉法當捻動時微向上提分許疾出針面不閉其孔。
大指向前食指向後從右轉左	大指向後食指向前從左轉右	大指向後食指向前從左轉右	大指向前食指向後從右轉左	
大指向前食指向後從右轉左		大指向後食指向前從左轉右		

17 針後之腫痛出血之補救法

針治疾病須用全副精神應付，方保無虞，萬一不愼，針及筋，骨，和血管前後壁，即要痛，腫，流血，使病者懼怕。補救之法：

一•針後發生劇痛時，宜用熱水袋敷之，或以松節油擦之，移時，痛苦即除。

二•針及血管流血時，急以藥棉擦其針口，擦十餘次後，血即停止。

三•針穿血管後壁而腫脹時，以一——二%醋酸礬土水，一——二%鉛糖水，二——五%食鹽水罨包之，腫即消散矣。

18 拔針法

拔針時不宜急速拔去，先用押手之指壓住，徐徐拔去。餘一二分時，可以急速拔去，拔去後押手之拇指，應在其針口縱橫圓散按壓，若針口生粟粒大之膨脹，於外觀不宜，又起痙攣等之筋之刺針，拔去時應先按撫其周圍，使患者穩穩呼吸，然後漸次拔去。不可用强力無理拔法。不論何時不可不防折針。及筋纖維毛細管與細小神經等之損傷，而致患者疼痛。或破損其部之組織。故痙攣等症刺入之先後，應在其部反覆按擦爲要。

19 針難出穴之原因與辦法

運針入穴，每有一時不能提出，揆其原因：一筋肉發生强有力之痙攣將針吸住。解之之法，於針穴之上下，以爪切之。切線約各長四五寸，約經三四分鐘。復持針署加捻運，即可順手而出。

二鍼有缺痕纖維纏繞難出。解之之法當捻動針柄，左右廻旋，俾筋肉之纖維退離。于左右回旋之中。將針身時時試向外提，如久不得脫，只稍用力拔出之可也。

三病者不慎，姿勢移動，針絲曲屈。當使病者不可再動，審定其屈勢，固執其針絲之露于皮外者，緩緩用力拔出之。切不可勉强捻動，勉强捻轉，必至針斷於肉，醫者最當注意者也。

20 折針及其處置法

刺針中之折針，多于左之原由：

一，針體有微傷，或一度屈曲之針，伸直使用。

二，刺針中患者忽動自己之身體筋肉乃起壓力。

三，刺針中患者因咳嗆等情形致身體急劇動搖。

四，刺入急劇，致起身體之痙攣強直。

折針多係身體之深部刺戟重要之所，例如腰部刺針時，多有此種情形。針體毀傷，或直針曲屈，遇身體忽動咳嗽之際，亦易折針，折針多在針柄與針體之接着部，故在深部刺戟時，針體全部刺入組織中，要有相當之注意。

折針時不可告知病者，使其驚怖。此時術者宜態度鎮靜，使患者勿動。一面用較强之押手。在刺戟部之周圍，用强壓迫，使針透達皮膚上，然後用鑷或爪等摘住，靜靜拔去，若不現於皮膚上，拔針困難時，亦絕對不可告知病者，一面在刺針部輕輕揉撚，斯時身體無何等危險，二三日間，其部及附近有疼痛，或筋肉攣强直等之感，經若干時日，所感可漸次消失，（或以工字磁引出之）

21 暈針之救治

貧血與神經衰弱之患者，一遇針之强烈刺戟，多致引動內臟之交感神經起反射作用，而直奔腦系因而發生頭暈眼花胸悶欲嘔，同時表部之皮下神經弛張，汗腺失其括約，故自汗淋漓，瞳孔放大，體溫減低，四肢厥冷。血壓力降低，心房之搏動因之漸微，不能鼓動血行，故脈伏，全體神經失其作用，人身之知覺與運動廢矣。

救治之法有二：一爲手術治療，一爲藥物治療，手術治療即于患者之人中與中衝二穴，以爪重掐之，使覺痛感，而激動其知覺神經，更以溫開水灌之，以壓降神經之反射，或飲之以酒，而助血液之流行，則暈針可得而醒矣。藥物治療則可開西藥之阿摩尼亞，使病者嗅之，蓋阿摩尼亞，含有猛烈之臭味，亦足以激動神經故也。

22 針上灸

今之針家，多以針刺穴中，於針柄上，團以艾團而燃之，雖失前人灸法之本意然頗著效果，助針力之不及，大概痰濕阻滯神經，或爲慢性之症，非針不能散其痰凝，促其血行也。金屬傳熱最速，熱力由針柄傳入深部，直達病灶，似較之徒以艾灼皮膚之爲愈矣。蓋不特無灸瘡之苦，且收效大也。

23 火針

古人於癰疽發背，及無名腫毒，潰膿在內，外面皮面頭瘡腫，則施行火針法。先於香油蘸針口上，燈火燒紅，按毒上軟處針之，其闊大者按瘡頭尾及中間，以墨點記，連下三針。然刺不可太深，恐傷經絡，亦不可太淺，太淺不能去病。適中乃合。刺且速退，不可久留。復以左手按其針孔，便能止痛。膿出自愈。

24 刺針之禁忌點

身體中何處應可針刺不能不有差異，刺針危險之所稱禁忌點，舉之於左：

1 延髓部 延髓部司生活機轉，有重要之中樞部，故名生活點。此部若誤深刺，刺戟延髓有關生命。

2 眼球 眼球不可直接刺針。

3 睪丸 睪丸不可刺針

4 小兒之百會顖會穴

5 大血管之淺在部

6 胸腹部貴要內臟之直接針刺，例如喉頭氣管，肺臟，心臟，肝臟，脾臟等。

25 針治之實施

患者在前請求治療，其實施順序大畧如左：

1 須問明病者之姓名，年齡，職業，住址，生活法，病歷，現在的情形，然後決定其病名。

2 既決定其症候，則當思應取何主要穴，次要穴。

3 當決定應灸應針？針治當取何手技？

4 當向病者解釋針灸時并無痛苦，以除去恐慌，而減少其痛覺。

5 調節室內之空氣，不令太冷或太熱。

6 病人坐立臥之決定與實行。

7 檢點用針有無缺點？

8 嚴重的消毒。

9 以爪重切穴上，使其神經痲木，減少針刺之痛苦。然後先針刺或繼之以灸治。

10 記錄下列各項于印備之記錄簿內，以便查考。姓名，住址，年歲，性別，職業，生活法，病歷，及現狀。針灸的經穴，年月日，次數，收費若干？功效如何等。

二　灸術

1 灸之種類

灸術大別為有瘢痕灸與無瘢痕灸二種。

一有瘢痕灸　在人體一定局所，即施灸點處，捻筷子大之艾絨，蓋于施灸點之皮膚上（用薑片隔住）以線香火燃燒艾絨，使皮膚上起一種火傷，熱力直透組織，收效甚快。

二無瘢痕灸　不直接起皮膚上之火傷，用種種方法使間接在皮膚面與適度之溫熱之刺戟也。

1 溫灸　以溫灸器盛焚着之艾絨，置于穴上，用布隔離，久而久之，內部覺感熱力，血液發生變化，其效甚微。

2 雷火針　以沉香木香乳香茵陳羌活乾薑川山甲各三錢麝香少許，蘄艾二兩，以棉紙半尺先鋪艾茵於上。次將藥末摻勻，捲極緊，外用鷄子清代漿糊，糊一層薄紙，不使散開，留待取用，用法將火焚着，將紙六七層或白布六七層隔穴按之，每按二三秒鐘，離開約二三秒鐘再按之。如是往復，針藥之熱已退，再燃紅按之，每穴按數十次，內部覺熱停止。再按他穴。

3 太乙神針　以人參四兩，三七八兩，山羊血二兩。千年健一斤。攢地風一斤。肉桂一斤。川菽一斤。乳香一斤。沒藥一斤。穿山甲八兩。小茴香一斤。蒼朮一斤。蘄艾四斤。甘草二斤。麝香四兩。防風四斤。共爲細末。用棉紙一層。高方紙三層。紙寬闊三寸。長一尺二寸。將藥末。薄薄舖勻在上。一針約用藥七八錢。捲如花炮式。搓緊。製如雷火針式。用法以針端燃紅。即以新紅布四五層包之。以按點穴上。若火旺布薄。當多添布數層。針時預備三四枝。一針已冷。即換一針。必須用一助手候着。每穴宜連用七針。寒溫風痛皆宜之。

2 艾之選擇

孟子曰。七年之病。必求三年之艾。故灸病之艾。愈陳愈佳。艾爲一年生植物。屬菊科。在四五月採貯之。去其莖而取其葉。葉片以厚爲貴。厚則力雄。蘄州出者。葉厚而莖高大。最爲良品。稱爲蘄艾。取而貯藏之。灸病最良。

3 艾絨之製造

將艾收穫之後。去其莖而取其葉。使之乾燥。置石臼中杵絨之。以竹篩去其細屑。復入杵之。至再至三。至白淨如棉。方始可用。藏置乾燥器中。不使受濕。應用時。力足而效宏。

4 艾炷之大小及壯數之決定

行灸治上。對於艾炷之大小及壯數之決定。最爲重要。猶之普通醫師。應各患者而决定欒之分量也。蓋灸治雖萬人同一而炷之大少，與壯數則不可同一。大少壯數，如何决定，第一宜視其年齡，而後再視其體質與性之區別。營養良否，最後更因病症而適宜决定之。

小兒或大人體質之虛弱者，對于結核性疾患之消耗性病者，如艾炷不小，壯數不少，難堪火熱，施灸後必覺疲勞。此外對于痙攣性之疾患，以興奮而欲達鎮靜之目的者，以壯數多艾炷大爲良。又對于痲痺性疾患，而欲達興奮之目的者，艾炷宜大。壯數宜少。

5 艾之化學成分

艾之化學的成分，昔時科學未進，未據化驗，今據京都加滕氏大阪市立衛生試驗所之分析結果如左：

一水分	八，九八
二含窒素有機物(主蛋白質)	一一·三一
三依的兒可溶性分	四，四二

四無窒素有機物(主纖維質) 六六，八五

又據某君之分析如左

一阿喜爾林(芳香性苦味質) X

二伊鳴阿因(揮發性物質，燃燒之際分離) X

三姆斯卡因(同上) X

而其原素

一酸素 一，〇

二水素 二〇，〇

三炭素 二二，〇

6 艾炷所發之溫度

在石棉板上置電熱計之金屬線接合部，其上燃燒鷄卵大之艾。第一回表示五百七十度。第二回表示五百六十度。又以艾置水銀槽部之周圍，其燃燒溫度達攝氏三百六十度之上。復以三十七度之肉片，其上置電熱計之金屬接合部，燃燒巨大之艾炷于其上。前後四囘，平均溫度，達二百九十度。又剌去家兎之腹部之毛，艾灸其部以寒暖計計之。平均巨大之艾二百度·大切艾九十三度五分。中切艾八十二度五分。中少切艾六十二度五分。少切艾六十二度。

但生物之溫度，比較的低，因血液不絕的奪溫而去也。又艾炷之大小及品質之良否，亦能使溫度生高底之差。

7 施灸部組織之變化

施灸時組織起灸痕者，艾火起火傷之結果也。施灸時其跡生水疱者，灸熱之溫度過高之關係也，蓋火熱弱時（約四十五度）其施灸之部，不過來一時性之充血。若稍强度（約五十度）即招水疱，若再强度（五十五度）即陷于壞死。倘更强度，（約六十度）其壞死更入深部。此施灸之瘢痕。初呈赤褐色。經過若干時日，漸次變爲灰白色或白色之斑點。若用顯微鏡視察灸痕部，其皮膚之表皮，失去固有之構造。表面是單滑。而乳頭毛囊汗腺之排泄管知覺神經末梢之一部等，一時俱破壞消失。其部之皮膚厚者減少。且知覺鈍麻，經過若干時日，再從其部。復生神經纖維。而知覺復原。從此灸痕部刺針，以破壞皮膚，則其部皮膚，已消失彈力性，針刺入時，不能抵撓，不感疼痛。又施灸部貼灸點膏藥。則膿及壞死性之物質，必充實於內部。所謂引起化膿者是也。灸痕部若化膿，其治愈後。灸痕必稍大。

8　灸治之時間

灸治時亦如針治同，凡大饑大渴，飯後，困倦，等，皆不宜灸治，行路來者，亦當休息十數分鐘，使心平氣和，方可灸治也。

9　火

昔人燃艾火，取火鏡照陽火引燃。或用燈心蘸油引燃。似可不必。利便莫如用線香陰火引燃，既經濟，且利便。

10　取穴法

千金方云，凡灸火坐點穴則坐灸。臥點穴則臥灸。立點穴則立灸。須四體平直，毋令傾倒，若傾側穴不正，徒破好肉耳。明堂云須得身體平直，毋令捲縮。坐點毋令俯仰，立點毋令傾側。

11 灸治之注意

灸治時有數事不可不注意者：

1 當切病人之脈，如脈大者不可灸，即灸亦不可多。

2 熱度高者不可灸，灸則熱度上昇，於病人不利。

3 用薑墊穴，當安定于穴上，至灸至壯數足方除去，如中途移置薑片，恐要移動，穴不能正確。

12 灸後調攝法

灸後不可即飲茶及食。恐滯經氣，少停時刻，宜入室靜臥，遠人事，忌色慾。平心定氣。凡事俱要寛解。尤忌大怒大勞，大饑大飽，受熱冒寒。至於生冷瓜果亦宜忌之。

13 艾灸之善後

艾灸壯數過多，每每發生潰膿。方書中，每謂不潰膿則病不愈。蓋亦未必盡然！惟灸至潰膿，艾力已足，病痼當除。未潰者往往以艾火之力未足。每留病餘。如灸後覺痛或潰膿，當以葱湯洗之。(或以硼酸水洗之)敷上生肌玉紅膏，自能痊愈。如病未愈，當待灸瘡愈後再灸之。玆將生肌玉紅膏之製法述如下

當歸二兩。白芷五錢，白蠟二兩，輕粉四錢，甘草一両二錢。紫草二錢。血竭四錢。麻油一斤。先將當歸白芷紫草甘草四味，入油內浸三日，大鍋內慢火熬微枯。細絹濾清，將油復入鍋內煎滚，入血竭化盡。次下白蠟。微火化開，即行離火，待將凝：入研細輕粉而匀和之，用時用布攤貼患處。用橡皮膏貼固，不使移動。

14 灸之適應症

施灸既有直接反射誘導三作用，不外佳良血液之循環，與一種之蛋白體療法，奏同一效果。故對于肺結核淋巴腺結核，肋膜炎，腺病性體質（一種之潛伏結核）等收偉大之效果。其外治一般神經痛筋肉之痙攣等，知覺運動之麻痺，反依于自律神經系作用之神經性消化不良，腸之運動機能減弱，而來常習便秘，又因其他充血而生之疾病，即種種炎症，子宮內膜炎，卵巢炎，喇叭管炎，膣加答兒，胃腸加答兒，鼻口腔喉頭氣管之加答兒，氣管枝喘息，其他淋病，睪丸炎，從淋毒而來之諸疾患，脚氣，筋肉關節僂麻質斯等，能有特殊之效果。

15 灸之禁忌點

禁忌點不可灸之部位，與針術之不能深刺身體之內部相同，若施灸于其部位，必大有害，茲舉禁忌點之部位如左：

一眼球

二睪丸

三大血管之深在部（例如撓骨動脈之下端總頸動脈之分歧）

四心臟部之多壯

五妊娠五個月以上之婦人下腹部之多壯施灸

其他如顏面手部等施灸，外面表現醜惡之瘢痕，有傷人體之裝飾美，可避者避之為良。延髓部（瘂門）之施灸亦屬大害。

第五編　證治

(一)治療歌訣

1 百症賦

百症俞穴再三用心。顖會連於玉枕。頭風療以金針。懸顱頷厭之中。偏頭痛止。強間豐隆之際。頭痛難禁。原夫面腫虛浮。須仗水溝前頂。耳聾氣閉。全憑聽會翳風。面上蟲行有驗。迎香可取。耳中蟬鳴有聲。聽會可攻。目眩兮支正飛揚。目黃兮陽綱膽俞。攀睛攻少澤肝俞之所。淚出刺臨泣頭維之處。目中漠漠即尋攢竹三間。目覺𥌓𥌓急取養老天柱。觀其雀目肝氣睛明行間而細推。審他項強傷寒溫溜期門而主之。廉泉中冲舌下腫痛堪取。天府合谷鼻中衄血宜追。耳門絲竹空住牙疼於頃刻。頰車地倉穴正口喎於片時。喉痛兮液門魚際去療。轉筋兮金門邱墟來醫。陽谷俠谿頷腫口禁並治。少商曲澤血虛口渴同施。通天去鼻內無聞之苦。復溜祛舌乾口燥之悲。瘂門關冲舌緩不語而要緊。天鼎間使失音囁嚅而休遲。太衝瀉唇喎以速愈。承漿瀉牙痛而即移。項強多惡風束骨相連於天柱。熱病汗不出大都更接於經渠。且如兩臂頑麻少海就傍於三里。半身不遂陽陵遠達於曲池。建里內關掃盡胸中之苦悶。聽宮脾俞祛殘心下之悲凄。從如肋脇疼痛氣戶華蓋有靈。腹內腸鳴下脘陷谷能平。胸脇支滿何療。章門不用細尋。膈痛飲蓄難禁。膻中巨闕便針。胸滿更加噎塞。中府意舍所行。胸膈停留瘀血。腎俞巨髎宜徵。胸滿項強神藏璣璇宜試。背連腰痛白環委中曾經。脊強兮水道筋縮。目眩兮顴髎大迎。痓病非顱顖而不愈。臍風須然谷而易醒。委陽天池腋腫針而速散。後谿環跳腿疼刺而即輕。夢魘不安厲兌相諧於隱白。發狂奔走上脘同起於神門。驚悸怔忡取陽交解谿勿悞。反張悲哭仗天衝大横須精。癲疾必身柱本神之令。發熱仗少冲曲池之津。歲熱時行陶道復求肺俞理。風癇常發神道還須心俞寧。濕寒濕熱下髎定。厥寒厥熱湧泉清。寒慄惡寒二間疎通陰郄諳。煩心嘔吐幽門開徹玉堂明。行間湧泉去消渴之腎竭。陰陵水分去水腫之臍盈。癆瘵傳尸趨魄戶膏肓之路。中邪霍亂尋陰谷三里之程。治疸消黃諧後谿勞宮而看。倦言嗜臥往通里大鍾而鳴。咳嗽連聲肺俞須迎天突穴。小便赤澀兌端獨瀉太陽經。刺長强於承山。善主腸風新下血。針三陰於氣海。專司白濁從遺精。且如盲俞橫骨。瀉五淋之久積。陰郄後谿治盜汗之多出。脾虛穀以不消脾俞膀胱俞覺。胃冷食而難化。魂門胃俞堪責。鼻痔必取齗交。癭氣須求浮白。大敦照海患寒疝而善蠲。五里臂臑生癧瘡而能治。至陰屋翳療癢疾之疼多。肩髃陽谿消陰中之熱極。抑又論婦人經事改常。自有地機血海。女子少氣漏血。不無交信合陽。帶下產崩衝門氣衝宜審。月潮違限天樞水泉須詳。肩井乳癰而極效。商丘痔漏而最良。脫肛趨百會尾翳之所。無子搜陰交石關之鄉。中脘主乎積滯。外邱收乎大腸。寒瘧兮商陽太谿驗。痃癖兮衝門血海强。夫醫乃人之司命。非志立而莫爲。針乃理之淵微。須至人之指敎。先究其病源。後攷其穴道。隨手見功。應針取效。方知玄理之玄。始達妙中之妙。此篇不盡。略舉其要。

2 席弘賦

凡欲行針須審穴。要明補瀉迎隨訣。胸背左右不相同。呼吸陰陽男女別。

氣刺两乳求太淵。未應之時瀉列缺。列缺頭痛及偏正。重瀉太淵不無應。耳聾氣閉聽會針。迎香穴瀉功如神。誰知天突治喉風。虛喘須尋三里中。手連肩脊痛難忍。合谷針時要太衝。曲池两手不如意。合谷下針宜仔細。心痛手顫少海間。若要除根覓陰市。但傷患寒两耳聾。金門聽會疾如風。五般肘痛尋尺澤。太淵針後却收功。手足上下針三里。食癖氣塊憑此取。鳩尾能治五般癇。若下湧泉人不死。胃中有積刺璇璣。三里功多人不知。陰陵泉治心胸滿。針到承山飲食思。大杼若連長强尋。小腸氣痛即行針。委中專治腰間痛。脚膝腫時尋至陰。氣滯腰疼不能立。橫骨大都宜救急。氣海專能治五淋。更針三里隨呼吸。期門穴主傷寒患。六日過經猶未汗。但向乳根二肋間。又治女人生產難。耳內蟬鳴腰欲折。膝下明存三里穴。若能補瀉五會間。且莫向人容易說。晴明治眼未效時。合谷光明安可缺。人中治癲功最高。十三鬼穴不須饒。水腫水分兼氣海。皮內隨針氣自消。冷嗽先宜補合谷。却須針瀉三陰交。牙疼腰痛幷咽痺。二間陽谿疾怎逃。更有三間腎俞妙。善除肩背浮風勞。若針肩井須三里。不刺之時氣未調。最是陽陵泉一穴。膝間疼痛用針燒。委中腰痛脚攣急。取得其經血自調。脚痛膝腫針三里。懸鐘二陵三陰交。更向太衝須引氣。指頭麻木自輕飄。轉筋目眩針魚腹。承山崑崙立便消。肚疼須是公孫妙。內關相應必然瘳。冷風冷痺疾難愈。環跳腰俞針與燒。風府風池尋得到。傷寒百病一時消。陽明二日尋風府。嘔吐還須上脘療。婦人心痛心俞穴。男子痃癖三里高。小便不禁關元好。大便閉塞大敦燒。髖骨腿痛三里瀉。復溜氣滯便離腰。從來風府最難針。却用工夫度淺深。倘若膀胱氣未散。更宜三里穴中尋。若是七疝小腹痛。照海陰交曲泉針。又不應時求氣海。關元同瀉效如神。小腸氣攝痛連臍。速瀉陰交莫再遲。良久涌泉針取氣。此中玄妙人少知。小兒脫肛患多時。先灸百會次鳩尾。久患傷寒肩背痛。但針中渚得其宜。肩上疼連臍不休。手中三里便須求。下針麻重即須瀉。得氣之時不用留。腰連胯痛大便急。必於三里攻其隘。下針一瀉三補之。氣上攻噎只管住。噎不住時氣海灸。定瀉一時立便瘥。用針補瀉分明說。更用搜窮本與標。咽喉最急先百會。太冲照氣及陰交。學者潛心宜熟讀。席弘治病名最高。

3 行針指要歌

或針風，先向風府百會中。或針水，水分俠臍上邊取。或針結，針着大腸二間穴。或針勞，須向膏肓及百勞。或針虛，氣海丹田委中奇。或針氣，膻中一穴分明記。或針嗽，肺俞風門須用灸。或針痰，先針中脘三里間。或針吐，中脘氣海膻中補。番胃吐食一般醫。針中有妙少人知。

4 玉龍歌

扁鵲受我玉龍歌。玉龍一試絕沉痾。玉龍之歌眞罕得。留傳千古無差訛。我今歌此玉龍訣。玉龍一百二十穴。看者行針殊妙絕。但恐時人自差別。補瀉分明指下施。金針一刺顯明醫。傴者立伸僂者起。從此名揚天下知。

凡患傴者補曲池瀉人中。患僂者補風池瀉絕骨。

頭風不語最難醫。髮際頂門穴要知。更向百會明補瀉。即時甦醒免災危。

頂門即顖會也。禁針。灸五壯。百會先補後瀉灸七壯。艾如麥大。

鼻流清涕名鼻淵。先瀉後補疾可痊。若是頭風并眼痛，上星穴內刺無偏。

上星穴流涕并不聞香臭者瀉。俱得氣補。

頭風嘔吐眼昏花。穴取神庭始不差。孩子慢驚何可治。印堂刺入艾還加。

神庭入三分。先補後瀉。印堂入一分沿皮透左右攢竹。大哭效。不哭難。急驚瀉。慢驚補。

頭項強痛難回顧。牙疼并作一般看。先向承漿明補瀉。後針風府即時安。

承漿宜瀉。風府針不可深。

偏正頭風痛難醫。絲竹金針亦可施。沿皮向後透率谷。一針兩穴世間稀。

偏正頭風有兩般。有無痰飲細推觀。若然痰飲風池刺。倘無痰飲合谷安。

風池刺一寸半透風府穴。此必橫刺方透也。宜先補後瀉。灸十一壯。合谷穴針至勞宮。灸二七壯。

口眼喎斜最可嗟。地倉妙穴連頰車。喎左瀉右依師正。喎右瀉左莫令斜。

不聞香臭從何治。迎香兩穴可堪攻。先補後瀉分明效。一針未出氣先通。

耳聾氣閉痛難言。須知翳風穴始痊。亦治項上生瘰癧。下針瀉動即安然。

耳聾之病不聞聲。痛痒蟬鳴不快情。紅腫生瘡須用瀉。宜從聽會用針行。

偶爾失音言語難。瘂門一穴兩筋間。若知淺針莫深刺。言語音和照舊安。

眉間疼痛苦難當。攢竹沿皮刺不妨。若是眼昏皆可治。更針頭維即安康。

攢竹宜瀉頭維入一分沿皮透兩額角疼瀉眩暈補

兩睛紅腫痛難熬。怕日羞明心自焦。只刺睛明魚尾穴。太陽出血自然消。

睛明針五分。畧向鼻中。魚尾針透魚腰。即童子髎。俱禁灸。

眼痛忽然血貫睛。羞明更澀最難掙。須得太陽針出血。不用金刀疾自平。

心火炎上兩眼紅。迎香穴內刺爲通。若得毒血搐出後。目內清涼始見功。

內迎香二穴在鼻孔中。用蘆葉或竹葉搐入鼻內出血爲妙。不愈再針合谷。

强痛脊背瀉人中。挫閃腰痠亦可攻。更有委中之一穴。腰間諸病任君攻。

委中禁灸。四畔紫脈上皆可出血。弱者愼之。

腎弱腰疼不可當。施爲行止甚非常。若知腎俞二穴處。艾火頻加體自康。

環跳能治腿股風。居髎二穴認眞攻。委中毒血更出盡。愈見醫科神聖功。

居髎灸則筋縮。

腿膝無力身立難。原因風濕致傷殘。倘知二市穴能灸。步履悠然漸自安。

俱先補後瀉。二市者風市陰市也。

髖骨能醫兩腿疼。膝頭紅腫不能行。必針膝眼膝關穴。功效須臾病不生。

膝關在膝蓋下。橫針透膝眼。

寒濕脚氣不可熬。先針三里及陰交。再將絕骨穴兼刺。腫痛登時立見消。

即三陰交也。

腫紅腿足草鞋風。須把崑崙二穴攻。申脈太谿如再刺。神醫妙訣起疲癃。

外崑針透內呂。

脚背疼起丘墟穴。斜針出血即時輕。解谿再與商丘識。補瀉行針要辨明。

行步艱難疾轉加。太衝二穴效堪誇。更針三里中封穴。去病如同用手抓。

膝蓋紅腫鶴膝風。陽陵二穴亦堪攻。陰陵針透尤收效。紅腫全消見異功。

腕中無力痛艱難。握物難移體不安。腕骨一針雖見效。莫將補瀉等閑看。

急疼兩臂氣攻胸。肩井分明穴可攻。此穴原來眞氣聚。補多瀉少應其中。

此二穴針二寸效。乃五臟眞氣所聚之處。倘或體弱針暈。補足三里。

肩背風氣連臂疼。背縫二穴用針明。五樞亦治腰間痛。得穴方知病頓輕。

背縫二穴在背肩端骨下。直腋縫尖。針二寸。灸七壯。

兩肘拘攣筋骨連。艱難動作欠安然。只將曲池針瀉動。尺澤兼行見聖傳。

尺澤宜瀉不灸

肩端紅腫痛難當。寒濕相爭氣血狂。若向肩顒明補瀉。請君多灸自安康。

筋急不開手難伸。尺澤從來要認眞。頭面縱有諸樣症。一針合谷效通神。

腹中氣塊痛難當。穴法宜向內關防。八法有名陰維穴。腹中之疾永安康。

先補後瀉不灸。如大便不通。瀉之則通。

腹中疼痛亦難當。大陵外關可消詳。若是脇痛并閉結。支溝奇妙效非常。

脾家之症最可憐。有寒有熱兩相煎。間使二穴針瀉動。熱瀉寒補病俱痊。

間使透針支溝。如脾寒可灸。

九種心痛及脾痛。上脘穴內用神針。若還脾敗中脘補。兩針神效免災侵。

痔漏之疾亦可憎。表裡急重最難禁。或痛或痒或下血。二白穴在掌中尋。

二白四穴在掌後去横紋四寸。兩穴相對。一穴在大筋內。一穴在大筋外。瀉五分。取穴用稻心從項後圍至結喉。取草摺齊。當掌中大指虎口紋。雙圍轉兩筋頭點到掌後背草盡處是。即間使後一寸郄門穴也。灸二七壯。針宜瀉。

如不愈灸騎竹馬。

三焦熱氣壅上焦。口苦舌乾豈易調。針刺關衝出毒血。口生津液病俱消。

手臂紅腫連腕疼。液門穴內用針明。更將一穴名中渚。多瀉中間疾自輕。

液門沿皮針向後透陽池。

中風之症症非輕。中衝二穴可安寧。先補後瀉如無應。再刺人中立便輕。

中衝禁灸。驚風灸之。

胆寒心虛病如何。少衝二穴最功多。刺入三分不著艾。金針用後自平和。

時行瘧疾最難禁。穴法由來未審明。若把後谿穴尋得。多加艾火即時瘥。

熱瀉寒補。

牙痛陣陣苦相煎。穴在二間要得傳。若患翻胃幷吐食。中魁奇穴莫教偏。

乳鵝之症少人醫。必用金針疾始除。如若少商出血後。即時安穩免災危。

三稜針刺之。

如今癮疹疾多般。好手醫人治亦難。天井二穴多著艾。縱生瘰癧灸皆安。

宜灸七壯

寒痰咳嗽更兼風。列缺二穴最可攻。先把太淵一穴瀉。多加艾火即收功。

癡呆之症不堪親。不識尊卑枉罵人。神門獨治癡呆病。轉手骨開得穴眞。

連日虛煩面赤粧。心中驚悸亦難當。若須通里穴尋得。一用金針體便康。

驚恐補。虛煩瀉。針五分。不灸。

風眩目爛最堪憐。淚出汪汪不可言。大小骨穴皆妙穴。多加艾火疾應痊。

大小骨空不針。俱灸七壯。吹之。

婦人吹乳痛難消。吐血風痰稠似膠。少澤穴內明補瀉。應時神效氣能調。

刺沿皮向後三分。

滿身發熱痛爲虛。盜汗淋淋漸損軀。須得百勞椎骨穴。金針一刺疾俱除。

忽然咳嗽腰背疼。身柱由來灸便輕。至陽亦治黃疸病。先補後瀉效分明。

針俱沿皮三分。灸二七壯。

腎敗腰虛小便頻。夜間起止苦勞神。命門若得金針助。腎俞艾灸起遭迍。

九般痔漏最傷人。必刺承山效若神。更有長強一穴是。呻吟大痛穴爲眞。

傷風不解嗽頻頻。久不醫時癆便成。咳嗽須針肺兪穴。痰多宜向豐隆尋。

灸方效

膏肓二穴治病强。此穴原來難度量。斯穴禁針多着艾。二十一壯亦無妨。

腠理不密咳嗽頻。鼻流清涕氣昏沈。須知譩譆風門穴。咳嗽宜加艾火深。

胆寒由是怕驚心。遺精白濁實難禁。夜夢鬼交心兪治。白環兪治一般針。

更加臍下氣海两旁奴。

肝家血少目昏花。宜補肝兪力便加。更把三里頻瀉動。還光益氣自無差。

脾家之症有多般。致成翻胃吐食難。黃疸亦須尋腕骨。金針必定奪中脘。

無汗傷寒瀉復溜。汗多宜將合谷收。若然六脈皆微細。金針一補脈還浮。

大便閉結不能通。照海分明在足中。更把支溝來瀉動。方知妙穴有神功。

小腹脹滿氣攻心。內庭二穴要先針。两足有水臨泣瀉。無水方能病不侵。

七般疝氣取大敦。穴法由來指側間。諸經俱載二毛處。不遇師傳隔萬山。

傳屍癆病最難醫。湧泉出血免災危。痰多須向豐隆瀉。氣喘丹田亦可施。

渾身疼痛疾非常。不定穴中細審詳。有筋有骨須淺刺。灼艾臨時要度量。

勞宮穴在掌中尋。滿手生瘡痛不禁。心胸之病大陵瀉。氣攻胸腹一般針。
哮喘之症最難當。夜間不睡氣皇皇。天突妙穴宜尋得。膻中著艾便安康。
鳩尾獨治五般癇。此穴須當仔細看。若然著艾宜七壯。多則傷人針亦難。
氣喘急急不可眠。何堪日夜苦憂煎。若得璇璣針瀉動。更取氣海自然安。
腎強疝氣發甚頻。氣上攻心似死人。關元兼刺大敦穴。此法親傳始得眞。
水病之疾最難熬。腹滿虛脹不肯消。先灸水分并水道。後針三里及陰交。
腎氣冲心得幾時。須用金針疾自除。若得關元并帶脈。四海誰不仰明醫。
赤白婦人帶下難。只因虛敗不能安。中極補多宜瀉少。灼艾還須着意看。
吼喘之症嗽痰多。若用金針疾自和。兪府乳根一樣刺。氣喘風痰漸漸磨。
傷寒過經猶未解。須向期門穴上針。忽然氣喘攻胸膈。三里瀉多須用心。
脾泄之症別無他。天樞二穴刺休差。此是五臟脾虛疾。艾火多添病不加。
口臭之疾最可憎。勞心只爲苦多情。大陵穴內人中瀉。心得淸涼氣自平。
穴法深淺在指中。治病須臾顯妙功。勸君要治諸般疾。何不當初記玉龍。

5 勝玉歌

勝玉歌兮不虛言。此是楊家眞秘傳。或針或灸依法語。補瀉迎隨隨手撚。頭痛眩暈百會好。心疼脾痛上脘先。後谿鳩尾及神門。治療五癇立便痊。（鳩尾穴禁灸。針三分。家傳灸七壯）。髀疼要針肩井穴。耳閉聽會莫遲延。（針一寸半。不宜停。經言禁灸。家傳灸七壯。）胃冷下腕却爲良。眼痛須覓清冷淵。霍亂心疼吐痰涎。巨闕着艾便安然。脾疼背痛中渚瀉。頭風眼痛上星專。頭項強急承漿保。牙腮痛緊大迎全。行間可治膝腫病。尺澤能醫筋拘攣。若人行步苦艱難。中封太衝針便痊。脚背痛時商邱刺。瘰癧少海天井邊。腹痛閉結支溝穴。頷腫喉閉少商前。脾心痛亟尋公孫。委中驅療脚風纏。瀉却人中及頰車。治療中風口吐沫。五瘧寒多熱更多。間使大杼眞妙穴。經年或變勞怯者。痞滿臍旁章門決。噎氣呑酸食不投。膻中七壯除膈熱。目內紅腫苦皺眉。絲竹攢竹亦堪醫。若是痰涎并咳嗽。治却須當灸肺俞。更有天突與筋縮。小兒吼閉自然疎。两手痠痛難執物。曲池合谷共肩顒。臂痛背痛針三里。頭風頭痛灸風池。

腸鳴大便時泄瀉。臍旁兩寸灸天樞。諸般氣症從何治。氣海針之灸亦宜。小腸氣痛歸來治。腰痛中空穴最奇（中空穴從肺兪穴量下三寸及開三寸是穴。灸十四壯。向外針一寸半。此即膀胱經之中髎也。）腿股轉痠難移步。妙穴說與後人知。環跳風市及陰市。瀉却金針病自除。（陰市雖云禁灸。家傳亦灸七壯）。熱瘡臁內年年發。血海尋來可治之。兩膝無端腫如斗。膝眼三里艾當施。兩股轉筋承山刺。脚氣復溜不須疑。踝跟骨痛灸崑崙。更有絕骨共邱墟。灸罷大敦除疝氣。陰交針入下胎衣。遺精白濁心兪治。心熱口臭大陵驅。腹脹水分多得力。黃疸至陽便能離。肝血盛兮肝兪瀉。痔疾腸風長强欺。腎敗腰疼小便頻。督脉兩旁腎兪治。六十六穴施應驗。故成歌訣顯針奇。

6 雜症穴法歌

雜病隨症選雜穴。仍兼原合與八法。經絡原會別論詳。臟腑兪募當謹始。根結標本理玄微。四關三部識其處。傷寒一日刺風府。陰陽分經次第取。

傷寒一日太陽風府。二日陽明之榮。三日少陽之兪。四日太陰之井。五日少陰之俞。六日厥陰之經。在表刺三陽經穴。在裡刺三陰經穴。六日過經未汗，刺期門三里。古法也。惟陰症灸關元穴爲妙。

一切風寒暑濕邪。頭疼發熱外關起。頭面耳目口鼻病。曲池合谷爲之主。偏正頭痛左右針（左疼針右）列缺太淵不用補。頭風目眩項捩強。申脈金門手三里。赤眼迎香出血奇。臨泣太衝合谷侶。（眼腫血爛瀉足臨泣）耳聾臨泣（補足）與金門。合谷（俱瀉）針後聽人語。口鼻寒鼻痔及鼻淵。合谷太衝（俱瀉）隨手取。口噤喎斜流涎多。地倉頰車仍可舉。口舌生瘡舌下竅。三稜出血非粗鹵。（舌下兩邊紫筋）舌裂出血尋內關。太衝陰交走上部。舌上生苔合谷當。手三里治舌風舞。牙風面腫頰車神。合谷（瀉足）臨泣瀉不數。二陵二蹻與二交。頭項手足互相與。两井两商二三間。手上諸風得其所。手指連肩相引疼。合谷太衝能救苦。手三里治肩連臍。脊肩心後稱中渚。冷嗽只宜補合谷 三陰交瀉即時住。霍亂中脘可入深。三里內庭瀉幾許。心痛翻胃刺勞宮。寒者少澤灸手指。心痛手戰少海求。若要除根陰市覩。太陰列缺穴相連。能住氣痛刺兩乳。脇痛只須陽陵泉。腹痛公孫內關爾。痢疾合谷三里宜。甚者必須兼中膂。（白痢合谷。赤痢小腸俞。赤白痢足三里中膂痢）。心胸痞滿陰陵泉。針到承山飲食美。泄瀉肚腹諸般疾。三里內庭功無比。水腫水分與復溜。脹滿中脘三里揣。腰痛環跳委中求。若連背痛崑崙式。腰連腿疼腕骨升。三里降下隨拜跪。腰連脚痛怎生醫。環跳行間與風市。脚膝諸痛羨行間。三里中脈金門侈。脚若轉筋眼發花。然谷承山法自古。兩足難移先懸鍾。條口針後能步履。兩足痠痲補太谿。僕參內庭盤跟楚。脚連脅腋痛難當。環跳陽陵泉內杵。冷風濕痺針環跳。陽陵三里燒針尾。七疝大敦與太衝。五淋血海男女通。大便虛秘補支溝。瀉足三里效可擬。熱閉氣秘先長強。大敦陽陵堪調護。小便不通陰陵泉。三里瀉下溺如注。內傷食積針三里。璇璣相應塊亦消。脾病氣痛先合谷。後刺三陰針用燒。一切內傷內關穴。痰火積塊退煩潮。吐血尺澤功無比。衄血上星與禾髎。喘急列缺足三里。嘔噎陰交不可饒。勞宮能治五般癇。更刺湧泉疾若挑。神門專治心癡呆。人中間使祛癲妖。尸厥百會一穴美。更針隱白效昭昭。婦人通經瀉合谷。三里至陰催孕妊。死胎陰交不可緩。胞衣照海內關尋。小兒驚風少商穴。人中湧瀉瀉莫深。癰疽初起審其穴。只刺陽經不刺陰。傷寒流注分手足。太衝內庭可浮沉。熟此筌蹄手要活。得後方知度金針。又有一言眞秘訣。上補下瀉値千金。

7 雜病十一穴

攢竹絲竹王頭疼。偏正皆宜向此針。更去大都除瀉動。風池針刺三分深。曲池合谷先針瀉。未與除痾病不侵。依此下針無不應。管教隨手便安甯。

頭風頭痛與牙疼。合谷三間兩穴尋。更向大都針眼痛。太淵穴內用針行。牙疼三分針呂細。齒痛依前指不明。更推大都左之右。交互相迎仔細窮。

聽會兼之與聽宮。七分針瀉耳中聾。耳門又瀉三分許。更加七壯灸聽宮。大腸經內將針瀉。曲池合谷七分中。醫者若能明此理。針下之時便見功。

肩背并和肩膊疼。曲池合谷七分深。未愈尺澤加一寸。更於三間次第行。各入七分於穴內。少風二府刺心經。穴內淺深依法用。當時蠲疾兩之輕。

咽喉以下至於臍。胃脘之中百病危。心氣痛時胸結硬。傷寒嘔穢悶涎隨。列缺下針三分許。三分針瀉到風池。二指三間并三里。中衝還刺五分依。

汗出難來到腕骨。五分針瀉要君知。魚際經渠并通里。一分針瀉汗淋漓。二指三間及三里。大指各刺五分宜。汗至如若通遍體。有人明此是良醫。

四肢無力中邪風。眼澀難開百病攻。精神昏倦多不語。風池合谷用針通。兩手三間隨後瀉。三里兼之與太衝。各入五分於穴內。迎隨得法有奇功。

風池手足指諸間。右瘓偏風左曰癱。各刺五分隨後瀉。更灸七壯便身安。三里陰交行刺瀉。一寸三分量病看。每穴又加三七壯。自然癱瘓即時安。

肘痛將針刺曲池 經渠合谷共相宜。五分針刺於二穴。瘧病纏身便得離。未愈更加三間刺。五分深刺莫憂疑。又兼氣痛增寒熱。間使行針莫用遲。

腿胯腰疼痞氣攻。髋骨穴內七分窮。更針風市兼三里。一寸三分補瀉同。又去陰交瀉一寸。行間仍刺五分中。剛柔進退隨呼吸。去疾除根撚指功。

肘膝疼時刺曲池。進針一寸是相宜。左病針右右針左。依此三分瀉氣奇。膝痛三寸針犢鼻。三里陰交要七吹。但能仔細尋此理。刼功之功在片時。

8 長桑君天星秘訣

天星秘訣少人知。此法專分前後施。若是胃中停宿食。後尋三里起璇璣。脾病氣痛先合谷。後刺三陰交莫遲。如中鬼邪先間使。手臂攣痹取肩顒。脚若轉筋并眼花。先針承山次內踝。脚氣痠疼肩井先。次尋三里陽陵泉。如是小腸連臍痛。先刺陰陵後湧泉。耳鳴腰痛先五會。針刺耳門三里內。小腸氣痛先長强。後刺大敦不用忙。足緩難行先絕骨。次尋條口及冲陽。牙疼頭痛兼喉痺。先刺二間後三里。胸膈痞滿先陰交。針到承山飲食喜。肚腹浮腫脹膨膨。先針水分瀉建里。傷寒過經不出汗。期門通里先後看。寒瘧面腫及腸鳴。先取合谷後內庭。冷風濕痹針何處。先取環跳次陽陵。指痛攣急少商好。依法施之無不靈。此是桑君眞口訣。時醫莫作等閑看。

9 馬丹陽天星十二訣

三里內庭穴。曲池合谷接。委中配承山。大衝崑崙穴。環跳與陽陵。通里并列缺。合担用法担。合截用法截。三百六十穴。不出十二訣。治病如神靈。渾如湯潑雪。北斗降眞機。金鎖教開徹。至人可傳授。匪人莫浪說。

三里　三里膝眼下。三寸兩筋間。能通心腹脹。善治胃中寒。腸鳴并泄瀉。腿腫膝胻痠。傷寒羸瘦損。氣蠱及諸般。年過三旬後。針灸眼便寬。取穴當審的。八分三壯安。

內庭　內庭次趾外。本屬足陽明。能治四肢厥。喜靜惡聞聲。癮疹咽喉痛。數欠及牙疼。虐疾不能食。針着便惺惺（針三分灸三壯）

曲池　曲池拱手取。屈肘骨邊求。善治肘中痛。偏風手不收。挽弓開不得。筋緩莫梳頭。喉閉促欲死。發熱更無休。遍身風癬癩。針着即時瘳（針五分灸七壯）

合谷　合谷在虎口。兩指歧骨間。頭痛并面腫。瘧病熱還寒。齒齲及衄血。口噤不開言。針入五分深。令人即便安。（灸三壯）

委中　委中曲鰍裡。橫紋脈中央。腰痛不能舉。沉沉引脊梁。痠疼筋莫展。風痺復無率。膝頭難伸屈。針入即安康（針五分禁灸）

承山　承山名魚腹。腨腸分肉間。善治腰疼痛。痔疾大便難。脚氣并膝腫。展轉戰疼痠。霍亂及轉筋。穴中刺便安（針七分灸五壯）

太衝　太衝足大趾。節後二寸中。動脈知生死。能醫驚癇風。咽喉并心脹。兩足不能行。七疝偏墜腫。眼目似雲濛。亦能療腰痛。針下有神功（針三分灸三壯）

崑崙　崑崙足外踝。跟骨上邊尋。轉筋腰尻痛。暴喘滿中心。舉步行不得。一動即呻吟。若欲求安樂。須於此穴針。針五分灸三壯

環跳　環跳在髀樞。側臥屈足取。折腰莫能顧。冷風并濕痹。腿胯連腨痛。轉側重欷歔。若人針灸後。頃刻病消除。針二分灸五壯

陽陵　陽陵居膝下。外廉一寸中。膝腫并麻木。冷痹及偏風。舉足不能起。坐臥似衰翁。針入六分止。神功妙不同。灸三壯

通里　通里腕側後。去腕一寸中。欲言聲不出。懊惱及怔忡。實則四肢重。頭腮面頰紅。虛則不能食。暴瘖面無容。毫針微微刺。方信有神功。針三分灸七壯

列缺　列缺腕側上。次指手交叉。善療偏頭患。遍身風痹麻。痰涎頻壅上。口噤不開牙。若能明補瀉。應手即如拏。針三分灸七壯

10 四總穴歌

肚腹三里留。腰背委中求。頭項尋列缺。面口合谷收。

11 肘後歌

頭面之疾針至陰。腿脚有疾風府尋。心胸有病少府瀉。臍腹有病曲泉針。肩背諸疾中渚下。腰膝强痛交信憑。脇肋腿疼後谿妙。股膝腫起瀉太衝。陰核發來如升大。百會妙穴眞可駭。項心頭痛眼不開。湧泉下針足安泰。鶴膝腫痛難移步。尺澤能舒筋骨疼。更有一穴曲池妙。根尋源流可調停。其患若要便安愈。加以風府可用針。更有手臂拘攣急。尺澤刺深去不仁。腰背若患攣急風。曲池一寸五分攻。五痔原因熱血作。承山須下病無踪。哮喘發來寢不得。豐隆刺入三寸深。狂言盜汗如見鬼。惺惺間使便下針。骨寒髓冷火來燒。靈道妙穴分明記。瘧疾寒熱眞可畏。須知虛實可用意。間使宜透支溝中。大椎七壯如聖治。連日頻頻發不休。金門刺深七分是。瘧疾三日得一發。先寒後熱無他語。寒多熱少取復溜。熱多寒少用間使。或患傷寒熱未收。牙關風壅藥難投。項强反張目直視。金針用意列缺求。傷寒四肢厥逆冷。脈氣無時仔細尋。神奇妙穴眞有二。復溜二寸順骨行。四肢回還脈氣浮。須曉陰陽倒換求。寒則須補絕骨是。

熱則絕骨瀉無憂。脈若浮洪當瀉解。沈細之時補便瘳。百合傷寒最難醫。妙法神針用意推。口噤眼合藥不下。合谷一針效甚奇。狐蜮傷寒滿口瘡。須下黃連犀角湯。虫在臟腑食肌肉。須要神針刺地倉。傷寒腹痛虫尋食。吐蚘烏梅可用攻。十日九日必定死。中脘回還胃氣通。傷寒痞氣結胸中。兩目昏黃汗不通。湧泉妙穴三分許。速使周身汗自通。傷寒痞結脇積痛。宜用期門見深功。當汗不汗合谷瀉。自汗發黃復溜憑。飛虎一穴通痞氣。祛風引氣使安甯。剛柔二痓最乖張。口禁眼合面紅粧。熱血流入心肺腑。須要金針刺少商。中滿如何去得根。陰包如刺效如神。不論老幼依法用。可敎患者便抬身。打撲傷損破傷風。先於痛處下針攻。後向承山立作效。甄權留下意無窮。腰腿痛疼十年春。應針環跳便惺惺。大都引氣探根本。服藥尋方枉費金。腳膝經年痛不休。內外踝邊用意求。穴號崑崙并呂細。應時消散即時瘳。風痹痿厥如何治。大杼曲泉眞是妙。兩足兩脇滿難伸。飛虎神灸七分到。腰軟如何去得根。神妙委中立見效。熟讀此章肘後歌。臨診應病可不憂。

12 八會訣

臟會章門　筋會陽陵　髓會絕骨　血會膈俞

骨會大杼　脈會太淵　氣會膻中　腑會中脘

說明凡屬腑病先針中脘。繼針別穴，臟病先針章門。繼針他穴。餘類推。會者言其氣之會於此也。

(二)分門取穴

1 氣

大椎 調和衛氣	天柱 理氣治氣亂於頭	肩井 鎮肝降逆氣	巨骨 開肺降逆氣
缺盆 開胸降氣	天突 降氣	氣戶 利氣	中府 理肺利氣
雲門 開胸降氣	俞府 開胸降衝氣	中脘 升清降濁利氣	或中 開胸降衝氣
氣海 振陽氣利氣	肩髃 理肺舒氣	曲池 行氣	合谷 升氣降氣行氣宣氣

- 三里 升氣降氣調氣
- 隱白 升陽氣
- 復溜 固衛氣布陰氣收腎氣
- 陽陵泉 行氣導濁
- 公孫 運脾氣
- 氣逆 氣海尺澤商邱大白三陰交針之
- 短氣 針大陵尺澤魚際　灸大椎肺俞。神關肝俞
- 上氣 大冲灸之
- 噫氣上逆 太淵神門針之
- 少氣 関使神門大陵行間然谷至陰少冲足三里下廉肝俞或針或灸

2 血

- 三陰交 通經行淤清血生血凉血固血
- 太衝 通經行淤養血凉血
- 委中 清血
- 曲泉 清血凉血養血
- 行間 行淤破血結
- 崑崙 下血
- 曲池 行血
- 交信 調經血
- 衄血吐血下血 隱白大陵神門大谿針之
- 衄血不止 灸顖會上星大椎針委中合谷內庭三里照海
- 間使 行血
- 吐血 針風府大椎上脘中脘氣海關元三里或灸大陵
- 嘔血 上脘大陵曲澤神門魚際針之
- 大便血 大便出血數斗者。膈俞傷也。灸膈俞
- 咳血 列缺三里肺俞百勞乳根風門
- 虛勞吐血 中脘肺俞三里灸之
- 口鼻出血不止 上星灸之
- 下血不止 灸命門七壯

3 虛

- 氣海 補氣振陽益腎精
- 關元 固下元益精氣
- 中極 益精補氣血
- 曲骨 補真氣益精

章門補五臟益氣血	中脘振陽益胃補六腑	三里益胃補氣血	上廉益胃
解谿益胃	三陰交補三陰壯陽益精生氣血	陰陵泉補血滋陰益氣血固精	地機補脾益陰精
公孫補中運脾陽	隱白補脾益氣升陽	湧泉補腎益精滋陰	然谷益腎振陽
水泉益腎陰	太谿益腎振陽滋陰	照海益腎陰	復溜補腎氣滋陰振陽固精
交信補腎滋陰	陰谷益腎陰	曲泉養肝補血	蠡溝益肝
大衝養肝血	太淵潤肺		

4　實

神門少冲通里俱瀉心	然谷大谿俱瀉腎	大陵勞宮內關曲澤中衝俱瀉心包絡	
肺俞列缺尺澤少商俱瀉肺	公孫商丘俱瀉脾	上脘瀉胸膈	陽陵泉瀉胆通大便
行間大衝蠡溝中封俱瀉肝	外關支溝關冲俱瀉三焦	關元瀉膀胱	
中脘瀉腑導濁	三里瀉胃降濁	豐隆瀉胃折痰通大便	

5　寒

中脘温中煖腑治胃寒及腹中一切寒冷	氣海治腹中一切寒冷温中下焦	關元温下焦煖子宮	章門治臟寒積聚

歸來 治下元寒冷寒疝	三里 治胃寒腹中寒冷	三陰交 溫中下治血寒一切寒冷	公孫 理心腹寒
陰陵泉 溫中焦理脾寒	隱白 溫脾壯陰理中下寒	曲泉 理血寒腹中寒冷	然谷 溫下元助腎火
列缺 理肺寒	大椎 發表寒	後谿 發表寒	大敦 溫肝煖下元溫寒疝

6 熱

神門通里少府 俱清心熱	內關 清心包利火腑解胸中熱。	大陵 清心胸熱	勞宮 清心腸熱
尺澤魚際肺俞 俱清肺熱	風門 清胸背熱	上星 清頭目鼻中熱	百會 清頭部熱
絲竹空 清頭目熱	曲池 清氣血表裏及頭目諸竅之熱	合谷 清氣分及頭面諸竅之熱	支溝 清三焦熱
陽陵泉 降肝胆熱	懸鐘 清三焦及頭熱。	大椎 清表熱	後谿 清表熱
三陰交 清血熱平肝熱	三里 清胃熱腑熱	上廉 清腸胃熱	豐隆 降腸胃熱及痰熱
解谿 清胃熱	天樞 治大腸熱	上脘 清心胃熱	曲澤 出血清血瀉心治暑熱用三稜針
委中 出血清血熱大腸膀胱熱	金津玉液 出血退心胃熱	肩髃 直退四肢熱	大椎中冲命門 退身熱

7 風

風府 搜周身風尤治頭風外感風邪	風池 治頭風外感風邪	風門 治腰背風	風市 治腰腳風

穴	穴	穴	穴
肩顒 搜經絡之風。主周身四肢	曲池 搜周身風邪	百會 治暴中風頭風	水溝 治暴中風頭面風邪
八風 清腿脚風邪	八邪 治手臂風邪	環跳 搜經絡之風主四肢	陽陵泉 舒筋利節搜四肢風
委中 治腰腿風	三里 搜四肢風	三陰交 搜中風主周身四肢	

8 濕

穴	穴	穴	穴
三里 燥濕去濕	下廉 祛濕	上廉 祛濕燥濕	三陰交 化濕行濕
委中 利濕	懸鐘 祛濕	崑崙 行濕	太谿 利濕
內關 利濕	陽陵泉 行濕	然谷 利濕	陰市 祛濕
曲池 行濕	復溜 化濕	中脘 燥濕化濕	

9 汗

多汗　針少商列缺曲池湧泉然谷冲陽大敦崑崙

虛汗　針合谷灸復溜足三里陰都曲泉照海魚際

盜汗　針陰郄灸肺俞中極臍上四寸旁開二寸

黃汗　針合谷曲池足三里陰陵泉脾俞三焦俞中脘人中

10 腫

面腫　灸水分針迎香合谷

面目臃腫　肘內血絡及陷谷多刺出血

頸腫　針合谷曲池

腋下腫　針陽輔邱墟臨泣

渾身卒腫面浮洪大　針曲池合谷三里內庭行間三陰交

四肢面目浮腫　針照海人中合谷三里絕骨曲池中脘腕骨脾俞三陰交

四肢及面目胸腹背浮腫　灸水分氣海百壯

11 積

臍上有積塊　針上脘大陵足三里　灸上脘心俞

左脇下有積塊　灸章門中脘肝俞行間

胃脘中有積塊　灸痞根脾俞中脘內庭足三里隱白商邱行間

右脇下有積塊　灸巨闕期門經渠肺俞

少腹有積塊　灸關元間使大沖太谿三陰交膈俞

12 痛

頸項痛　針通天百會風池完骨啞門大杼後谿

脊膂強痛　針人中

背痛連髀　五樞崑崙懸鐘肩井胛縫

肩背痛　針三里肩髃天井曲池陽谷

脊強渾身痛　針啞門

背　痛　灸肩井膏肓

脇與脊引痛　針灸肝俞

九種心痛　針灸間使靈道公孫大沖足三里陰陵泉

卒心痛　針灸然谷上脘氣海湧泉間使支溝足三里大敦獨陰

心痛引背　針京骨崑崙然谷委陽

缺盆痛　針灸太淵商陽足臨泣

脇　痛　針灸懸鐘竅陰外關三里支溝章門中封陽陵行間期門陰陵

脇引胸痛不可忍　針灸期門章門行間丘墟湧泉支溝膽俞

腹　痛　內關支溝照海巨闕足三足

臍腹痛　陰陵太沖足三里支溝中脘關元天樞

小腹急痛不可忍　灸獨陰五壯。

小腸疝痛　灸獨陰大敦三陰交

腰　痛　針委中出血灸腎俞

腰痛不可俯仰　針人中環跳委中

（三）治療各論

一　腦神經系疾患

1　腦溢血　中風　卒中

原因　本病從頭部之充血，鬱血，血管之變質等而來之腦疾患。皆起腦動脈之病的變化，因脈管脆弱之病變，致小動脈破裂，而有腦髓內出血之疾患。就中以發生於腦動脈之粟粒動脈瘤爲最頻繁。此病老人最多，因高年有血管之自然變化也。壯年亦常見之。而以酒精及鉛中毒，梅毒，痛風，心臟瓣膜病，腎臟炎，肥胖家等起循環障害爲本病之誘發，其他如憤怒，努責，等之精神感動，身體之劇動，飽食暴飲，溫浴等致血行亢盛亦爲本病之誘因。又體質肥滿，短矮。頸短之多血人即名卒中質者，易犯此病，亦有因遺傳之關係而來者。

症候　本病有先發前兆者。亦有並無前兆，卒然而來，陷于不省人事，卒然而倒者。此名卒中發作。其前驅症爲頭重，頭痛，眩暈，眼火閃發，耳鳴，精神興奮。不眠，一時性言語障害等。因而知覺障害運動障害。

卒倒之患者，神識乏失，陷于昏睡。運動知覺及反射器能完全消失。瞳孔不散大而縮小　其反應遲鈍，呼吸深長而帶鼾聲。顏面往往潮紅。脈搏大而强。緊張不整。且結代，此時除呼吸及心動可認識外。殆與死者無異。而常常來糞尿之失禁。

又于發作中欲診定何方面麻痹實屬難能。其麻痹方面之皮膚，以反射作用消失。得畧畧認知之。如斯卒中發作之持續　長短甚異。或數時間即終局，或亘數日之長。輕者於一定時日後。次第醒覺。但高度者因心臟麻痹或呼吸麻痹竟致于死。此稱之謂電擊中風。此病即僥倖覺醒，患者呈顯著之不安而來體溫昇騰至於頹廢症狀。即殘留殘留性病竈症候。

頹廢症狀於發作後來半側運動麻痺。其出血病竈，多來於內囊附近。致身體半側之痲痺。即發他側之偏癱。而來顏面神經上肢及下肢之痲痺。又時時隨件以知覺症狀。或舌下神經之痲痺。後大回復。其他因舌及顏面之不全痲痺來口角下垂之言語障害，嚥下困難。如斯諸症狀，經過一定時間而漸次消失。僅不過遺留其一部。尤以壯年者被侵之場合，因運動而即可回復。而下肢之痲痺較上肢爲輕，且易緩解。

疾病既久，則追隨而發續發的變性。來痲痺側之筋之短縮。手指曲屈，前下膊及腿亦短縮屈曲，是所謂半身不遂性位置，而病側之腱反射尤以膝蓋腱反射，每常亢進。

治療1形寒發熱，身重疼痛，肌膚不仁，筋骨不用，頭痛項强，角弓反張者，針合谷曲池陽輔陽陵內庭風府肝俞

2中風四肢痲痺不仁者針肘髎上廉魚際風市膝關三陰交。

3全身不能動疼痛甚者，針少商尺澤委中出血。針合谷曲池肩顒陽陵絕骨崑崙環跳人中。

4口眼喎斜灸地倉頰車人中。斜向左者，針灸右面。

5 半身不遂及左癱右瘓。百會合谷(先針無病一邊後灸有病一邊)曲池肩顒手三里崑崙絕骨陽陵泉環跳足三里肝俞

6 手拘攣或痲木　手三里肩顒曲池曲澤間使後谿合谷

7 足拘攣或痲木　行間邱墟崑崙陽輔陽陵泉足三里

8 口噤不開灸頰車百會人中

9 痰延上壅　灸關元氣海百會

2 腦貧血 虛血 頭暈

原因　本病因俄然多量之失血。或血液集注于臟器之場合。例如因大出血產後及劇甚之下痢，或心臟衰弱。腦之血液輸導障害。以及腦血管之攣縮。精神之感動。大動脈瓣孔狹窄等而來。

症候　急性症顏面蒼白。流冷汗。四肢厥冷。重聽耳鳴。心悸亢進。心窩覺苦悶。而發惡心嘔吐，視力減退而黑暗。神識曚矓。而至卒倒者。此稱之曰失神。此際或發全身之痙攣。發作時間數秒乃至數分，大多能醒覺。

亦有逕致死者。此種情形。可稱神經性卒中。但失神中其反射器能消失。瞳孔散大。脈搏細少不整。

慢性貧血症發於各種之貧血。及數回出血之場合。頭重頭痛。眩暈。耳鳴。及眼火閃發。視力並記憶力減退，不眠幻覺等，因之而來，甚致卒倒。又小兒因頑固之下痢的結果。亦呈腦貧血病狀。

治療　頭眩暈而嘔　針內庭豐隆中脘風池解谿灸風池上星神庭百會

頭　眩　暈　針申脈足三里　灸風池上星前谷足三里後項腦空百會

頭　昏　目　赤　針攢竹豐隆風府。

3 癲狂癇

原因　本病件以人事不省。起于發作性之全身痙攣。初發于七歲乃至廿歲之間。而來于遺傳的疾患者亦不少。其他從酒精中毒，姙娠時母之精神感動而發者亦多。而頭部之外傷及傳染病等，亦爲本病之原因。又有從耳內異物，耳炎齲齒，腸寄生蟲生殖器疾患而來者。

一 癲

症候 或笑或歌或悲或泣語言顛倒。穢潔不知，精神恍惚如醉如癡，時輕時劇。

治療 針人中少商隱白大陵申脈風府頰車承漿，勞宮上星會陰曲池舌下中縫出血。間使後谿或灸心俞三四壯。

喜笑無時 針人中陽谿列缺大陵神門

呆而不靈 灸少商心俞針神門湧泉中脘

多悲泣 灸百會大陵針人中

二 狂

症候 喜怒無常，歌哭無時，妄言妄詈。自高自尊，少臥不飢，两脈多滑大。登高而歌。棄衣而走。踰牆上屋等。

治療 針人中少商隱白大陵申脈風府頰車承漿勞宮上星會陰曲池舌下中縫出血。間使後谿

三 癇

症候 發時猝然眩仆。瘈瘲抽搐。目上視。口眼喎斜。口吐涎沫。忽作五畜之

鳴。昏不知人。移時即醒。有一月數發。或數月一發。兩脈緩細，分作

五癇

羊癇　吐舌目瞪。聲如羊鳴。灸天井巨闕百會神庭大椎湧泉

牛癇　直視腹脹。灸鳩尾大椎間使湧泉

猪癇　如尸厥吐沫。針崑崙僕參湧泉人中灸勞宮百會率谷腕骨間使少商

鷄癇　善驚反折手攣目搖。針金門灸靈道足臨泣內庭

馬癇　張口搖頭反張。灸僕參風府神門金門百會神庭

五癇吐沫　灸後谿神門少商間使心俞

目黑眼上視。昏不識人。灸顖會行間巨闕

狀如鳥鳴，心悶不喜聞語。灸鳩尾

注意　凡灸癇必須先下之。乃可灸。不然則氣不通，能殺人，針則不拘。

4 不眠 失眠

原因　思慮過度。神經興奮。乃爲驚惕，畏恐，多思，終夜不寐。

症候　轉輾不寐。心煩焦急。善驚恍惚。

治療　針大淵公孫隱白肺兪陰陵泉三陰交

5 三叉神經痛（顏面痛）

原因　主因爲寒冒，痳拉利亞梅毒等。其他因頭蓋之骨膜炎，齒牙之疾患。口腔耳及眼疾患等。雖往往來反射性的疾患，子宮卵巢歇斯的里等之塲合亦有發者。

症候　本病常來於偏側，尤於其第一枝上眼窩神經爲多，其疼痛發作通常甚猛烈，往往顏面知覺過敏及知覺忘失並發痙攣。脈管運動神經及分泌來障害。（顏面皮膚及粘膜蒼白或潮紅。淚液流涎。唾液分泌旺盛。）又因神經枝而異。第一枝名眼神經痛或前頭神經痛。其疼痛在前額眼球上眼等。壓痛點在前頭骨之上顏窠孔

第二枝名上額神經痛。發於上顎神經之區域者爲多。其疼痛在下眼瞼上唇頰部鼻翼上顎齒等。壓痛點在下眼窠下。

第三枝名下顎神經痛。其痛在下顎及下齒列。下唇頤部頰粘膜。時時波及于舌。壓痛點在下顎骨之前顎孔。

治療　針合谷曲池頰車地倉承漿肩顒童子髎翳風

6 常習頭痛

原因　本病從腦疾患急性傳染病。貧血症而來。與所謂症候的頭痛者有異。來于獨立的，有比較的頻繁之疾患。

本病起于三叉神經及大小後頭神經爲頭蓋內之神經痛。未來之原因未知。其補助原因爲腦之過勞。頭部充血。神經衰弱。精神亢奮。不眠。貧血。中毒。胃腸之疾患。寒冒等。又體溫急急上昇時。亦多伴以頭痛。

症候　疼痛之所在。在前頭部後頭部顱頂部。顳顬部。或頭部全體。或限于一局部。其性狀甚多。或如裂。或如灼。或如刺。或如壓重而感不快。疼痛之持續者甚稀。大多時時一進一退。患者之頭部知覺過敏。嫌忌就業。惡心嘔吐。食思不振 思考力減退。遂致陷于憂鬱。不耐精神作業。

治療　腦頂痛　針上星風池百會天柱少海
正頭痛　針上星前頂百會合谷豐隆崑崙俠谿
額角眉稜痛　攢竹合谷神庭頭維解谿
偏頭痛　頭維絲竹空攢竹風池前頂上星俠谿液門

7 坐骨神經痛 腰痛

原因　本神經痛極多存在之所。因寒冒外傷過勞，骨盤內之腫瘍等之壓迫而易發。其他亦有從痳刺利亞梅毒關節僂痳質斯。淋疾糖尿病痛風中毒脊髓癆及便秘等而發者。以廿歲至六十歲之男子爲多。

症候　本病之疼痛，其始發自腰部。大多發自臀部之坐骨神經之派出部。沿大腿及大腿之後面而波及于足蹠。亦有沿下腿前側腓骨神經而波及於足蹠者。其疼痛大抵在該神經之全路一致。有時限局於上部或下部。此疼痛之發作。尤甚於夜間。而有持續性。發時如灼如裂如絞痛不能忍。劇痛大多從上方散放于下方。因脚之運動壓迫及冷而更增劇。或因噴嚏咳嗽等而誘起其發作。

本患者因患側之動作或欲減輕其疼痛因而傾斜體軀，則來脊髓之側灣。亦往往有患部呈輕度之知覺異狀。筋肉瘦削，或不全痲痺等。本病之壓痛點。在坐骨結節與大轉子之間，大腿後面之中央膝膕窩（脛骨神經）腓骨小頭之直下。腓骨神經）等。

治療　針委中環跳大都崑崙灸腎兪

8 關節神經痛

原因　多發於貧血或歇斯的里。或以關節之外傷，寒冐生殖器疾患等爲誘因，大概男子多於女子。

症候　本病于關節呈神經痛樣之發作性疼痛，大多侵於膝關節及股關節。其疼痛之性狀，如引如裂如刺，放散于上方或下方。且起筋肉痙攣。皮膚知覺過敏，輕壓之發疼痛，强壓之却緩解，伸展患脚覺嫌忌運動。本病若永永持續。則來筋之瘦削。

本病誤認爲關節炎。然其異點，則腫脹缺如。疼痛不定。因之精神狀態蒙影響或意志他轉，若加壓迫于關節，則不感疼痛。

治療　膝眼陽陵泉曲泉環跳，絕骨

9 脊髓癆

原因　本病不問其爲先天性或後天性。總之梅毒爲本病最頻繁之原因。其他有從脊髓之外傷寒冒精神過勞房事過度，頻回之分娩及急性傳染病等而發者。尤以三十歲乃至四十歲之男子爲多。

症候　本病係脊後索即知覺道起灰白性變性，此疾患特異之症候有如左三期之區別。

第一期　各神經痛期。下肢起神經痛樣之疼痛，膝蓋腱反射消失。軀幹訴帶狀感覺，因而視神經萎縮、瞳孔起變化。視力起障害。膀胱及直腸器能等亦見障害。

第二期　名運動變調期。此期中下肢漸次起共同運動之障害。致步行困難。又閉目直立，身體有動搖傾倒之傾向。

第三期　名截癱期。下肢完全痲痺，不能步行，致常臥褥而生褥瘡。膀胱直腸。及生殖器起障害。或發閉尿便閉。或二便失禁，生殖器障害。尤以男子爲多，往往因色慾亢進之後，陷于陰萎。

其他內臟發症，爲胃腸及腎臟等訴疼痛，又呼吸來困難，常常來膝關節之腫脹。

治療　腰俞陽陵絕骨大杼承山崑崙太冲中封曲泉環跳。

10 神經衰弱

原因　最頻繁之原因爲精神過勞，手淫及房事過度。濫用酒精等，亦爲其原因，其他以腸窒扶斯感冒梅毒慢性消化器病及慢性生殖器病等爲誘因。

症候　本病之特徵爲神經器能之異常亢奮，且易疲勞，即頭重頭痛眩暈耳鳴，眼火閃發，視力減弱，心悸亢進不眠多夢，嫌忌就業，記憶力減弱。患者遇有小事。輒異常憤怒，易於變心。或鬱鬱而易沉于悲哀。

又患者易陷於恐怖狀態，往往在通行之塲所，而時懷不側之恐。發此者名恐塲症。又有忌河流者曰恐河症。總之對于事事物物，均起恐怖之觀念，甚至來神經衰弱症性癲狂。

其他爲內臟障害，即心動疾速或遲徐。或起神經性消化不良。腹鳴鼓腸便通不正，輕度之身體運動，即覺心窩苦悶，呼吸迫促，或來膀胱筋肉之痲痺或痙攣。倘有一事係從手淫暴行而起者，則來早時射精，遺精，陰萎等症。

治療　神門足三里百會湧泉合谷關元膏肓兪肺兪大椎

二　消化器疾患

1 舌　病

原因　國醫稱心火盛。或傷寒熱毒。

症候　舌乾無津。舌破出血。舌瘡糜爛。舌强難言。重舌則舌下焮瘇如舌狀。木舌則舌瘇滿口而語蹇。舌卷舌急。舌縱不收。

療治　舌乾　廉泉刺出血。

舌瘡　針承漿人中合谷金津玉液委中後谿

舌强　針啞門少商魚際中冲陰谷然谷

重舌　針十宣金津玉液合谷勞宮人中海泉

舌出血　針內關太冲三陰交

舌腫難言　針廉泉金津玉液天突風府然谷

舌卷　針液門二間

舌縱不收　針陰谷風府

舌急不能伸出　針啞門

2 扁桃腺炎 喉痺

原因　春秋二季凉溫之候，多往往起因於寒冒。亦有漸漸流行者。

症候　急性症其初惡寒疼痛，舌上現厚苔。有熱候。咽頭部感乾燥及搔痒。扁桃腺肥大赤腫。咀嚼及咽下困難。甚致兩側相接觸。致呼吸困難。此腫大若在一側之時。則壓排干他側。此病又有從咽頭加答兒誘發者。本病又名咽頭狹窄。

慢性症漸次發生各急症之徵候。起扁桃腺之肥大，時時發痙攣狀之咳嗽。放鼻聲。或咽頭腫起而妨嚥下。或從急性而轉。

治療　針頰車少商經渠合谷豐隆湧泉關冲中渚太谿天突尺澤

3　耳下腺炎（骨槽風）

原因　本病多係春秋二季溫潤之候所來之流行性，名流行性耳下腺炎。其傳染病原尚屬未知。又有因窒扶斯猩紅熱顏面丹毒續發者，名續發性耳下腺炎。

症候　流行性耳下腺炎有頭痛及輕發熱之前兆。然後耳下腺部疼痛腫脹。面貌變常態。頭傾患側。而腫起忽在頰部及頸部蔓延增大。唾液之分泌旺盛而有舌苔。食思缺乏。且覺疼痛。咀嚼感困難。二三日後波及于他側，又大腫起，漸至化膿。

治療　於足之後跟赤白肉接界各灸五十壯，此即女膝穴。

4 食道狹窄 膈食

原因　食道狹窄。漢法醫稱膈噎。原因從食道癌腫而來者最多。又有因異物之嵌入，患爛喉痧後之瘢痕收縮。食道痙攣。或者食道周圍因大動脈瘤，心囊炎。橫隔膜腫瘍等之壓迫而來者。

症候　其初訴硬物嚥下之困難。只能取液狀之食物。其後狹窄愈甚，雖流動物亦不能嚥下。甚致時時伴以疼痛，此狹窄性嚥下困難，因食物攝取之不全。漸次呈飢餓之狀態。其狹窄之上部。發生憩息之症狀。斯時患者甚形羸瘦，顏面蒼白。呈一見而知有疾患之狀態。此徵候漸漸增進。終以死亡。

治療 1 胃脘脹滿。嘔吐清水。四肢厥冷。食不得入　針中脘足三里公孫　灸膻中膈俞中脘足三里公孫血海。

2 胃脘熱甚口苦舌燥煩渴不安食入則吐　針內庭陽輔然谷陽谿太白大陵膈

兪大腸兪

3 中脘滿痛。痛引背脊。胸悶氣逆。食不得入。　針中脘膻中氣海列缺內關胃兪三焦兪。灸膻中氣海胃兪三焦兪

5 神經性胃痛

原因　精神過勞。運動不足。時間不規則等，及其他多少遺傳性之傾向。

症候　食慾不振。胃部有不快之疼痛。全身倦怠，感腹重腹脹。來噯氣嘈雜等。精神易興奮。來便秘之傾向。往往三四日一便。大多質硬而量不充分。症狀進步則來惡心嘔吐。身體漸次衰弱。

治療　針足三里中脘內關。

6 胃　炎

原因　爲暴食暴飮。不消化物。酸敗物。或寒熱過度之物。其他魚菌中毒。腸炎波及外傷等。又或有劇甚熱性病之前驅症。

症候　發微熱。頭痛。睡眠不安。四肢疲倦。舌苔。無味。嫌食消渴。噯氣吞酸。惡心嘔吐。胃痛。胃部痞滿。上腹膨出。下痢或便秘。尿量減少等諸症。

治療　胃兪公孫內關足三里

7 胃潰瘍 胃癰

原因　本病因血行障害於胃粘膜之一部而來。其部之胃液因其組織缺損。多於胃之後壁，發生圓形之潰瘍。而胃部之外傷。過熱之食餌。貧血。肺結核。梅毒等爲誘因。

症候　本病之發大概緩慢。迅速爲少。本病必發之症候爲增劇之胃痛及嘔吐。尤爲吐血。胃痛多在食後漸次發作。若按壓胃部則覺疼痛。舌呈赤色。食慾不振。食味變化。雖胃痛亦可食。食後忽發嘔吐。爾後忽然吐血。血液之血暗紅。與食物並吐出。若出血之量多。則來頭痛暈眩。心悸亢進。面色蒼白。脈細少。失神煩悶。其次必來暗褐色之糞便。及卒然眩暈卒倒。內部出血之徵。若泄血便。初可知爲胃出血。胃壁潰瘍而穿孔。則發腹膜炎。疼痛甚劇。嘔吐。鼓脹。顏色憔悴。脈細少。至陷于衰弱。

治療　針魚際尺澤支溝隱白太谿神門肺兪肝兪脾兪灸肺兪肝兪脾兪

8 神經性消化不良

原因　神經衰弱。歇斯的里等最多。其他因吸烟飲酒。多食及腺病精神過勞等而發。

症候　食後覺胃部壓重，好辛鹹物。發噯氣嘈雜。惡心嘔吐。或在空腹時感疼痛樣之不快。全身倦怠。漸漸呈頭痛眩暈。心窩苦悶。心悸亢進。不眠。或精神之抑鬱。本病于胃中僅食物的消化困難。於胃之器質並無變化。不過胃之運動性器能減弱而已。

治療　手足三里胃兪脾兪上脘中脘下脘

9 胃痙攣

原因 從胃自身之疾患而起。其他因神經衰弱脊髓癆腦膜炎。官能的神經系疾患。或酒精嗎啡茶烟草等之吸収。刺戟胃神經而起。而從子宮疾患。月經不調。卵巢疾患等反射的來者尤爲頻數。

症候 本病之主徵。胃部有劇甚之疼痛。如切如絞。又以覺疼痛如刺者爲多。屈上體則往往放散于左胸部。左側肩胛部。其甚時流汗、手足厥冷。有時陷於人事不省。發作之持續亘一二分時乃至數時間。漸次緩解。發噯氣嘔吐。疼痛全止。再本病之特性。如加强壓于胃部。則可緩解疼痛。

治療 針中脘灸臍中幽門獨陰天樞。

10神經性嘔吐

原因 從腦震盪。腦膜炎脊髓癆等種種之腦脊髓疾患即中樞的作用併發。或于胃中受直接的刺戟。及胃中被外壓中毒而起。又有因咽頭之刺戟。腹膜炎姙娠女子生殖器病。胆石腎石腸寄生虫等反射的作用而起者。

症候 本病頻回反覆嘔吐。每食後即發。患者營養大受障礙。但太多無永永持續者。又本病必先悪心以催嘔吐。

治療　口渴作熱食入則吐或苦或酸頭目昏眩／　針內庭太冲合谷曲澤迪里陽陵太谿通谷

嘔吐稀涎面青肢冷胃脘不舒口鼻氣冷不渴　灸中脘內關氣海胃兪間使三陰交膻中。

乾嘔不止有聲無物　針大淵大陵胆兪尺澤灸間使卅壯隱白章門乳根

11 胃阿篤尼症

原因　爲筋肉薄弱腹壓弛緩榮養不良。或因貪食而胃過勞等。

症候　少量之攝食，即起胃部膨滿及壓重之感。其他胃部有振水音。食物久滯胃中。而起異常醱酵，胃常有充滿之狀態。但食物多不變化。其他多呈神經衰弱樣症候，使患者飲用少量之水則胃之大灣即降臍下。

治療　灸臍中下脘巨闕膈兪胃兪

12 腸加答兒 泄瀉

原因 本病多因飲食物之不攝生——如暴飲暴食。或食未熟之果物，腐敗之食物。飲汚水冷水等而發。或因藥物之中毒，下腹部及下脚之冷却。氣候之不順，及腸窒扶斯，赤痢等傳染病異物之停滯而起。

症候 下痢腹痛及腸鳴爲主徵。其下痢一日三四乃至十數回。腹中雷鳴。腹痛，下腹膨滿。全身倦怠。口渴利尿減少。間有輕度之發熱。糞便呈褐赤黃色或帶綠色。不消化。混食物之殘片及粘液，尤有惡臭。又因所犯患部之異、而各異其狀。即在小腸者下痢欠缺而徐。臍圍者有腹痛。十二指腸者徐徐發黃疸。結腸者發水泄覺疝痛，在結腸之下部及直腸者，便意頻數。

治療 腸鳴腹痛大便泄瀉小便水少四肢厥冷者　針中脘灸神闕三陰交中極氣海天樞關元。

泄瀉黃糜，氣穢肛門灼熱口渴煩熱小便短赤者　針太白太谿曲池足三里

陰陵泉曲澤

13神經性腸疝痛

原因　本病因腸器質之變化，發腸膜神經叢或下腹神經叢之疼痛。此因中樞性之神經衰弱，貧血脊髓癆等而發。或因不攝生或從糞尿及瓦斯之積滯等直接刺戟腸而來。或從腸寄生蟲，及子宮腎臟，肝臟等疾患反射的而來。又有因鉛銅等諸種之中毒而來者。

症候　本病之主徵爲發作性之腹痛。其痛從臍部延及於四方。或輕易或劇甚。疼痛發作之長短度數無一定。腹筋大多爲强度緊張。若上體前屈，壓住患部，則覺輕快，故患者每以自己之兩手。壓迫腹部，以求緩解疼痛。疼痛劇甚時則心悸亢進。脈調不整。呼吸困難。顏面呈苦惱甚至額流冷汗。往往至於失神。

本症若從糞尿之積滯及氣體即瓦斯鬱滯腸中而來者，其痛發于結腸之下部。漸漸及于臍部。腹部膨脹。患者覺苦悶，發腹鳴惡心嘔吐，若便通排尿及噯氣或放屁則忽緩解。

治療 灸獨陰大敦關元針三陰交氣海中極章門

14 常習便秘

原因 便秘爲腸之運動神經之疾患。即因腸筋肉之弛緩。致腸之蠕動器能減衰。或分泌物之減少也。其原因由于運動不定、攝生不正。或神經衰弱，或在女子姙娠之時，或腦脊疾患而發。

症候 亘久時之便秘爲主徵。此便秘每涉一週或二週以上之久。宿便貯於腸內，非經下劑及灌腸，不得通便。因之腹部多膨滿。重壓其部，覺有高度膨滿以致全身營養障害，引起種種神經症狀。即頭痛頭重，眩暈全身倦怠不眠。神思不振。食慾不振等。

治療 針支溝照海承山太谿太冲太白灸章門大腸俞臍中關元。

15 小腸疝氣痛

症候 少腹有疝形如鷄卵。數發以後。漸大而長。從少腹墜入睪囊甚易。返位甚難。下體稍受微寒即發。發則劇痛非常。必俟塊中冷氣漸轉暖熱，始得軟溜而縮入。否則如臥酒瓶于胯上。半在小腹，半在睪囊。堅硬如石。其氣逆入前後腰臍各道筋中同時俱脹。上攻入胃，大嘔大吐。上攻癲頂戰慄畏寒。

治療 針大敦長強灸大敦長強。臍下五寸兩傍各一寸。關元兩旁各三寸。或以淨草一條度病人兩口角爲一折摺斷。如此三折則摺成三角，以一角安臍中心。兩角在臍之下，兩旁尖盡處是穴。若患在左則灸右。在右則灸左。兩邊俱患，即兩穴皆灸。艾炷則麥粒大。灸十四壯。或廿一壯。

16 痔

原因 本病因痔靜脈之擴張。起鬱血之容易，即常習便秘直腸癌。子宮腫瘍妊娠坐業家及其他肝臟肺臟心臟等之疾患，因而起血行障害之結果者也。

此病以卅歲至五十歲之男子爲多。

症候　痔疾之主徵。在肛門內外生結節，而時時破綻出血。在肛門之內部者名內痔。在肛門之外部者名外痔。其自覺症。輕重甚相異。輕者肛門搔癢緊張及疼痛。自有一種苦悶。以頭部充血，頭痛眩暈，心悸亢進等爲前驅，但出血後苦悶始緩解。

然頻頻反覆則來貧血。且時有內痔之肛門。脫出於外。而不能還納。其甚者發劇甚之疼痛。苦悶不堪。前後被冷汗，此稱爲痔核嵌頓症。

又痔結節起炎症。形成膿瘍，穿破肛門外或直腸中而成瘻孔時，此名痔漏。又外痔于肛門來裂瘡，致排便時疼痛而出血者名痔裂。

治療　針承山崑崙脊中飛揚太冲復溜。俠谿氣海長强、灸命門腎俞。

脫肛　灸百會長强命門氣衝大腸兪

久痔　灸二白承山長强命門

痔漏　以附子末水和作餅如錢大安漏上以艾火灸令熱。乾則易新餅。日灸數枚。至內肉平始已。

17 黃疸

原因 感冒，胃十二指腸加答兒之傳播於輸胆管。因之其部起腫脹。而胆汁排洩困難。其他因胆石寄生蟲腫瘍等致胆道狹窄。及肝臟實質炎。血行器病，尤以心臟病肺病之精神感動中毒性傳染病之經過中爲甚。

症候 初期爲通常胃部之壓重。漸漸發生惡心。嘔吐而頭痛。身體倦怠。食思缺乏。舌帶白苔。大便大多秘結。此後本病之特徵。爲全身之皮膚粘膜發黃色，而於眼球眼瞼及結膜爲尤甚。尿亦含有膽汁色素。變爲黃色。糞便則缺乏膽汁色素。而呈灰白色。且血中呈胆汁之刺戟。起皮膚搔痒之感。脈搏大而減少。體溫下行，膽囊肝臟腫大壓重。

治療 1 一身盡黃色如橘黃煩渴頭汗消穀善飢大便秘小便赤針中脘足三里公孫委中腕骨至陽膽俞。灸至陽七壯。

2 身目皆黃黃色晦暗。有如煙薰渴不欲飲。 灸脾俞心俞氣海合谷至陽中脘

3 食畢即頭暈心中怫鬱腹滿不安遍身發黃　針內庭三里腕骨陰谷灸至陽。

18 肝臟肥大

原因　大抵不明。但好酒狂飲。實爲一大原因。又有與毒性病續發者

症候　本病因肝實質之肥大硬固。其結締組織亦隨之增生。致肝臟之全體變大。伴以右季脇下覺壓重緊滿，消化不良。而發黃疸。脾臟腫大。糞便呈灰白色。又往往發輕度之熱。漸次致身體衰弱。其肥大處。可由觸診打診或視診而知。

治療　灸巨闕期門經渠肺俞。

19 膽石症

原因　最多者於膽囊內生膽石之結石。此由于膽汁凝結，形成結石之故。美食，肥胖病，坐業爲本病之誘因。四十歲以上之女子。發者尤多。

症候　本病之症候不定。難以確診。但亦呈極著明之症候。即膽石通過輸膽管

之際起强烈之刺戟。發劇甚之疼痛。此名膽石疝痛 其痛放散于右側肩胛部，右胸部，右季肋部。及右上肢，腹筋攣急。痛疼甚者呈大苦悶。人事不省痙攣惡心嘔吐。四肢厥冷 皮膚被冷汗。如斯疼痛之發作。短者一時 長者亘數週。診于腹部，肝臟部有膨大之壓痛。但結石下于腸中後則苦悶全解散。其外常現黃疸。

治療 三焦兪腎兪氣海兪大腸兪鳩尾上脘右章門京門。

20 腹水（腹脹）

原因 從心臟病腎臟病肝臟病及肺氣腫而來 即靜脈管因血壓之亢進。下靜大脈之壓迫血塞等。致生門靜脈血行之障害也。從理學的原因言，係腹腔貯留滲濾液之疾患，故此種液體，不名滲出物，而名濾出物云。

症候 本病在腹水之量尚少時，無自覺的及他覺的發症，但其量漸增，則覺腹部壓重緊滿，横膈膜舉上時，覺呼吸困難，胸中苦悶，而心悸亢進，大便秘結，尿量減少。

視診上見貯留多量之液時，其腹壁强度緊張，前側扁平而側方尤擴張。且有光澤。透見靜脈之怒張，按壓之其腹並不硬固。亦不訴疼痛。若按壓腹部，試行波動，則能感知 又打診上呈濁音，此濁音因患者體位之變換而移動其濁音部位。如坐于椅中，濁音則在骨盤之一方，仰臥則濁音在左右側部是也。

腹水鑑別時，有誤認爲卵巢囊腫者，但腹水之濁音部位、因地位之變換而轉移，卵巢囊腫則其始生于左右之何方。雖腹壁前方，突然轉換體位，而濁音之位置、依然在一處，故此種鑑別，當注意于己往症原因等

治療　針三陰交陰陵絕骨人中照三里灸水分氣海陰交照海腎兪。脾兪胃兪。足三里。

三　呼吸器疾患

1 鼻加答兒

原因 最頻繁的原因爲感冒。塵埃之吸入，瓦斯之刺戟等次之。其他有因感冒痲疹腸窒扶斯百日咳及藥物中毒而來者。其慢性症在腺病質之小兒，吸煙過多及梅毒等易發此病。

症候 本病多俄然襲來，往往惡寒伴以發熱頭痛。鼻腔感灼熱。鼻黏膜發赤腫脹。鼻腔道狹窄。或閉塞。頻發噴嚏，其初流稀薄如水之鼻汁。漸次流濃厚之粘液，進而流黃色膿厚之鼻汁。其慢性症多從急性症轉移，鼻根部訴疼痛，鼻腔閉塞，失嗅覺器能。聲言變爲鼻音，鼻汁呈水様或呈膿狀，且帶惡臭。

治療 香臭不知呼吸不利　針迎香上星合谷灸風府百勞前谷。

鼻流清涕　針上星人中風府百會風池大椎　灸上星百會大椎風門。

鼻流臭穢濁涕　針迎香合谷上星人中風府百會風池大椎。

鼻生瘜肉發臭窒塞作痛。針風府風池風門人中禾髎。

2 衄　血

原因 通例健康之人多起衄血。心神之過勞者，亦有常習性衄血。其因頭部或肩部有外傷者亦每發之。女子當月經時，每來代償性月經，又腸窒扶斯，肺炎等亦多發之。其他有出血性之素因者（如血友的白血病）亦有時發之可能。

症候 多從偏側鼻腔流出。而其量不同。本病多只爲鼻粘膜之出血，則不呈何種異狀。若爲頭痛等之腦症，因心神爽快而貧血者，則發時血量必多。甚至呈貧血症狀。來顏色蒼白，眩暈，耳鳴，頭痛，全身倦怠，以至稍稍失神。

治療 針委中少商關元灸顖會上星。

3 喉頭炎

原因 爲寒冒。熱體冷飲，鼻炎，咽頭炎之波及。痲疹，流行性感冒，發疹飲酒及吸烟過度等。

症候 頸部感灼熱，喉頭粘膜潮紅腫脹。有粘液樣及腫樣之滲出物附着。甚者見糜爛潰瘍。其他發嘶嗄，咳嗽，咯痰，嚥噎嚥下時覺疼痛呼吸困難等症。

治療　針少商合谷尺澤關冲風府間使

4 喉頭潰瘍

原因　爲加答兒性剝脫，窒扶斯，梅毒或結核等。

症候　發咳嗽頑固嘶嗄，喉頭搔癢，及潰瘍等，而梅毒結核各現全身及局處症狀，即如(甲)發腺腫(乙)肺結核是也。

治療　針少商合谷尺澤風府關冲照海頰車間使液門

5 氣管枝加答兒

原因　由寒冒，鼻炎，及喉頭炎之波及，含塵埃刺戟性空氣之吸入。流行性寒冒，痲疹，而發此症，其他爲心臟病之鬱血，或生齒反射刺戟等。

症候　咳嗽咯痰，爲朝夕之常習，夜間尤增悪，咯痰之量不同，或多或少或無。或咯出粘液膿樣之分泌物，通常不呈熱候，呼吸常感困難，急性發作時，則體温昇騰，在打診上有變化，聽診上聞笛聲及類鼾聲。或大少水泡音。

本病因咯痰之性狀，分左之四種

一乾性加答兒， 通常咳嗽强甚咯痰少時起喘息樣發作，因努力而咯出少量之黏液痰，聽診上只聞乾性水泡音。

二氣管枝漏 咯痰稀薄，迨多量咯出之後，覺大大輕快，聽診上聞濕性水泡音。

三漿液性加答兒 咯痰量多起發作性，因强劇之咳嗽，咯出多量之粘液性或漿液性之痰，咳嗽發作中，感呼吸困難，聽診上聞濕性水泡音。

四腐敗性氣管枝炎 視咯痰之性狀。爲本病特有之徵候，咯痰量多者，放腐敗性之惡臭，患者每至嫌忌食餌。若將所咯之痰，靜置之，自有三層顯著，上層成泡沫之粘液膿狀。中層成帶綠色之漿液，下層成銹色膿厚之膿樣液。

治療　天柱風池大杼風門肺兪大椎身柱合谷列缺太淵尺澤。

6 喘息

原因　本病之原因未詳。但恐係因呼吸中樞之病變，爲迷走神經之疾患，即由細小氣管枝之痙攣而起。爲神經性氣管枝喘息者也。今區別其原因，可分爲中樞性末梢性及反射性。中樞性者因鉛，水銀，尿毒等之中毒，刺戟迷走神經之中樞而來者也。末梢性者，因頭部之壅瘍，壓迫迷走神經而起者也。反射性者，最多從鼻腔粘液，咽頭氣管等之粘液腫脹，及消化不良，寄生蟲，子宮之轉位，歇斯的里等而發。本病多發于十四歲以上之人，就中以神經性之男子爲多。又有遺傳性者。

症候　本病通常發作于夜間，頓發時，胸部窘迫，起呼息的呼吸困難，呼氣比吸氣甚延長，有劇烈的喘息。顏色呈紫藍色，肩背及前額，往往流冷汗，須危坐呼吸，而脈搏頻數，呼吸音呈微弱之笛聲或鼾聲，打診上發低之鼓音。如此發作一二時間。漸覺緩快。亦有亙長至二三日者，至發作終期，咯出少量之粘液。

治療

1 身熱口咳喘咳不得臥聲如曳鋸　針天突膻中合谷列缺手三里足三里太衝豐隆肺俞風門。

2 形寒肢冷咳嗽痰多喉中有聲　灸靈台俞府乳根膻中天突

3 胸高氣粗两肩聳動不能臥聲達戶外　針魚際陽谿解谿崑崙合谷足三里。期門乳根。若面淡鼻冷則不治。然速灸關元氣海各數十壯，或有救。

4 喘時聲低息短，吸不歸根，若斷若續，動則更甚，心悸怔忡　灸關元腎俞足三里

7 肺臟水腫

原因　由于小循環之鬱血而來。又有從死戰期之心臟衰弱而來者。其他亦有從腎臟病結核等之肺臟疾患。或由肺之血管神經衰弱而來者。

症候　強度之呼吸困難，爲本病之特徵。全身呈蒼白色、(即蒼身症)流汗強。肋間于呼吸時現陷沒。胸部從打診上多不呈異狀。但漸漸發鼓音。聽診

上爲水泡音。咯痰稀薄如肥皂水。而多泡沫。咯出時往往混血液。

治療　大杼風門肺兪厥陰兪心兪肝兪命府或中氣戶列缺湧泉

8 咯血（咳血）

原因　爲肺結核。肺壞疽。肺包蟲。肺腫瘍。急性氣管枝炎。肺炎。肺鬱血。出血性肺硬塞。

症候　出血。發咳嗽，及如温液湧于胸中之前驅症，其血液爲鮮紅色，含有泡沫，呈亞爾加爾性。但出血性硬塞，即楔狀出血，起咳嗽，及呼吸困難。血中混有煤色痰。而多成黑塊。而爲無熱矣。

治療　針百勞肺兪中脘列缺肝兪湧泉灸百勞肺兪中脘足三里列缺風門肝兪。

9 肺結核（肺癆）

原因　本病由結核桿菌而起。凡體格虛弱。胸廓扁平，皮膚菲薄。頰紅，背部之纖毛，長頸等，所謂癆瘵質之體質，本病易以侵入。又因患者咳嗽噴噓或談話之際，其所含之結核菌，從咯痰而唾出細小之泡沫狀。飛散于空氣中。隨吸息而吸入。因之而起此病。或者同與泌尿生殖器結核之婦人相接。而起感染，其皮膚喉頭腸管泌尿生殖器之原發性結核。結核菌由血管或淋巴管之介而催起本病。其他若運動之不充分。精神之感動，身心之過勞，營養之不良。貧血產褥。肺動脈瓣孔狹窄等，爲本病之誘因。而尤以十八歲乃至三十歲之男子爲多。

症候 本病之初期多潛進性，漸次來咳嗽頻發。胸部微痛。運動時呼吸迫促。貧血羸疲諸症候。有時因身體過勞興奮强度之際，俄然起咯血。其始來也，恰類似腸窒扶斯之症候，高熱稀少而有全身倦怠。便通不整等之像。畢爾資氏所謂結核假性窒扶斯是也。

體溫徐徐，其肺結核者，呈輕度之熱候。晨間卅六度二三分，晚來達三十八度，但疾病之顯著者晨間每在正常或正常之下，晚來昇騰至三十九乃至四十度。咳嗽稀。而每與疾病之進行俱增加。咯痰亦從而增加。肺臟生空臟，痰呈膿性或粘液膿性，咯血往往來於初期。太多因肺臟空洞而起。患側之胸廓比較的狹小。呼吸時收縮亦較微弱。打診上初期呈濁音。聽診上聞中等大之水泡音。因痰病進行至於肺臟組織崩壞。形成空洞。遂呈鼓音。因口腔之開閉，體促之變化而有高低。至於聽得大小水泡音及奔沸性大小水泡音，患者日日羸瘦，漸漸盜汗。

治療 灸命門鬼眼中脘關元神闕脾兪膏肓兪腎兪大椎陶道膈兪　針列缺尺澤湧泉

10 肋膜炎 脅痛

原因 由寒冒外傷而起。然亦有因急性傳染病，結核癌腫，腎臟炎，急性關節僂痲質斯及其加答兒性肺炎諸種之肺臟疾患而續發者。是皆係細菌之感染也。

症候 本病初期、大多爲輕度之惡寒發熱、呼吸迫促咳嗽，胸腹刺痛，皮膚蒼白，食思減損，身體倦怠，因滲出物之性狀區別爲乾性肋膜炎及濕性肋膜炎。乾性肋膜炎其纖維素上之物質，沉着于肋膜面，患側之臥位不能取，打診上有抵抗，聽診上有摩擦音。濕性肋膜炎之滲出物，呈液狀而貯留于肋膜腔內，患側之胸部膨大，心尖搏動壓于健側，患者橫臥而打診于患側。其滲出物之部位呈濁音，聽診上證明有幽微之呼吸，其滲出物並呈膿狀時，則熱度高騰，而其他諸證，一般增劇。此之謂化膿性肋膜炎。其甚時膿汁破皮膚而向外方流出。或者肺臟穿通，俄然從口腔咯出。

治療 公孫三里太衝三陰交陽陵泉支溝章門期門陰陵肝俞

四 血行器病

1 心內膜炎 心痛

原因 潰瘍性心內膜炎及贅疣性心內膜炎之二種。來於外傷性傳染。急性傳染等。又牽縮性內膜炎續發於贅疣性。或併發于飲酒無度梅毒慢性腎臟病。痛風糖尿病等。

症候 潰瘍性心內膜炎，或如窒扶狀而發稽留性熱。無慾狀態。舌乾燥被苔脾腫。薔薇疹等諸症。或如間歇熱，而爲發作狀。又發轉移性膿瘍於諸臟器。贅疣性心內膜炎，初時往往有不知其發病者。而此症增進，則體溫昇騰。心悸。心濁音部擴張。諸臟器栓塞等諸症。又聽取收縮期吹音及第二期肺動脈音之强盛。

治療 針灸內關膈兪湧泉太谿中封大陵隱白少冲神門

2 心臟痙攣 眞心痛 絞心症

原因 發于歇斯的里。神經衰弱。胃腸子宮及卵巢之疾患。又或來于中毒。或來于冠臟動脈硬化症。心臟大動脈瓣障害。大動脈瘤。或于痛風糖尿腎臟炎等。

症候 本病大抵在夜間睡眠中或操作中，俄然于心臟基部及胸骨部，發劇烈之發作性疼痛。其疼痛之狀。如切如灼。漸覺放散于左肩背部左膊。否則現心窩苦悶，心臟絞窄等之感覺，致感大大苦惱。其發作之持續，互數分鐘或數十分間。發作之際，顏貌慘慘，皮膚蒼白，額部流冷汗，四肢厥冷。不可名狀。陷于恐怕狀態，此際心動强盛，增其擴張。脈搏漸漸頻數不整。往往遲除小且軟，觸知困難。本病之診斷因上述之發作狀態。故容易觀察。

治療　針灸間使靈道公孫太冲足三里陰陵崑崙京骨

3 心悸亢進　怔忡　急脈症

原因　從精神過勞，神經恐怖症，房事過度而來。又有來于心臟瓣膜障害者。其他貧血家。神經性之人體來襲者甚多。

症候　本病爲心臟一器質之變化。其器能亢進。能自覺心悸道之頻數。本症發作的來者。其時胸際部發窘迫。呼吸不利。有不快之感。尤每因輕微之運動。及精神的興奮。即心悸亢進。脈搏多充實而頻數。時時不整。又患者覺大苦悶時，呈顏面蒼白，或潮紅，發作的持續，短則四五分，久則一二時間，諸症全消。

治療　肺俞心俞　灸尾閭骨上，四指間的地方，每日七壯。

4 拔設篤氏病 突眼性甲狀腺腫病

原因　從來雖以此症原因爲顏面交感神經性痲痺論之，然近時爲由甲狀腺的作用，呈一種之中毒症者，是以醫藥無效。則切除之也。而幼壯者及婦女屢妊娠者，月經異常貧血家等尤多得此病。

症候　發心悸，心臟肥大。脈搏增進。甲狀腺腫大。眼球突出等諸症。其他上眼瞼舉上。而不蔽眼球鞏膜。其狀恰如怒視。是爲此症之特徵。

治療　針五六頸椎兩旁橫開各一寸。大杼風門膈俞膽俞脾俞胃俞三焦俞腎俞大腸俞八髎。

五　泌尿器疾患

1 鬱血腎 小便血

原因　本症發於心臟瓣膜病，肺氣腫，或腎臟血塞症之患者，因腎臟靜脈血之循環障害，鬱血于腎實質內而來之疾患也。

症候 腎臟鬱血，則尿量減少而濃厚。其色呈赤褐色。用檢尿器檢之其比重增加。且有强度之酸性反應。通常含有少量之蛋白質。因其他之原因，發心悸亢進。呼吸迫促頭痛暈眩浮腫腹水壓重於腎部等症。

治療 針灸大陵關元照海陰谷湧泉三陰交。

2 腎臟炎 小便癃

原因 本病由腎實質起急性炎症。每發于猩紅熱，實扶的里腸窒扶斯。急性關節僂麻質斯。痲拉利亞痲疹等之傳染病。續發于淋疾膀胱炎等，其他如姙婦之寒冒，漁夫舟子之因勞動觸冷。以及藥物之中毒等亦易發此疾患。

症候 本病以惡寒發熱。腎部疼痛浮腫及蛋白尿爲主徵。然症之輕者往往難以自知熱候及自覺症。稍重者發症著明。其主徵如嘔吐，食思欠乏。尿量減少。其始顏面浮腫。漸次波及全身。脈搏緊張。排尿困難，腎部覺壓重。且尿意頻數。甚者尿利全止。尿呈赤褐色。比重大。含有多量之蛋白尿。尿之沉渣中，有赤血球血色素，小顆粒細胞，及腎圓柱。但非經檢尿器檢尿不能確知。

治療　針關元三陰交陰谷陰陵泉氣海大谿陰交曲泉

3 萎縮腎

原因　居常牛飲狂食。好吃茶。致罹本病。其他或有因急性腎臟炎之移行，或從痛風梅毒鉛中毒淋疾而來者。

症候　本病之初徵，起心悸亢進。頭痛暈眩衂血嘔吐視力障害，頑固之失神等。醫者每有誤會爲種種神經疾患之事。且本病之固有症狀。爲夜間尿意頻數。水量著著增加。色淡而呈淡黃色。比量減少。蛋白之量或僅微，或全欠。無一定。心臟呈强度之肥大。脈搏之硬度增高。亦爲此症特異之點。水腫亦爲本病之主徵。其發也從顏面至足踝漸漸蔓延，致心臟器能減衰。終至亘於全身。而發腹水之水腫。但此水腫從心臟器能之盛衰而時有進退。或來腦水腫或發尿毒症。

治療　灸腎俞關元

4 化膿性腎臟炎

原因　本病因化膿菌經尿道或血管。或淋巴道侵入于腎臟內。形成腫瘍。病之輕者，腎臟有一個或數個小膿竈。重者感全腎臟實質破壞之疾病。

症候　比其他之化膿症呈弛張性之熱候。伴以戰慄。所患之腎臟，腫大而發疼痛。壓之其痛劇增。化膿時其疼痛呈波動。尿之量減而成爲膿樣。時時混以血液。

治療　針關元三陰交中封照海太冲。灸關元中封。

5 腎臟結石（癃症）

原因　遺傳。坐業。肉類及酒精之濫用。痛風或輸尿管有諸般之疾患等爲其誘因。本病析出尿中之鹽類則見沈着如石。嵌入于腎臟腎盂等。結石之小者如砂狀。（名腎砂）大者如豌豆。如鷄卵。

症候　本病特有之症候爲腎石疝。腎砂或腎石之小者。嵌入腎中。不呈何等之症候。若係大者，則起腎炎或腎盂炎。在腎部覺壓重緊滿，時時多出尿砂，尿意頻數。而通尿之際則覺痛楚。且出多少之血。腎石去腎盂。通輸尿管到達膀胱時。卒然患方之輸尿管發劇甚之疼痛。放散于膀胱龜頭腰部大腿。此即腎石疝也。患者之容貌呈恐怕之狀。皮膚呈蒼白色。四肢厥冷。甚至戰慄發熱。嘔吐惡心。脈搏頻數。終至全身痙攣。神識缺乏。尿量大減。甚至來無尿疝。招尿毒疝。腎石疝痛起于發作性。其發作或數時。或持續數日。結石幸破碎。或落于膀胱。若排出于尿中時。則其痛忽止。

治療　針灸關元腎兪陰陵泉三里大腸兪小腸兪三焦兪。

6 膀胱炎

原因　普通因大腸菌，淋毒菌化膿菌等之細菌感染而來者爲多。故主要者以腸窒扶斯赤痢虎力拉淋疾之傳染病及寒冒外傷。鄰接臟器之炎症。其他之

症候 膀胱疾患等爲誘因。又有少數因藥劑之中毒而發者。因其經過區別爲急性及慢性症。

急性症常寒戰，發多少劇熱。膀胱部及會陰部覺疼痛。尿意頻數。通尿之際其痛如灼。且覺尿後淋瀝。或者一時閉止。其他食思缺乏，煩渴。其尿于加荅兒性膀胱炎，呈弱性或中性反應。檢鏡上含有多量之黏液及上皮細胞等。又于化膿性膀胱炎。其尿溷濁如膿樣。檢鏡上有膿球血液及上皮細胞。

慢性症如前者尿意頻數。而呈溷濁。且訴疼痛。但程度輕而通常乏熱候而已。然患者居常亦鬱鬱不樂。嫌忌坐業。漸次羸瘦。漸漸來危險之併發症。

治療 灸命門腎俞及荐骨部之兩側凡八穴。即上次中下八髎。

7 遺尿病

原因 本病發于三四歲至十一二歲間。因小兒保育不適當。飲食不良。教育等之不注意而來。或從腸寄生蟲，萎縮腎，及膀胱結石等之疾患，反射的刺戟而來。

症候　遺尿于睡眠後一二時間。夢排尿而不自知，致排尿于褥中。此名夜間遺尿症。本病經過緩慢。大人較少。

治療　灸氣海。大敦。關元。命門。

8　膀胱痲痺（小便不禁）

原因　從脊髓疾患腦疾患而來。或從急性傳染病後之全身衰弱。膀胱炎而來。其他手淫房事過度或居常有尿意者，亦易罹本病。

症候　膀胱壓縮筋之痲痺。其排尿時間漸遠。雖自覺膀胱之膨脹，而無小便射出之勢。雖經努責。僅放點滴，甚者完全不能放尿。故尿益益充滿于膀胱。膀胱括約筋之痲痺。其尿絕不能貯留。遇咳嗽噴嚏哄笑之時機。每失禁淋瀝。又兩筋均痲痺時。其症候混同。

治療　中極膏肓心俞然谷腎俞。

六 生殖器疾患

1 淋疾

原因　由淋濁球菌而發。男子發于尿道。女子來自子宮內膜及膣。本病因與淋毒患者交接而發。或因淋毒汁之附着物而傳染。娼妓藝妓最多爲本病傳染之媒介。

症候　本病之潛伏期，少有短長。大多亘一日至三日之時間。本病有男女兩性及急性慢性之區別。男子急性淋疾之初期，於尿道粘膜。出僅微之粘液分泌物。鎖閉尿道口。放尿呈異狀。其次尿道部感瘙痒。或發疼痛，放尿之際，覺甚灼熱。尿意頻數，利尿困難。依病勢之進步，至成膿樣，含有淋毒菌。本病發生中。與攝護腺炎。膀胱炎。副睾丸炎等併發者最多。

慢性淋疾因療法不充分時則續發爲急性症。

女子急性淋疾侵及尿道及子宮頸之粘膜，其外陰部全部起潮紅。漸漸成爲炎症。侵及子宮口及子宮膣。從膣及尿道出膿樣之分泌物。患者排尿之際感灼熱及瘙癢，漸次劇痛。膿中見多數之淋菌，因此急性症。移行于慢性症。本病發生中，每與子宮炎喇叭管炎等併發。

治療 針灸三陰交關元陰陵泉中極氣海陰谷腎俞。服曾天治之白濁根治液。

2 梅毒

原因 一直接傳染。已染梅毒之男子與未染梅毒之女子交媾，女子陰部稍受刺戟，即發生細微之傷口，當時雖無感覺，但已爲梅毒螺旋狀菌奪門竄入矣。此即最普道之直接傳染。其他尙有因接吻而傳染，或奶娘哺乳而傳染，或因職業而傳染，如醫生產婆看護等其原因均以皮膚破裂，適觸病菌而感染者也。二間接傳染　已染梅毒之人與健康之人，雖不接觸，亦能藉媒介物體相傳染，凡溺器，便所，衣服被褥樂器，手巾，及種種器具皆爲傳染之媒。如甲男有梅毒，與一健康之女人交接，而此女人又與乙男相交，轉將甲男之梅毒，傳染與乙男，而此女人自身或因無破傷之處，反不傳染者亦有之，涉足花叢者，可不愼歟。

症候　第一期硬結　第一期局部發生之梅毒成一硬結。形狀大小不一。小者如黃豆，大者若毛錢，有正圓有腰圓形，單獨一個，決無多生，男則生于龜頭頸內，繫帶，色皮內外等處，女則生于小陰唇，陰核，陰道等處，生于外陰部者較少。當硬結發生後一二星期，其附近之淋巴腺亦發生腫脹。因梅毒感染以陰部爲最多。故腫脹之腺亦以大腦根部之鼠蹊腺爲尤甚　此種腫脹之腺，既不疼痛又不化膿，稱爲「無痛橫痃，」再經過六七星期，全身淋巴腺腫脹。即至第二潛伏期。

第二期梅毒　先有各種前驅症，如貧血瘦削，頭痛暈眩，心悸亢進，不眠症，神經痛關節痛　消化不良等。在未發生之前數日，其症狀每晚體溫約在三十七度五至四十度之間，次晨即退，發熱之後，皮膚出疹，約分

(一)薔薇疹　其好發部在胸背皮頸部關節之屈曲面，次爲四肢手掌，和蹠等處。其疹之大小不一，小如綠豆，大者如豌豆，有圓形，有橢圓形，其平坦

與皮膚表面相同。或稍隆起。初爲桃紅色，漸漸加深，變爲暗棕赤色，或散生，或密生，但均不相連，與他種紅班不同。其特徵已不疼痛，亦不覺痒。

（二）丘疹　丘疹發生，較薔薇疹稍遲，亦有同時發生者。初時皮膚中發生小結節，或由薔薇疹變成如球形者。在皮膚表面上稍稍隆起，扁平而有光彩，小者有如粟粒，大者若黃豆不等。初爲赤棕色，後變黃棕色，不痛癢，不灼熱，其症狀如下。1梅毒大丘疹。大血疹之好發部爲背部胸腹兩旁，或四肢屈側爲最多。若在左臂發生一個疹子，則右臂同一地方，亦發生一個疹子，迨後漸漸變成扁平，色仍不退或鱗屑狀，倘有因所發生部位之不同，而另呈特別形狀者，計兩種，一爲扁平濕疣，一爲掌蹠乾癬。（甲）扁平濕疣爲第二期梅毒最多之症，其色灰白，或帶紅褐色之疹子，小者如豌豆，大者若錢文，聳起在皮面上，硬而有彈性，分泌一種稀薄液或膿汁，含有臭氣，皮膚或常溼潤，男多生于陽物下面，大腿兩窩，外腎皮，會陰部及肛門周圍等處。（俗謂之沿肛楊梅）女則生于陰部，大腿夾縫·會陰·肛門周圍諸處。不覺痛苦，若運動摩擦，或女子溺尿溼潤時，畧覺疼痛也。（乙）掌蹠乾癬爲手掌與足蹠之皮膚所發之疹。

其疹狀大如綠豆，爲赤棕色，並不隆起，該疹之中心有光澤之白屑，周圍濕潤，迨後屑落遺留紅斑2梅毒小丘疹。初時全身發熱。發疹處稍有痛癢，色似好銅，大如米粒，高起在皮膚之上，疹頂似有小膿點，治愈後有膿屑脫落，好發部爲腹背，四肢，關節曲屈面，頸部髮際顏面，陰莖，和陰囊等處。患者若體質虛弱，輒發此疹，亦爲惡性梅毒之一種。

(三)膿疱疹　膿疱疹大都由薔薇疹變成，亦爲梅毒之重症，分爲三種：1小膿疱梅毒，有早發型，晚發型兩種，前者發生散漫，都生在軀幹與四肢屈側，後者聚合成簇而生，在于腋窩關節屈側等處，當發疹前兩三日晚上，全身發熱。待疹發出，則熱亦退，再過幾日，頂點化膿，應即醫治，若小膿疱變爲大膿疱，則醫治更難矣。2痘瘡狀之梅毒疹，爲梅毒中極重之症候，全身發熱，骨痛頭痛，甚爲劇烈，其疹狀有如綠豆者，有如豌豆者，甚爲緊張，形似天然痘，故曰痘瘡。3大膿疱疹，大如銅圓，不久與第三期潰瘍相併，侵入皮膚內層深部，再結痂皮，疹之中心，層層相疊，類似蠣壳，故曰蠣壳狀梅毒。

第三期梅毒　梅毒從第二期至第三期，少則一二年，多則十數年，最久竟有隔数十年而復發者。但感染二三年發作爲最普通，尙有在六個月後發作者。謂之奔馬梅毒。梅毒一入第三期，即施其破壞工作，非常猛烈，極力侵害身體全部之組織。如皮膚，肌肉，骨骼，關節，腦脊髓，內臟等，莫不被害，玆將各部之症狀畧述於左。

第三期之護膜腫，約分兩種症狀。一爲淺部護膜腫，生在皮膚淺層，直達外面者；一爲深部護膜腫，生在皮下，上犯皮膚，下侵深層者，大都淺部先發，深部較晚。

淺部護膜腫，好發部爲面部，口唇，鼻翼，肩胛，四肢等處，從發生至消退，並不痛苦。其形大如豌豆或榛實，有球形或半圓形，生在淺層皮膚內，爲稍硬之疹，初是紅色，後變棕色，發育甚緩，消散亦慢，如治愈一個後，每在其近處，又生新硬結，繼續不斷，故謂之「匐行梅毒結節」其結節亦有軟化或潰爛者。

深部護膜腫，大如核桃有若鷄卵者，至多不過二三個生于皮下深部之結締織內，由赤色而漸變爲棕色。其疹初時甚爲堅硬，後漸軟化潰破，分泌液體，粘如樹膠，故又謂之樹膠腫，周圍不見濕潤，遂成極深之潰瘍，若再不急治，則後來必遺留醜悪之疤痕矣。

以上所逑三期梅毒　分別症狀，僅就普通常見者擇其一二。至於各臟器發現特異之症狀者種類繁瑣，非片言所能賅括，自有專書備考，不細分逑。要之感染梅毒者，若放任不治或治，不得當，或病毒已深而始求醫治，均足以遺害終身，如發於眼則盲，或眼瞼外翻；發於耳則聾，或劇烈耳鳴，發於口鼻，則鼻爛唇缺，毀相變形。發於頭項則開天竄，其臭無比，發于咽喉，則咳嗽音啞，嚥物困難，發於毛髮，則眉毛，鬍鬚，頭髮，陰毛等盡皆脫落，發於骨骼則骨質鬆脆，或成骨瘤，腐骨疽等，發于關節則不能活動，或手足等關節漸漸分離，發於爪甲則爪甲無光或脫落，發于腦脊髓，則痲木不仁，或成狂疾，若發於內臟，則病勢猖狂，其狂暴之病毒，不堪收拾矣。

治療　每日灸曲池心俞手三里等穴。

本醫師發明一種特效藥，試驗成功，因藥名各地不同，且用法不慎，要生危險，故不宣佈。

3 睪丸及副睪丸炎

原因　從外傷惹起。或淋疾之經過中。就中以尿道淋續發副睪丸炎者最多。又轉移性炎症從流行性耳下腺炎多發性關節僂麻質斯等發生者亦有之。

症候　淋濁性副睪丸炎爲主。在淋濁發生後第三週或第四週。多突然發現。而局限于一側。此際患者惡寒發熱，頭痛。所患之副睪丸，發劇甚之疼痛。延及精系。放散于下腹部。薦骨部大腿部等。副睪丸甚腫大。幾達手拳之大。發赤浮腫。足硬殼狀之腫瘍。至睪丸之囊。按壓之疼痛劇增。

治療　針灸通谷束骨大腸兪三陰交氣衝中極湧泉。

4 遺精症

原因　本病通常從手淫。暴行。房事過度。及淫慾亢進而來。又發自尿道淋疾。包莖痔疾等反射的。或有脊髓癆。脊髓炎神經衰弱症，男子歇斯的里等而來。

症候　遺精之輕症者。夜間一個月一二回。陰莖微勃起。夢與人淫事，成快感。致漏出精液。精液漏出後，不論輕症重症總感身體之疲勞。頭痛暈眩。心悸亢進。神思不振。甚至記憶力減弱。食思缺乏。消化不良。健康之男子雖遺精無此現象。

治療　夜夢遺精　針心俞白環俞腎俞灸中極關元三陰交合谷中封。

無夢自遺或動念即遺不拘晝夜慾念頓生即行遺洩　灸精宮腎俞關元中封

5 陰萎

原因　從陰莖氣質之變異而來。即陰莖發育不全，或生腫腹。睪丸炎疾患等。又房事過度手淫精神衰弱症併發。

症候　本病初期尚有不完全之勃起。淫心發動。未及交接。早先射精。而陰莖忽萎。或在交接中尚未到射精快感而漸次陰莖已萎。病增進時勃起全缺乏。淫慾或減或絕。延至與諸般之神經症疾患併發。

治療　腎俞氣海俞少腸俞命門關元。

6 陰囊水腫

原因　急性陰囊水腫從外傷。淋毒性副睪丸炎及睪丸炎而續發。慢性從急性而轉。或因發急性症之原因而起。

症候　急性症潮紅腫脹。或發疼痛。伴以發熱。慢性症陰囊之彈力性。腫瘍性呈腫脹。

治療　針曲泉中封商邱大敦灸中封太冲商邱。

七　榮養病

1 腺病（瘰癧頸癧）

原因　此症有十三四歲以下男女所多見之全身病也。而有先天及後天性之別。但其病毒同一而爲結核菌。其他榮養不良。溫地居住。及空氣不潔等。爲之誘因。

症候 體質薄弱。(遲鈍性者皮下組織脂肪多。顏面如腫起。而其色蒼白。口唇肥厚。又過敏性者。顏面細長。皮膚菲薄。易潮紅。皮下靜脈可透見)。皮膚苔癬。及痒疹。耳漏。結膜炎。眼瞼炎。角膜病。鼻炎，羞明齲齒。脊椎骨瘍。白腫。胯鬪節炎諸症。

治療 1 尾骶骨上四指闊的地方爲灸穴。以大艾炷灸十餘壯，覺灸火自腰入腹。自腹入四肢。全身關節有非常舒暢的情形。輕者一次愈。重的隔一月或半月再灸，即三次四次亦無不可。至愈爲止。

2 在少海穴用當門子一分，分裝艾絨如釘鞋齒大者三團中灼之。如艾不能着肉，稍用粘性物貼之。待三火將了時以手按其灰。然後貼以普通膏藥。聽其自爛自愈。不爛者不治。左患灸左。右患灸右。一次即可。三月內禁食硝性物。

3 百勞灸三七壯至百壯。肘尖百壯。第一個以針貫核正中以雄黃末拌艾灸之。

4 針少海 灸天井瘈風。

2 糖尿病 消渴

原因 爲遺傳麥酒過飲，粉食或甘味坐食。吸烟，精神過勞。梅毒。頭部外傷。腦疾。及膵臟疾患。

症候 善飢善渴。咽頭乾燥。排尿過多且頻繁。夜間尤甚。其尿澄淸如水。而含有多量糖分。此外倦怠。頭痛、不眠。皮膚枯燥及瘙癢。癤腫癰。色慾減損。神經痛昏睡。

治療 心胸煩熱。大渴引飮。飮不解渴。小便淸長。 針人中承漿神門然谷內關三焦俞。 灸關元氣海。

多食善飢。不爲肌膚。少便多而味甜。 針中脘三焦俞胃俞太淵列缺。

煩渴引飮，小便多而渾濁腿膝枯細。面色黧黑 針然谷腎俞腰俞肺俞中膂俞。

3 白血病 脾大

原因　爲寒冒。月經變常精神感動。間歇熱。肺兪脾淋巴腺骨隨之損傷爲疾患。下肢充血。慢性下痢結核等。而丁年以上貧男發此病最多。

症候　以白血球非常增多爲主徵。即脾性白血病。其脾肥大。作硬固一大塊。骨髓性白血病。發胸骨痛。淋巴腺白血病則皮下及腹內淋巴腺顯呈腫脹。其他發全身倦勞。食思缺損。心悸頭痛眩暈失神皮膚弛緩。失色或瘙癢。惡液質。呼吸短促。下腹痞滿。衄血，下血咯血。腹水。浮腫諸症

治療　灸大椎至陽陶道脾兪胃兪間使與塊中。

4 貧血 血虛

原因　此症爲稀有之症。而原發性爲身心過勞。不攝生。妊娠大出血等。又續發性爲寄生虫。胃腸潰瘍。子宮肌腫。赤痢間歇熱等諸症。

症候　肌膚及黏膜呈蒼白色發頭髮脫落。爪甲肥厚。食思缺之。身體倦怠等。屢陷人事不省。其他有來骨關節疼痛。不整發熱。皮膚浮腫等症。又赤血球若減其數。血液成水樣。且變其形狀。血色素及白血球減少。

治療　灸尾骶骨上四指濶之地方爲灸穴。以大艾炷灸二三十壯。

八　運動器疾患

1 關節僂痲質斯白虎歷節風

原因　本病爲一種定期的傳染病。大抵每歲自十月間至翌年五月間流行。其原因未詳。而主要病毒，於心臟及神經起毒作用。感冒及濕潤。爲本病之誘因。

症候　十歲以上至四十歲之人多患之。爲多數之關節腫起。疼痛。摩擦音。發熱。煩渴　皮膚濕潤。尿呈强酸性。富于赤色沈渣等。其疼痛無定處。今日發于膝關節。明日則發于手關節。各日遊走性關節痛。急性併發心臟內膜炎及外膜炎。或胸膜炎者亦不少。慢性症每發于限局性關節雖無熱而時時反覆。終至其部之運動障害。

治療　灸臍中痛處

手痠痛　針曲池合谷肩髃

手連肩痛　針合谷太衝

手臂冷痛　灸肩井曲池下廉

鶴膝風　針陽陵泉陰陵泉

膝痛　針灸陽陵泉

脚膝痛　針足三里陽陵陰陵絕骨三陰交申脈

腿痛　針後谿環跳

脚跟痛　針內庭仆參

股膝內痛　針委中三里三陰交

諸節皆痛　針灸陽輔

2 關節强直及攣縮症

原因　由胎生時關節發育障害。持久性或强直性壓迫。脊髓側灣症。外翻膝。外翻足。神經中樞之疾患。及損傷。軟部火傷。創傷。及炎症等而起。

其他發于關節及其周圍軟部之炎症及損傷。而發結締織性關節强直。軟骨關節强直。骨關節强直假性關節之强直。

症候　因關節强直　而關節運動全然廢絶者。曰眞性關節强直。有因全身麻醉中而營運動者。日假性關節强直。又因攣縮而關節位置變常。及運動被其限制者。

治療　臍中痛處。

指攣痛　針少商。

臂頑痲　少商手三里天井外關經渠支溝陽谿腕骨上廉。

肘拘攣痛　針太淵曲池尺澤

手節急難伸　針尺澤

肘　攣　針尺澤肩顒少海間使大陵後谿

肘臂手指强直不能屈　曲池手三里外關中渚

手指拘攣筋緊　曲池陽谷合谷

足不能步　絶骨條口太冲足三里中封曲泉陽輔三陰交

脚胻攣急　金門邱墟然谷承山

足　攣　腎俞陽陵陽輔絕骨

3 筋肉僂痲質斯

原因　與關節僂痲質斯同。通例。多來于僧帽筋。三角筋肋筋間筋腰筋。

症候　急性以患筋之腫起疼痛始而肥大或萎縮終。其症候與關節僂痲質斯同。急性症有發熱發汗。而慢性症則全無熱候。疼痛。即有疼痛則僅限於局部一定之筋肉。而發身體各部游走性疼痛者絕少。

治療　灸臍中。局部痛處。

4 佝僂病（龜胸龜背）

原因　大抵爲三歲以下之小兒病。而多自生後。石灰鹽類及滋養分不足而來。又有先天性者。

症候　發脊柱轉位彎曲。顖門闊大。額形四角。胸部隆起。全身薄弱。步行及起立困難。下肢關節腫大壓痛。管狀骨灣曲諸症。又起下痢 嘔吐。頭部出汗。帶白赤色尿渣。皮膚蒼白及頑固性咳嗽等，其他兼發聲門水腫。腹部膨滿。淋巴腺腫者亦不少。

治療 龜背 肺俞
龜胸 乳根外邱

九 傳染病

4 腸窒扶斯 傷寒 小腸熱

原因及傳搬 本病係愛婓魯脫及皮格非兩氏所發現。腸窒扶斯菌存在於患者之腸內糞便尿及咯痰中。而直接從是等含有病毒之排洩物中，以手指觸之而變傳染，間接則以此等含有病毒之物混入食品，因攝取飲料水野菜等而感染。

症候 受傳染後經七日乃至廿一日，(平均十四日)之潛伏期，漸次來倦怠頭痛胃腸加答兒等之前驅症。其次來一二囘之惡寒而發起本病。以後熱度漸次昇騰。四五日以後，達于四十度之稽留。

下痢爲無痛性的，狀如豌豆汁。與便秘共多。腹部膨滿雷鳴，至第二週往往軀幹發薔薇疹。顔貌呈無慾狀。放譫語重聽。

輕症熱輕減少。三週之後復平溫。重症往往至腸出血或心臟痲痺而死。

但本症有不呈上述正規之症候者。往往有極不正之輕症狀經過（此稱不完全之窒扶斯）或者有誤認爲寒冒之經過者。輕症之輕重不一。健康者糞便中包有本菌。即所謂保存菌者亦多。

治療

一太陽症——頭身疼痛惡寒發熱有汗或無汗，不甚口渴舌苔白。發熱時仍惡寒渴喜熱飲　針風府合谷頭維風池風門

二陽明症——前額眼眶脹緊或疼痛。發熱不惡寒或微惡寒。壯熱煩渴。渴喜冷飲。口臭氣粗大便秘結　針二間合谷曲池內庭解谿。

三少陽症——頭痛在側。目眩耳聾喜嘔多吐。胸脇痛往來寒熱。口苦咽乾或利或不利　針中渚足臨泣期門間使竅陰中脘。

四太陰症——腹滿而吐。時腹自痛。白利不渴。手足微温或稟惡寒發熱骨痛　針公孫中脘少商隱白三陰交大都。灸隱白三陰交中脘章門。

五少陰症——挾火而動者。心煩不寐肌膚灼燥。少便短。咽口乾。針湧泉照海復溜至陰通谷神門太谿，挾水而動者。目眩倦臥聲息低微。不欲言。身重惡寒。四肢厥逆腹痛泄瀉。或不泄瀉。舌淡白而不渴　灸腎俞肓俞關元太谿復溜。

六厥陰症——張目直視燥燥不眠口臭氣粗四肢厥冷心胸灼熱或下痢膿血或喉爛血腐　針大敦中封期門靈道肝俞

四肢厥冷爪甲青黑腹中灼急嘔吐酸苦　灸肝俞行間關元中脘期門。

腹中痛攣四肢厥冷吐息交作飲下即吐　針中封靈道關元間使肝俞。

2 虎列拉 霍亂

原因 此疫由虎列拉菌之傳染而發。即自飲食物，如飲料水侵入于體中而來。故飲食不攝生，及有胃腸炎病者及寒冒等。皆能爲之媒介。

症候 單純虎列拉。下痢發腹中雷鳴。暴泄（一日六七次）倦怠。食慾缺乏。四肢厥冷。尿量減少。嘔吐煩渴。腓腸掣痛。脈搏細弱等諸症。或以數日治愈。或轉以重症虎列拉。

類似虎列拉。腹中雷鳴。忽然發水瀉及嘔吐。（吐物及便色皆呈米泔樣汁）泌尿減少或絕止。手足厥冷。皮膚蒼白。脫力特甚。脈搏細數。腓腸疼痛等。輕症以數日治愈。

眞性虎列拉。來于單純虎列拉。或類似虎列拉。又或有突然特發者。而起全身衰弱。體溫下降。脈搏細數。尿量減少或絕止。吐瀉無痛性米泔樣液。（一日二三十次）眼窩陷沒。鼻梁屹立。諸肌痙攣。（腓腸）大渴引飲。聲音嘶嗄。呼吸困難諸症。其他皮膚厥冷。而殆無彈力。撮之則留皺襞。且呈皮膚藍色。遂于數時間或一二日死。或有一二週而治者。又此症有不發下痢，名曰乾性虎拉列。

治療 1寒霍亂——腸胃絞痛或吐或瀉或吐瀉交作四肢厥逆汗出而冷面唇色青爪紫螺瘪腹痛轉筋兩目失神　針委中中脘合谷太冲內關內庭足三里承山灸天樞神闕章門氣海。

2熱霍亂——發熱煩渴氣粗喘悶。上吐下瀉。螺瘪肢冷躁渴不安，神識昏迷。　刺尺澤少商關冲少澤委中出血。合谷太冲大都曲池陰陵中脘絕骨承山素髎人中。

3乾霍亂——腹中絞痛欲吐不能吐，欲瀉不得瀉。爪甲青紫。煩躁不安。舌黃或白　針人中少商關冲十宣委中十指頭出血。合谷曲池素髎太冲內庭中脘間使絕骨。

3 赤痢

原因及傳搬 本病爲日本志賀博士所發現。因赤利菌存在于患者之大腸內及糞便中。其傳搬全與虎列拉同。

症候 傳染後經一日乃至五日間之潛伏期。即發惡臭之前驅下痢。或竟疝痛。下泄粘液血液性之糞便。惡寒發熱疝痛，便通之行數增，至有裏急後重之苦。經過良好者數日後下痢行數漸次減少而復糞様。但殘留永永下痢之傾向。

治療 腹痛下痢。靑白粘膩。　灸合谷關元脾兪天樞。

腹痛下痢裏急後重赤白相雜腥穢不堪日行數十行　針小腸兪中膂兪足三里合谷外關腹哀復溜。

痢下腹中覺痛。乍發乍止。面黃食少　灸天闕神樞關元小腸兪。

胸悶嘔逆。痢下不止。心煩發熱。飲食不下　灸神闕天樞小腸兪。

4 間歇熱瘧疾

原因 此症所謂瘧剌利亞曾於斯譔善之寄生物存在血中發之，而此寄生物，由蚊屬之一種，即亞納非列斯蚊螫刺人體以傳染者也。

症候　本病之發作分爲惡寒發熱。發汗之三期。即惡寒期(半時間或一時間)發惡寒戰慄脈搏頻數。(百搏至百廿搏)顏面蒼白或紫色。發熱期灼熱難堪。頭痛暈眩。大渴引飲。體溫昇騰達卅九度至四十一度。(約三時至五時)發汗期則出汗淋漓體溫下降。諸症消散。尿中含多量之赤色沉渣。比重甚高。

此病或日熱隔日熱。四日熱等之別。而其發作之持續時間。爲每日熱六時至十二時。隔日熱六時間。四日熱四時間。又脾臟腫大爲本病之所常見。

治療1但熱不寒肌肉消爍煩渴或嘔。　針太谿後谿間使陶道大椎。

2寒多熱少始而戰慄繼乃作熱煩渴逾數時汗出或不汗出而解　灸大椎間使復溜神道。

3寒熱日作或時作時止。飲食減少。脇下痞悶有塊。針灸章門脾兪塊中。

5 脚氣

原因　未詳。或爲由一種固有之黴菌傳染病。或爲靑魚科之魚肉中毒。或爲營養障害。即由飲物中含窒素物及炭素物之配合不得其適當。一說稱維他命缺乏。

症候　此症有乾性脚氣濕性脚氣及衝心性脚氣之別。乾性脚氣初發于足及下腿之知覺痲痺。次及上腿下腹口唇等。膝蓋腱反射消失。腓腸部緊脹壓痛。每行步困難。其他發心悸亢進。脈搏頻數。

濕性脚氣。爲乾性脚氣之外。兼發浮腫者。即初來足部下腿之浮腫。遂進及全身。

衝心性脚氣。兼發以上之症外。更發心臟亢進。脈搏頻數。呼吸通促。顏面蒼白。惡心嘔吐等。遂陷心臟痲痺而死。

治療1乾脚氣　針湧泉至陰太谿崑崙陰陵陽陵三陰交絕骨照海膝關委中、灸風市。

2濕脚氣　針灸足三里三陰交絕骨陰市陽輔陽陵。注意。按之熱甚則只針不灸。

3 衝心脚氣・灸足三里三陰交絕骨各數十壯。

十　婦科

1 子宮內膜炎帶下

原因　爲淋毒，分娩，產褥時不攝生，子宮疾患之變形，轉位、及筋腫等而發。其他手淫房事過度，感冒，月經時不攝生。亦易罹此病。

症候　急性病以惡寒發熱爲始，骨盤內有壓重之感。帶下初稀薄，後則爲膿性。慢性症月經時血量增加。外出血。帶下之變化，即爲玻璃樣粘液或膿汁，下腹部有疼痛，其他爲頭痛。食思缺損，消化不良，神經性胃痛等，又有併發精神憂鬱。歇斯的里者。

治療　三陰交陰陵泉腎俞關元中極八髎

2 子宮實質炎子宮癰

原因 急性症發于淋毒性子宮內膜炎，子宮創傷傳染病。慢性症概續發于他之子宮病。其他惹起子宮充血諸症。即分娩後子宮收縮不全時有房事過度手淫等則發之。

症候 急性症來惡寒。發熱。小腹劇痛。譫語。衰憊。濃汁流出。惡心嘔吐下痢。尿閉子宮知覺過敏。及腫脹等。慢性症起腰痛。便秘，尿意頻數。疝痛。子宮增大。白帶增大。白帶下諸症。

治療 針手足三里。合谷。三陰交。腎俞。八髎。中極。

3 子宮出血（崩漏）

原因 爲卵膜或胎盤片殘留，子宮收縮不全。息肉，纖維腫。癌腫等。

症候 經行後淋漓不止。或經血忽然大下不止。或非經期而下血甚多。或源源漏下不止。

治療 針灸氣海大敦陰谷關元太冲然谷三陰交中極。 灸大都穴三壯

4 子宮痙攣

原因　有器質的及官能的區別。

甲惡新生物，子宮之轉位，子宮喇叭管及卵巢之急性或慢性炎症，月經困難。及其他來自器質的疾患。

乙發于歇斯的里，精神之激動，舞蹈騎馬，蓄尿便秘，月經之前後，亦有因冷却濕潤勞動神經質者，或房事過度而發者。

症候　因子宮之神經器能亢進，起子宮之收縮而發痙攣。其初有下腹壓重及緊滿之感覺。其後薦骨部及下腹部發痙攣。延而波及股膝。其狀覺如灼如絞或如刺之疼痛。有球形狀之物體。向心窩上衝。腹筋攣急如板狀。多屈上體。往往有反射的嘔吐。或伴以胃痛。甚至有四肢轉筋。陷于人事不省者。然脈搏多無異狀，亦不發熱。此際觸診于腹部。子宮之接衝。恰似有腫瘍之感。因精神之感動。大小便之努責。便秘腸中瓦斯之集積。而增加疼痛。本病發于歇斯的里家及子宮內膜炎。

治療　針灸湧泉足三里三陰交

5 卵巢炎

原因　急性症爲子宮炎。淋毒蔓延。產褥熱。腹膜炎。子宮外膜炎。慢性症爲精神過勞。房事過度。膣加答兒，子宮內膜炎等。

症候　腸胃窩覺膨滿疼痛。壓之則疼痛增加。有惡寒發熱。又自膣及肛門探之可觸知卵巢增大。若炎症消散。則此症狀亦五六日而消散。若化膿則有膿流注于腹內。直腸膣及膀胱等其他發便秘，食思缺損。睡眠不安等。

治療　足三里三陰交合谷。腎兪。痛處。

6 月經過多

原因　因精神劇動營養不良。脂肪過多。肺結核等而發。亦有因心臟肝臟及胃之疾患及生殖器疾患（尤以子宮轉位）新生物慢性炎症或舞蹈騎馬等之刺戟性，或在月經時因步行而致血液輻輳於骨盤內來者。又有因短年月間反覆分娩或流產。及房事過度等而來者。

症候　月經過多者。月經多量劇甚。超越于常量。有害健康之症也。尋常月經之量。依各個人而不一定。但其標準。個人自己可以判然而得。若在月經期中。來多量之出血。或忽然中止。又忽越出常規。荏苒持續。費多多之日數，或月經頻數而來。月月數回。致影響于全身而起貧血。發白帶下。知覺過敏。於是而發頭痛，嫌忌影響異狀之臭覺等，至其末期或與疼痛併發。或來高度之貧血。而老婦尤常起惡液質焉。

治療　針隱白三陰交　灸右大都穴三壯。

7 月經困難 經痛　經行腹痛

原因　一器機的月經困難。由子宮筋腫。又子宮外口狹窄或不全。致一時妨害經血之排出。二充血性或炎症性月經困難。爲子宮內膜炎，子宮周圍炎，卵巢炎。及其他滲出物腫瘍而來。三神經性月經困難。因精神過勞神經衰弱等而發。

症候　多于月信前二三日間發前驅症。即全身違和。頭痛胃痛惡心嘔吐食慾不振不眠等，神經性者。月經來潮時則諸症頓時緩解或消失。又於炎症性與出血共同開始。而病狀多獲輕快。器機的月經困難，出血增多則症狀增進，出血減量則症狀漸次消失。

治療　針內庭三陰交氣海。

8 月經閉止

原因　因萎黃病。腺病。結核。糖尿病。腎臟病。藥劑中毒。肥胖病。精神病。生殖器疾患。子宮疾患。精神激動等而發。

症候　例期無月經。或中途閉止。月經時發腰痛。頭痛。胸內苦悶。消化不良等。

本病爲代償機能，而因衄血咯血吐血等，往往得症狀輕快。

治療　針合谷三陰交地機血海。

9 膣加答兒

原因　由淋疾外傷或房事過度其他子宮炎症性疾患而來。慢性症由急性症移轉

症候　膣之粘膜腫脹　且呈赤色腫痛。次第增加。則局部覺有熱感。流出膿樣分泌物。其他來腰痛。全身倦怠。食思欠缺等。

治療　白環兪關元三陰交長强中髎

10 不孕

原因　男子精蟲缺乏，精蟲減少。女子性交時的快感缺乏。子宮肥大。卵巢機能障害。性交過多。

症候　依時性交，但不能受孕。

治療　針上脘陰交灸陰廉神闕關元中極商邱子宮。

11 妊娠惡阻

原因　妊娠後二三個月。而起妊娠婦之嘔吐。其原因稱妊娠中毒。

症候　顯著的嫌忌食物。常催惡心。進以流動物之飲食。竟致逆吐。然若與固形物共食。或反之純進固形物。反容易收入。精神多亢奮。嘔吐久之。每數日斷食。而發頭痛。身體遺和。不眠等。

治療　針內關中脘灸間使。

12 流產癖 半產

原因　爲梅毒。淋毒。熱性病。胎兒畸形。臍帶異狀。又卵巢之疾患。身體發熱。貧血。子宮後屈。子宮內膜炎。子宮發育不全。生殖器疾患。骨盤歇窄。精神感動。藥劑中毒等。

症候　發四肢倦怠。食思缺損。尿意頻數。及腹部壓重下垂。來子宮出血。而此出血初爲點滴狀。或爲多量。次發陣痛樣疼痛。出血益增下。終排出卵膜。

治療　關元左右各開二寸灸二十壯。或中極旁各開三寸灸之。

13 產病

原因　運動欠缺。營養不良。以致產時骨盤不開。及無力奴責。

症候與治療　1 生產數日不下　針合谷三陰交太衝崑崙。灸至陰。

2 橫生手先出　灸足小指尖三壯。

3 胎死腹中　針三陰交合谷太衝。

4 胞衣不下　針三陰交中極照海內關崑崙。

5 產後流血不止　針肩井三里三陰交支溝關元神闕。

14 乳腺炎

原因　因乳房之裂傷。咬傷。潰瘍等。致釀膿菌侵入于乳腺內而發炎。此大多發于授乳中之婦人。姙娠及處女發者甚少。

症候　乳房內生硬結。甚疼痛。其後加腫脹潮紅等。遂呈波動。若放置之能自潰而出膿汁。但在輕症，每不化膿而消散。重症則每伴以惡寒及高熱。

治療　肩井乳根膻中大陵少澤委中三里

15乳汁不足乳閉

原因　爲另樣體質，乳腺發育不全。全身衰弱。營養不給，精神感動，食事變換身體過勞等。

症候　乳汁分泌過少。

治療　針少澤灸膻中乳根。

十一　兒科

1臍風

原因　由于斷臍時剪刀不潔。或包臍時不小心。破傷風菌作祟所致。

症候　小兒生七日內　面赤喘啞。吮乳口鬆。两眼角挨眉心處忽現黃色。臍上有青筋一條。上衝心口。或牙齦有小泡，須用藥棉裹指擦破之。

治療1臍上有青筋朩至心口時、急用小豆大或麥粒大艾炷在青筋頭上灸之。此筋即縮下寸許。再從縮卜之筋上灸。此筋即消而病愈矣。

2用燈心蘸香油燃火於顖門人中承漿兩少商各一燋。臍輪繞臍共六燋。臍帶未脫於帶口燒一燋既脫于脫處一燋

2小兒急癇 急驚風

原因　從恐怕驚愕號泣日射病後或消化不良腸寄生虫生齒困難便秘。及其他肺炎。麻疹急性熱性傳染病等而來。或起于吾人常常飽食下痢伴以熱候者。於小兒之胃腸症常常遭遇之。

症候　急癇發作，恰無異於癲癇發作。眼瞼運動停止。眼球回轉，眼睜固定。牙關緊急或齘齒、其始顏面軀幹四肢痙攣。其後來全身之間代性痙攣，伴以痙攣性呼吸。及發汗等。發作之持續，數分時而醒覺，一回發作既終，又以原因而再發。如此反覆見之。

治療　針少商曲池人中大椎湧泉中脘委中印堂承山百會。

3 結核性腦膜炎慢驚風

原因　本病從全身粟粒結核、肺結核、結核性肋膜炎。淋巴腺結核及生殖器結核之臟器結核而續發。即結核菌之感染于軟腦膜者，其部發生結核病竈。最多發于十歲以下之小兒。尤以二歲至七歲時發生爲多。

症候　本病每常有前驅症狀。即患兒從來恬活者，忽然覺頭痛感違和。不喜遊戲。食慾減少。嘔吐下痢。便秘。不眠或嗜臥。顏面蒼白。有不定之發熱。其後持續數日或一二週。常不能判別其爲何病。其後次第增重。成爲腦膜炎性刺戟症。即精神朦朧。項部強直。譫妄痙攣。瞳孔甚大。及反射遲鈍。知覺過敏。其後精神次第昏朦。時時號泣。使两親起不忍的心情。此名腦膜炎性號泣，便通多秘結。發嘔吐。腹部顯著陷沒。其始脈搏減少。且不正。其後頻數。呼吸多迫促。體溫上昇。又有降于常溫以下者，至病之末期則甚上昇。終至意識完全消失。昏朦之狀漸深。痲痺著明。顏貌憔悴。甚形羸瘦。

至此時期忽似呈輕快之貌。而有一線之望。其後再陷于昏睡。强直消失。嚥下困難。呼吸不正。脈搏頻數。終因心臟痲痺而死。其完全經過時間爲一二週乃至三週。

治療　針十宣列缺上中下脘足三里委中印堂人中中衝合谷頰車。灸關元天樞大椎神闕。

4 夜驚症

原因　本症爲三歲乃至六歲之小兒。因過食或消化器能之不調。及精神感動如圖畫怪談，或常時間之乘坐電車汽車或高度之音響等，精神受過度之刺戟。而虛弱神經質與貧血者，尤多發焉。又扁桃腺肥大鼻咽喉之腫瘍等，亦爲本症之原因。

症候　大多于就寢後一時間及至三時間突然號泣醒覺，甚致呈驚怖之狀。或似有覺。或似無覺。精神昏亂。或甚起坐狂噪經慈母之撫慰。而仍不知其在夢中也。如斯亘十五分乃至一時間。此種發作。一夜間反覆再來者甚稀。太多不過每夜二回。或一週二三回，或一月二三回。

治療　灸百會三壯

5 兒消化困難症 猴子疳

原因　以不良之乳汁。不適當之食物。飽食過飲。牛乳濃厚。食器之不潔等而來者最多。其他授乳者之精神感動。心身之過勞，熱性症，下痢，月經等。與早生兒，貧血腺病質之小兒，亦易罹本病，本病爲吾人日常最多遭遇之疾病。

症候　面黃肌瘦，不思飲食。腹脹溲赤，便溏消化不良。搔鼻搔手啼哭無常。潮熱無定。其特徵爲两手四指中節紋內呈有紅色絡紋瘀點一二粒。

治療　針其两指中節紋內之瘀點約一分深，流出黃色稠黏之濃液。以棉拭淨至出清血爲度。

十二　牙科

1 齒痛

原因 爲齒牙骨瘍及寒熱之刺激等。

症候 齒痛有輕有重。有上岢牙痛。有下岢牙痛。

治療 上岢牙痛 針合谷太淵人中內庭。

下岢牙痛 針合谷列缺承漿頰車內庭。

蛀齒痛 針合谷，齒孔中塡入樟腦少許。

2 齒齦炎

原因 口內炎。壞血病。水銀中毒。

症候 齒齦腫起疼痛。粘液唾液之分泌增加。放惡臭等。

治療 針合谷頰中內庭灸太谿陽谿

十三 眼科

1 加答兒性結膜炎

原因 急性症多於春秋二季流行，其他由夜中不眠。異物竄入。摩擦外傷。鼻加答兒及顏面炎症之波及。痲疹。猩紅熱等而發之。慢性症由急性症轉來。或因不潔空氣。眼瞼腺炎睫毛亂生等。而發此症。又老人易罹慢性症。

症候 急性症眼瞼呈赤腫。熱痛。瞼線糜爛。結膜充血。腫脹。（在重症則發結膜浮腫及結膜下出血。）而眼脂溢出 晨起身膠着上下睫毛。慢性症雖如急性諸症。然結膜弛緩。呈暗赤色。分泌爲少量。

治療 目赤不甚痛　針目窗大陵合谷液門上星攢竹絲竹空。

目赤有翳　針大淵臨泣俠谿攢竹風池，合谷睛明中渚。

目赤腫翳羞明隱澀　針上星目窗攢竹絲竹空睛明瞳子髎合谷大陽內迎香

目赤腫痛　針神庭上星顖會前頂百會光明地五會。

目腫痛睛如裂出　刺八關十指尖。

目赤痛不腫　針合谷手三里太陽睛明。

目痛不紅　針二間三間前谷上星大陵陽谿。

目背急痛　針三間。

2 角膜炎

原因　爲結膜炎腺病。梅毒。急性傳染病。外傷及其他眼之諸病。

症候　角膜溷濁。脈管發生羞明。流淚、疼痛。及水泡發生。潰瘍等。爲其主要症狀。

治療　迎風流淚　針頭維睛明臨泣風池灸大小骨空

冷淚自流　灸肝兪百會風池後谿大小骨空

3 夜盲症（雀目）

原因　本症發于網膜外層之疾患。營養不良。神經衰弱症，產婦黃疸等之場合。眼底不抱何等障害。而多來本症。

症候 眼之外部及眼底。不異於常。對于弱光視力頓衰。若遇薄暮或採光不充分之時。視力甚形障害。甚致與盲者無異。雖用燈光。亦漸漸不能讀書筆記。

治療 纔至黃昏便不見物　針上星前頂百會睛明出血。灸肝兪照海。又手大指甲後內廉第一節橫紋端白肉際灸三壯。

瞳神如常無或缺損日間亦視物不見　灸巨髎肝兪命門針商陽出血。

忽然視物不見，必急睡片時始能見人物。然亦不能明辨　針攢竹前頂神庭上星內迎香出血。

睛黃視眇乾澀昏花或螢星滿目起坐生花　針頭維三里承泣攢竹目窗百會風府風池灸肝兪胃兪。

4 角膜翳 翳膜

原因 爲角膜炎。角膜潰瘍。角膜營養障害。外傷。經久刺戟等。

症候 角膜由脂肪變性。結締組新生。或石灰鹽類之沈着等。而生溷濁。障害視力。其白色不透明者曰斑。特帶灰白色而透明者曰翳斑。又虹彩與白斑癒着者曰癒着性白斑。

治療　針肝兪睛明四白太陽商邱厲兌出血灸肝兪命門三里光明翳風

十四　耳科

1 耳聾

原因　國醫以肝胆之火。腎氣之弱。勞傷氣血。風邪襲虛，遂致暴聾。精脫腎憊。肝氣虛衰遂致重聽。

症候　兩耳重聽。其聲嘈嘈。久則不聞聲音。

治療　耳暴聾　針天牖四瀆。又以蒼朮長七分。一頭切平。一頭削尖。將尖頭揷耳中。於平頭上灸七壯。重者二七壯。覺內熱即止。

耳聾實症　針中渚外關和髎聽會聽宮合谷商陽中衝金門臨泣

重聽無所聞　針耳門聽會聽宮風池翳風俠谿

2 耳鳴

原因 國醫以肝胆之火挾痰火而上逆。亦有因肝腎虛者。

症候 耳鳴如蟬噪不休者屬實。若其鳴泊泊然，霎時散。而霎時復鳴者屬虛。以手按之而不鳴或少減者屬虛。按之而愈鳴者屬實。

治療 耳內虛鳴 針足三里合谷，灸腎俞足三里。

耳內實鳴 針液門耳門足臨泣陽谷後谿陽谿合谷大陵太谿金門。

耳鳴不能聽遠 灸心俞五壯。積灸至三十壯。

3 鼓膜炎

原因 起于鼻及咽頭急性加答兒或急性傳染病。

症候 耳內生膿時感耳竅閉塞。

治療 耳紅腫痛 針聽會合谷頰車。

出膿水 針合谷臨風耳門。

十五　外科疾患

1 癤　腫疔

原因　釀膿菌於皮膚不潔時深浸入于毛囊孔發之。而以顏面頸項及四肢臀部爲多。

症候　皮膚發焮赤。疼痛，爲圓錐形隆起。而其項可見膿栓頭。

治療　針　身　柱　合谷曲池委中臨泣服野菊花汁一杯。

疔生在嘴角　針背之反對側紅點出血。

疔生在口之四週　針委中出血。

2 壞　疽脫疽

原因　由器械的作用(壓迫)化學的作用(　酸作用)動脈血流通障害(心病動脈病)發之。

症候　壞疽痂皮起軟化或腐敗。其壞死部呈暗紅色或黑色。失知覺及運動。生水疱。包血樣漿液。遂潰敗放惡臭。發壞疽熱（脈搏細數。屍臭。發汗。煩悶。失神。呃逆。呼吸困難。嘔吐。下痢。皮膚黃疸色）。

治療　針曲池身柱委中。

用大蒜樁爛安于瘡上灸之。痛者灸至不痛。不痛灸至痛時方止。

3 疥　癬

原因　由疥癬蟲之傳染發之

症候　此症好生于指間。指側。肘。腕。膝等之關節部。遂蔓延于全身。極稀發混。小水疱狀。雷疹狀。及膿疱狀之疹。最感搔癢。（夜間臥後身體溫暖更甚。）由搔破而剝脫。又續發溫疹。

治療　灸血海膈俞血海各十壯。

4 天 泡 瘡

原因 小兒最多罹此症

症候 皮膚發炎。其部生豌豆大至鷄蛋大透明水泡。次自潰靡爛。而生濕潤面、遂蔓延于全身皮膚。大陷衰弱。又或有發熱。

治療 針血海委中。

5 攝護腺炎

原因 大牛由花柳場中得來。

症候 攝護腺部發生炎症。紅腫生膿。癢痛不止。

治療 針三陰交中都復溜血海下巨虛。

惠陽縣黨，政，軍，學，醫，商，各界名人的介紹詞

介紹名醫

曾君天治，中國鍼灸醫學專家也。治病不用藥，只用鍼刺艾灸，無論男婦小兒內外病症，及藥石無靈之沉疴痼疾，都能於最短時間，根本剷除。前在上海開業，活人無算。返省後未及年一，經治愈沉疴痼疾六七十種。茲由第一集團軍總司令部特務營營長梁季平先生敦請來惠州，以治親友之病，未及半月，亦治愈藥石無靈之症凡三十種。現曾君應本市病者之請求，在萬石路五十四號開設治療分所，規定時間，在所應診，同人等知其學識淵博，手術精巧，且存心濟世，故樂爲之介紹，俾各界男婦老幼有患頑病者，知所問津焉。

介紹人 譚晴午 梁季平 廖計百 楊啟明 余道元 秦序東
劉秉綱 韓慶盛 何芬辰 王仲立 李智光 王映樓

中華民國二十四年三月

曾天治醫生寓惠州萬石路五十四號 廣州萬福路三五三號二樓

（現已返省不在惠州）

病者送來的紀念品之一

榆彬久患頭痛屢醫不效深以為苦幸得曾天治醫師針灸療治施術二次病霍然愈收效之速有不可思議者爰志片言用申謝意

起人復生

惠陽譚榆彬敬贈

病者家人鳴謝函之一

國民革命軍陸軍第一軍第二師司令部用箋

第　頁

天治醫師仁兄惠鑒：一昨敝眷蒙施鍼灸，現撥剩秦氏之肚臍痛、腰痛，側室沈氏之瘧疾胃病，小兒師盛之小腸氣，師陽之鵝喉，小女靜菱之腦病胃病，均同時痊愈。數年積疾，一旦蠲除，喜可知也。吾兄術參化幕，奇驗漸腸，得三世之會通，操十全之宜際，滌佩之餘，載殷感謝，謹泐，順候台祺。弟王俠樓

中華民國廿四年六月三日

王先生現為明德社講師寓越華路八十二號

鍼灸醫學大綱刊誤表

印刷本書時，編者適往惠州治病，未能再三校對，故錯字不少。茲細閱一過，把錯誤之字錄出，附刊於此，請閱者一一改正，然後研究。又瘍字常排爲「瘍」，疽字常排爲「疽」，鍼字常排爲「針」，脘字常排爲「腕」，小字常排爲「少」。瞼字常誤作臉，攣字誤作挛，請特別注意。

頁	行	字	正	誤
第一編				
五	五	廿五	膏	膠
第二編				
二	四	二	中樞部	樞中部
四	八	十	經字下漏排「之」字	
五	十三	六	副字下漏排「行」字	
六	三	六	椎	髓
六	三	十五	柱	椎
七	九	十	右	上
八	一	五	腦字下多一「部」字	
八	一	八	經字下漏排「及」字	
八	二	六	管字下漏排「之」字	
八	七	廿四	部字下漏排「者」字	
八	八	十八	「者」字多排	
八	十三	廿五	端	方
十二	八	十九	數	散
十三	十	一	濃	膿
第三編				
一	三	十六	足胃	胃足
七	八	一	青黛上欠2字	
八	八	九	半	五

刊誤表 一

刊誤表

十	四	九	間	間
十	四	廿	腕	腋
十一	十四	十五	則	行
十三	五	二	腸	陽
廿	三	十八	風	空
廿	三	廿三	乘	乘
廿六	二	十三	央	夬
二六	十	七	小	少
二七	五	廿一	提	促
廿九	九	廿一	寒	塞
廿九	十一	卅	臂	肩
三四	四	一七	疸	疽
三四	五	一九	小	少
三九	一	十九	或	或
四〇	二	二	太	大
四〇	十	十六	少	小
四一	四	一一	太	大
四一	十四	六	癲	癲
四二	八	廿七	痛	病
四四	八	五	寸	分
四七	十	一七	癲	癡
四八	八	七	冷	痛
四九	一	三	都	封
五〇	一一	六	陰字下漏排「器之」二字	
五六	六	十三	洞	泄
五九	二	二	水	氷
五九	二	十五	寸	下
五九	十	廿	瘤	疒
五九	十一	六	蜇	瘥
五九	十四	十	行	下
六〇	一	十五	疸	疽
六三	一	六	瘛	瘈
六五	三	六	戶	府
六五	十二	二	睛	晴

二

刊誤表

六八	十三	三	疸	疽
七〇	五	一九	疸	疽
七〇	十四	二〇	疸	疽
七二	三	一七	多排濕字	
七二	十	十	多排「腰」字	
七四	六	十八	熱	熟
七四	十一	二	忍	息
七四	十四	二一	月	目
七五	三	二二	濁	瀉
八〇	八	三	寒	寥
八〇	一三	一	痞	疝
八一	十	二一	軌	蚓
八二	十	十一	64	54
八三	一	十	癲	癱
八四	十四	一五	青	赤
八六	二	八	腫	痛
八八	二	七	灸	炙

九一	一	三	俛	俯
九一	八	二五	皐	睪
九六	七	一一	臏	脘
九七	二	一六	瘨	癲
九七	六	一一	上	下
九九	七	一九	多排「脫」字	
一〇二	一〇	七	盖	美
一〇四	六	一〇	頂	項
一〇四	七	二二	分	會
一〇六	九	九	脊	發
一一〇	十	五	塞	寒
一一一	六	二九	渴	清
一一二	九	三	列	到
一一二	九	一七	大	太
一一三	七	八	土	火
一一四	四	六	太	大
一一四	八	三	兌	元

三

刊誤表

一一四	十	十四	谷	各
一一五	五	一二	出	行
一一五	五	三〇	脈	𧖴 本版四脈字同
一一七	七		間使後漏排「寸」二字 筋內誤排筋外	
一一八	十	七	七痏誤排「七痕」	
一一九	一		夾字下漏一「脊」字 橫字下拉字應改「扯平」二字	
一一九	四		「青靈」二字應排入第五行地位	
一一九	十		隱字下白字誤排曰字 三字下交字上漏排「陰」字	
一一九	一三		人迎誤爲人迫	
一二〇	三		第二格漏排「神闕」二字	
一二〇	四		第三格多排「上星」二字	
一二一	六	十	夬	夬
一二三	一	三二	之	于
一二三	三	三四	焉	乎
一二三	一三	一四	余	實
一二五	六	三	升	外
一二七	八	三二	較	轉
一二八	三	十	酌	配
一二八	一三	三三	合字下漏排「谷」字	
一三二	一	三	內關手	內手關
一三四	二	五	在	於
一三五	七	一七	正	止
一三五	九	三	谷	各
一三五	一四	二六	岑	岑一三六頁同
一三六	二	二九	谷	各
一三七	三	一二	法	特
一三七	十	八	治	海
一三八	二	一三	樞	椎
第四編				
一	七	一五	之	日
二	六	六	成	或
二	六	一六	磨	摩
二	十	二五	尖	滑

刊誤表

六	三	四	法	術
七	一二	六	方字下漏排「向」字	
八	三	一六	手	右
八	四	二	於	以
八	八	二六	移	轉
八	一二	一七	其字下漏排「押手二字」	
九	九	七	病	毒
一一	四	一三	鍼	戟
一二	四	二七	強	弱
一二	七	一七	針	戟
十二	九	二	腹部下漏排「顏面」二字	
一三	八	二六	滲	濇
一五	四	一四	自	目
一五	一二	一三	轉字下漏排「向」字	
一六	四	六	出	去
一七	五		兩而字誤排「面」字	
一八	六	二一	去	法
一九	八	八	多字下應加一「因」字	
二二	三	十	則	且
二五	一一	一二	潤字下漏排「一尺」二字	
二五	一四	三〇	濕	溫
二八	一二	四	十字下應加一「五」字	
二九	一	三〇	剃	剌
二九	三	一四	小	少
二九	三	二九	一	三
二九	十	十四	及	入
二九	一二	一一	呈	是
三〇	一	一六	元	原
三〇	二	一九	抗	挽
三〇	九	一二	光	火
三四	一		壯字下漏排「施灸」二字	

▲第五編

一	一一	一七	谿	豁
二	四	五	知	如

刊誤表

二	四	二二	脘	腕
二	一二	二	三	二
二	一三	一四	取	趣
三	三	一二	覚	覺
三	三	三二	齦	斷
三	五	一二	瘋風	陰中
六	一一	一	中	頭
八	六	一五	睜	掙
十	九	二	寒	家
十	十二	三〇	後	中
十	十三	三四	針	瀉
十二	六	廿	空	穴
一五	六	一七	髀	脾
一五	九	九	全	前
一七	六	二	寒	塞
一八	七	五	閉	秘
二二	十	四	常	峚
二四	八	二	分	寸
二六	二	五	筋	筯
二七	三	神闕誤排爲神闕		
二七	六七	瘀字三個均誤爲淤		
二七	八	照海誤排爲熙海		
二八	二	第三格補字下脾字誤排爲血		
二九	二	第二格温脾壯陽誤排壯陰		
二九	三	第四格	治	温
二九	十	七	樞	椎
三〇	五	第四格	濕	温
三〇	十三	二〇	脘	脫
三二	一	九	闕	關
三二	九	十四	間	闕
三二	一三	一三	里	足
三四	一一	一	患	犯
三五	七	一	下	下字應排在及字之下
三九	三	一	漏排「治療」二字	

刊誤表

四〇	五	九	多排雖字	
四〇	八	一四	亡	忘
四〇	一三	三二	臉	瞼
四三	一二	一八	仲字上漏排「患者」二字	
四六	一	二五	測	側
四八	七	一一	濕	溫
五一	一二	四	色	血
五二	一	一七	卽	初
五八	四	三四	顚	癲
六二	十	十	故	放
六三	六	八	誤	談
六三	九	一三	手	照
六四	四	一八	熱	熟
六四	六	二	厚	原
六四	七	一八	音	言
六五	一三	二三	膿	腫
七一	八	四	瘦	疲
七二	二	一六	疾	痰
七二	五	一四	肺	脾
七三	四	二	至	並
七四	一三	一七	憯	慘
八五	一三	一二	及	皮
八五	一三		和字下漏排「足」字	
八六	六	一六	丘	血
八六	八	一一	成	或
八七	二	三四	紫	好
八七	二	五	落字下應加「而愈」二字	
八七	五	六	輙	輟
九〇	七	十	呈	足
九一	八	二五	瘍	腹
九二	九	五	於	有
九三	三	見）下應加「而併發淋巴腺腫，頭部濕疹，頭被膿疱」		
九三	十四	八	翳	瘓
九四	二	十	粉字上應加一「嗜」字	

七

刊誤表

九五	一	二一	灸	俞
九五	一	二七	髓	隨
九五	一	三一	及	爲
九六	九	十九	名曰	各日
九八	四	八	曰	日
九八	十	二	筋	節
九九	一二	一三	開	闊
一〇二	四	二〇	小	少
一〇二	四	二五	中	口
一〇二	八	九十	煩躁	燥燥
一〇二	九	四	舌	血
一〇二	十	一一	拘	灼
一〇二	一二	十	利	息
一〇五	七	一八	下	行
一〇七	九	二九	逼	通

一二一	十	五	兩字下應加「手八」二字	
一二三	四	一二	綫	腺
一二三	六	一五六	臉綠	臉線
一二五	一三	一三	織	組
一二六	一	一四	稍	特
一二九	十	一六	濕	温
一二九	一	八九	曲池	血海
一三〇	一	症字下應加「•」而其原因未詳		

▲治驗之一

三	八	五	請字下漏排「中」字	
三	一五	九	眞	其
四	一一	二	民廿二	去、
十	七	五	臌	鼓
十	九	三三	翼字下漏排「雲」字	

（刊誤表完）

中華民國廿四年十月出版

鍼灸醫學大綱 全一册

每册 洋裝布面實洋叁圓 平裝紙面實洋弍圓

編者 曾天治 寓廣州萬福路三[illegible]七三號植記鞋廠樓上

發行者 曾天治 廣州越華路新豐街

發行所 漢興國醫學校

代售處 廣州各大書局

中国针灸治疗学讲义
（汕头针灸研究社）

提 要

一、作者小传

汕头针灸研究社编。

二、版本说明

《中国中医古籍总目》载该书刊于1936年，藏于广州中医药大学图书馆。该书底本为杨克卫藏1936年汕头针灸研究社铅印本。

三、内容与特色

该书分为两部分。第一部分题为“历代名医诊断学摘要”，首论望、闻、问、切四诊，次论针灸治疗歌诀浅注，包括《禁针穴歌》《禁灸穴歌》《井荥俞原经合歌》《十二经原穴歌》《十五络穴歌》《四总穴歌》《行针指要歌》《八脉西江月》《十二经治症主客络原诀》《马丹阳天星十二诀》《十三鬼穴歌》《杂病穴法歌》《百症赋》等。第二部分题为“经络要穴精华”，于正文前附十四经手绘经络图。该部分首论周身各部骨度分寸，次论十四经，按各经经脉循行原文、经脉歌、经穴歌、经穴分寸歌分述，并以歌诀和摘录歌赋方式详解各经主要穴位的应用。书末论运针补泻之手法。

通过文献研究发现，该书除序文为宋季文所撰外，其余内容与中国针灸学研究社印发的《中国针灸治疗讲义》内容基本一致，该书只是将后者卷首下所题“澄江承澹庵辑”变为“汕头针灸学研究社编”。关于汕头针灸学研究社，有学者研究，但未查到更多资料。

现将该书特色介绍如下。

（一）重视诊断

该书重视四诊合参，详实记录了望、闻、问、切四诊的具体内容，认为望诊时应望神色、辨死态、观两目、看口齿、辨舌苔等，闻诊中应辨声、辨臭，问诊中有十问，切诊主要从脉；同时还记录了检温器之定热计数。通过四诊，医者可获得详实的诊断资料，有利于医者综合分析，由表及里，去伪存真，推理判断，最终得出正确的诊断。

（二）注释歌诀，注重特定穴、经络要穴的应用

该书分论浅注各种穴歌，易懂易忆。经络要穴精华部分摘要重要腧穴，记录定位，并引经据典总结主要穴位的特殊治疗作用。

（三）总结针刺补泻之应用

该书结尾部分论述运针补泻之法，包括提插补泻、捻转补泻、疾徐补泻、开阖补泻、新病久病补泻，对临床上应用运针补泻治疗疾病具有一定的指导意义。

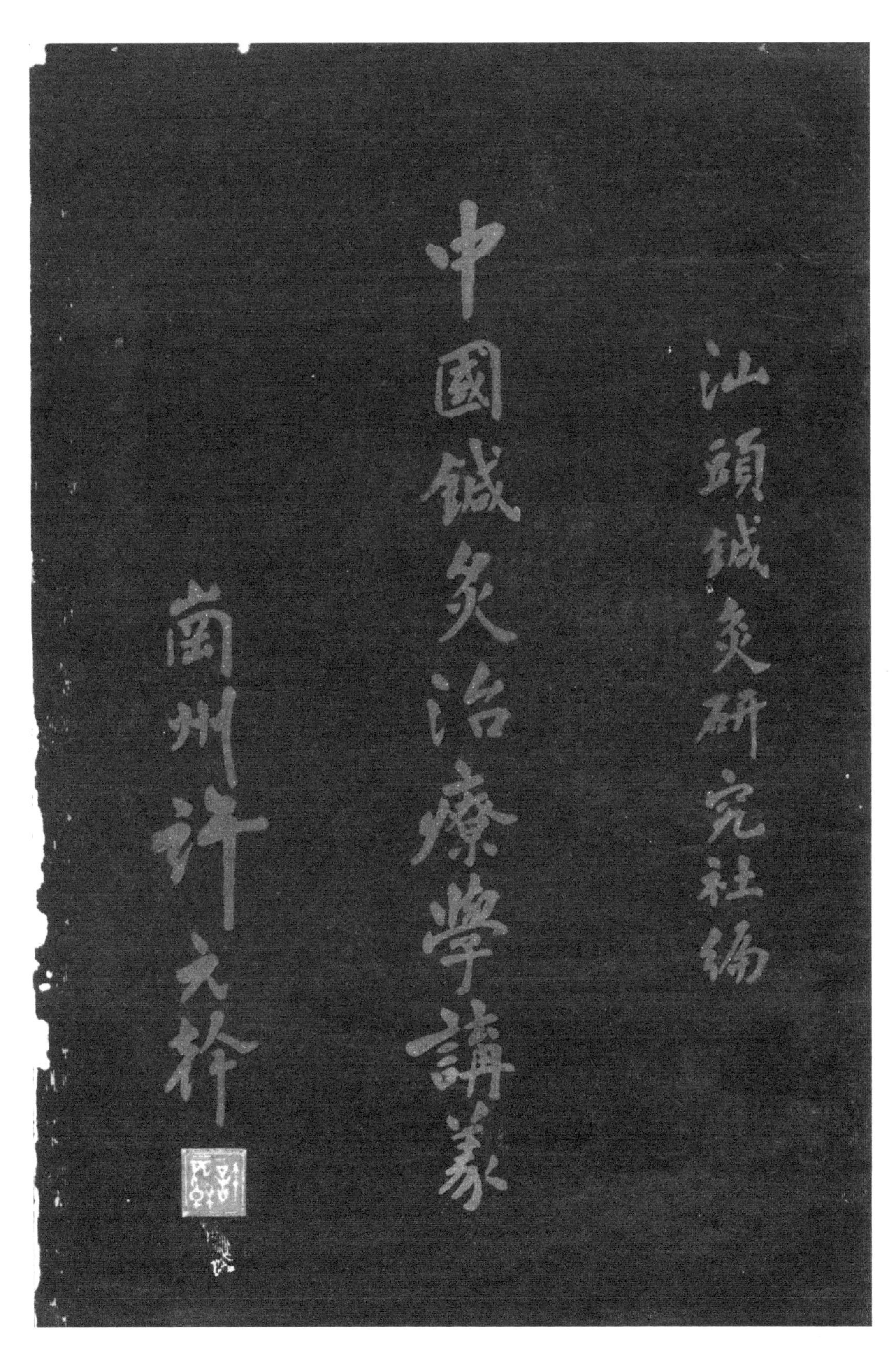
汕頭鍼灸研究社编
中國鍼灸治療學講義
岡州許文衿

叙

自來針灸一術發明最早內經素問靈樞中醫界奉爲醫科聖經必讀之書而靈樞九卷特詳臟腑經兪針家尊爲針經故亦有針經九卷之名而素問刺熱刺瘧諸篇實開針灸治療之源越人扁鵲刺維會起虢太子之死可謂針家之鼻祖漢之華陀郭玉其最著者也唐之名臣狄公人傑皆精於針灸而孫氏思邈王超王燾諸賢更復著作等書及至宋代仁宗詔王維德考次針灸鑄爲銅人於是經穴始有標準可循針灸一科研者遂多而暈蹶閉滯或霍亂風痧及一切疑難異症葯石所難治者施以鍼灸立可起死回生實爲救急良術惜乎數千年來視爲神秘精焉者雖能著手成春而其術不宣疏焉者又多一知半解致遺誤社會遂令極寶貴之國粹未彰其用僅著其弊此皆政府不知提倡醫家不知公開之咎也茲有貴社同人等痛國醫之不振西法流行爰將多年經驗不敢自秘費數年心血始成此稿良以鍼灸一科苟能得其

中國針灸治療學講義

門徑不難懸壺應世且一鍼一灸即敷應用診治病症立可奇効非若內科之煎煮費時西醫之設備費力也余適蒞汕親臨貴社將其書披閱再三服其術之精而心之公也故樂爲之序

閩宋季文敬撰

歷代名醫診斷學目錄

中國針灸治療學講義　目錄

歷代名醫診斷學摘要

汕頭針灸學研究社輯

寒熱虛實
眞寒假熱
眞熱假寒

弁言

學醫者既知生理病理矣。當進而研求診斷治療之道。診斷尤爲醫家之必要。不明病人之寒熱虛實。不審病邪之在臟在經在表在裡。莫由施其治療。診斷之要目。望聞問切。稱之曰四診。歷代名醫各有發明。有爲韻語。有爲散文。俾學者便於記誦。法至善也。今將其精警透闢。而尤便於誦讀者。錄印於下。學者擇善而誌之可也。

（一）望診

（二）望神色

四診抉微曰。得神者昌。失神者亡。神藏於氣。氣純神喪。清亮言語。精彩目光。肌肉不削。氣息如常。二便不脫。當判神强。目暗光短。言語顛狂。形羸色敗。尋衣摸床。睛定目陷。統號神亡。欲察其色。首看其面。面分五色。臟其可辨。肝青心赤。脾臟色黃。肺白腎黑。色見皮外。氣合皮中。肉光外澤。氣色相融。有色無神。不病命傾。有神無色。雖因不凶。

脈要精微論曰。夫精明五色者。氣之華也。赤欲如白裹朱。不欲如赭。白欲如鵝羽。不欲如鹽。青欲如蒼碧之澤。不欲如藍。黃欲如羅裹雄黃。不欲如黃土。黑欲如重漆色。不欲如地蒼。五色精微象見矣。其壽不久矣五臟生成編曰。青如翠羽者生。赤如鷄冠者生。黃如蟹腹者生。白如豕膏者生。黑如烏羽者生。色見青如草茲者死。黃如只實者死。黑如炲者死。赤如衃血者死。白如枯骨者死。

又曰面青目赤者死。面赤目白者死。面青目黑者死。面黑目白者死。面赤目青者死。

皮部論曰。色多青則痛。多黑則痺。黃赤則熱多。白則寒。五色皆見。則寒熱也。

左頰屬肝。位居東方。春見微青者平。深青者病。色白者絕。色赤者主身熱拘急。生風項強。昏悶目劄瘈瘲。色青黑者。主驚悸腹痛。色淺赤者。主潮熱。日止夜發。血虛心躁。

右頰屬肺。位居西方。秋見微白者平。深白者病。赤色者。主風邪氣粗。咳嗽發熱。飲水者爲實熱。唇白氣短者爲虛熱。赤淡赤者。主潮熱心躁。或大便堅秘。色青黑者主腹痛。

拘攣爲痙
弛張爲瘲

額上屬心。位居南方。夏見微赤者平。深赤者病。色黑者絕。色赤者主心經有熱。煩燥驚悸。微赤者主困臥驚悸。色青黑者。主腹痛瘛瘲。

頦下屬腎。位居北方。冬見微赤者平。深黑者有病。黃色者絕。色赤者主膀胱氣滯。小便不通。

鼻上屬脾。位居中央。四季微黃者平。深黃者病。青色者絕。赤色者。主脾胃實熱身熱煩渴。深黃者主小便不通。鼻中乾燥。氣粗衄血。色淡白者。主脾虛泄瀉。色青者。主脾土虛寒。肝木所勝。嘔吐腹痛。

（二） 辨死態

屍臭肉絕。舌捲囊縮肝絕。肌腫唇反胃絕。髮直齒枯骨絕。遺尿不知腎絕。毛焦而枯肺絕。面黑直視目瞑者陰絕。目眶陷。目系傾。汗出如珠者陽絕。手撒戴眼者太陽絕。病後喘瀉者。脾肺將絕。目止圓凸而不旋者不治。吐沫面赤。或面青黑者不治。唇青人中滿。及髮與眉冲起者不治。爪甲下肉黑。及手掌無紋者不治。臍突足者腫。聲如鼾睡者不治。脉沉無根。面青汗出如油者不治。（以上肝絕期八日死）眉傾者胆絕。手足爪甲青或脫落。呼罵不休者筋絕。八日死、眉息回視者。心絕立死。髮直如麻。不能屈伸。自汗不止者。小腸絕。六日死。口冷足腫。腹熱腫脹。泄利無時者。肺絕五日死。脊骨疼腫。身重不能轉側者。胃絕五日死。耳聾舌腫。溺血。大便赤泄肉者。絕九日死。口張氣出不及者。肺絕二日死。泄利無度大腸絕。齒枯面黑。目黃腰反折者。腎絕五日之內死。

（三） 觀兩目

俞氏曰。凡開目見人者陽症。閉目不見人者陰症。目瞑者鼻將衄。目暗者腎將枯。目白發赤者血熱。目白發黃者濕熱。目眵多結者。肝火上盛。目睛不和者。熱蒸腦系。

病在太陽不解及毛鬱束

女多經有白滯左熱右風痰

目光炯炯者燥病。燥甚則目無淚而乾澁。目多昏曚者濕病。濕甚則目珠黃而眥爛。眼胞如臥蠶者水氣。眼胞上下黑色者痰氣。怒目而視者(內痙瘋。)肝氣盛。橫目斜視者肝風動。陽氣脫者汗出目不明。陰氣脫者目多昏。目清能識人者輕。睛昏不識人者重。陽明實症可治。少陰虛症難治。目不了了。尙爲可治之候。兩目直視。則爲不治之疾。熱結胃腑。雖日中譫語神昏。目中妄有所見。熱入血室。惟至夜則低聲自語。目中如見鬼狀。瞳神散大者。原神虛散。瞳神縮小者。腦系枯急。目現赤縷。面紅嬌艷者。陰虛火旺。目睛不輪。舌乾不語。原神將脫。凡目有眵有淚。精彩內含者。爲有神氣。凡病皆吉。無眵無淚。白珠色藍。烏珠色滯。精采內奪。及浮光內露者。皆爲無神氣。凡病皆凶。凡目睛正圓。及目斜視上視。目瞪目陷。皆爲神氣已去。病必不治。惟目睛微定。暫時即轉動者痰。即目直視上視。移時即如常者。亦多因痰閉使然。又不可竟作不治論。

（四）看口齒

口開

口與鼻氣粗。疾出熱疾人者。爲外感邪氣有餘。口與鼻氣微。徐出徐入者。爲內傷正氣不足。此辨內外虛實之大法也。若口臭口燥者胃熱。口有血腥味者亦胃熱。口淡乏味者。胃傷津液。口膩無味者。胃有濕滯。口乾不喜飲者。脾濕內留。口鹹吐白沫者。腎水上泛。口甜者脾疸。口苦者胆熱。口辛者肺熱入胃。口酸者肝熱犯胃。口乾舌燥者心熱。口燥咽痛者腎熱。口燥蛟牙者風痙。口禁難言者風痰。口角流稀涎者脾冷。口中吐粘液者脾熱。口吐紫血者。胃絡受傷。口唾淡血者。脾不攝血。口張大開者脾絕。口出鴉聲者肺絕。環口黧黑者死。口燥齒枯者死。口如魚嘴尖起者死。口中氣出不返者死。凡唇焦赤者脾熱。唇燥裂者亦脾熱。唇焦而紅者吉。唇焦而黑者凶。唇乾而焦者。脾受燥熱。唇淡而黃者。脾積濕熱。唇淡白者血虛。又主吐涎失血。唇紅紫者血瘀。又主虫嚙積痛。唇紅而吐血者胃熱。唇白而吐涎者胃虛。唇紅如珠者。血熱而心火旺極。唇白如雪者。血脫而脾陽將絕。唇紫聲啞者虫積。唇繭舌裂者毒積。上唇有瘡。虫食其臟者爲狐。下唇有瘡。虫食其肛者爲蜮。唇腫舌焦者。脾腎熱極。唇蹇而縮。不能蓋齒者脾絕。唇捲而反。兼連舌短者亦脾絕。唇口顫搖不止者死。唇吻反青氣冷者死。凡病齒燥無精者胃熱。齒焦而枯者液涸。齘齒咬牙者。風動而口筋牽引。但咬不斷者。熱甚而牙關緊急。前板齒燥脉虛者中暑。下截齒燥脉孔者便血。上齒齦燥者。胃絡熱極。多吐血。下齒齦燥者。腸絡熱極。多便血。經行多而齒忽嚙人者。衝任涸竭。病必危。虛損久而齒忽嚙人者。心腎氣絕。病不治。

（五）辨舌胎

一觀形

凡舌膜由三焦腠理直接胃腸。舌本由經絡直通心脾腎。故舌尖主上脘亦主心舌中主中脘。統主胃與小腸。舌根主下脘。亦主腎與大腸。四邊屬脾。此爲觀形分部之要訣。

凡舌出長而尖者。熱未甚。尚宜透邪。出舌圓而平者熱已甚。急宜清熱。出舌短。不能出齒外而形方者。熱盛極。速宜瀉火。若女勞復。及產後壞症。舌出數寸者必死。又當別論。此爲觀驗出舌之要訣。凡舌伸之無力者中氣虛。宜補中。欲伸似有線吊者。舌系燥宜潤燥。痲木而伸不出者。肝風挾痰。宜熄風化痰。伸以舐脣者。心脾熱。宜瀉火清熱。伸出弄脣者。中蛇毒宜解毒。伸出不收者。脾涎浸。宜控涎。如舌縮而邊捲者。胃液燥極。宜清胃潤燥。潤之而舌仍縮者。病去而舌氣未和。尚可養樂益氣。若捲而縮短者。厥陰氣絕。舌質痿縮也。不治。垢膩措去。而舌仍縮者亦不治。此爲觀舌伸縮之要訣。

凡舌戰掉不安者曰舌戰。又氣虛者。蠕蠕微動。又肝風者。習習煽動。宜參舌色以辨之。如色深紅鮮紅而戰者。宜凉血熄風。紫紅瘀紅而戰者。宜熄風瀉火。嫩紅而戰者。宜養血熄風。淡紅而戰者。宜峻補氣血。若舌軟而不能動者。曰舌痿。有暴痿久痿之別。暴痿多由於熱灼。每現於舌乾之時。亦宜辨其舌色。而色深紅而痿者。宜清營兼益氣。紫紅而痿者。宜清肝兼通腑。鮮紅而痿者。宜滋陰兼降火。惟色淡紅而痿者。宜大補氣血。如病久而舌色絳嫩者。陰虧已極。津氣不能分佈於舌本。無葯可治。此爲觀舌之要訣。

凡病而有胎者多裡滯。宜導滯。無胎者多中虛。宜補中。病本無胎。而忽有者。胃濁上泛。宜泄濁。病本有胎而忽無者。胃陰將涸。宜救陰。其胎半布者。有偏外偏內。偏左偏右之分。偏外者。外有內無。邪雖入裡未深。而胃氣先虧。宜袪邪兼益胃。偏內者。內有外無。胃滯雖減。而腸積尚存。宜通腸兼消導。素有痰飲者。亦多此胎。宜蠲飲。偏左者。左有右無。偏右者。右有左無。皆半表半裡症。但看胎色之多少。白色多。表症多。但宜和解。佐溫佐清。隨症酌加。黃灰黑多。或生芒刺。及黑點燥裂。則裡熱已結。急宜和解兼下。又有從根至尖直分兩條者。則合病與夾陰傷寒。從根至尖橫分兩三截者。是併病症也。均宜隨症用葯。胎雖有形有據。皆爲編而不全。卽全舌其胎滿佈者。雖多濕痰食滯。亦宜辨其爲白砂苔。兼四邊舌肉紫紅者。爲濕抑熱伏之溫邪。伏於膜原。極宜達原以透邪。白鹹苔。兼四邊舌肉皆膩者。爲脾胃濕阻氣滯。與食積相搏。急宜芳淡兼消導以爲觀舌有無積胎。及胎偏全之要訣

凡舌有斷紋裂紋。如人字川字文字。及裂如直槽之類。雖多屬胃燥液涸。由於實熱內逼。急宜涼瀉以清火。然中有直裂者。多屬胃氣中虛。却宜補陰益氣。切忌涼瀉。更有本無紋。而下後反見人字裂紋者。此屬腎氣凌心。急宜納氣補腎。若胎點如粞者。蟲餂居多。卽胎現檳榔紋。隱隱有點者。亦屬虫積。此爲觀舌斷紋細點之要訣

凡胎起瓣暈。皆臟腑實火薰蒸。多見於瘟疫等病。瓣則黑色居多。暈則灰黑色居多。

瓣有多少。一二瓣尙輕。三四瓣已重。六七瓣極重而難治。暈有層數。一暈尙輕。二暈爲重。三暈多死。亦有橫紋三四層者。與此不殊。宜瀉火解毒。急下存陰。服至瓣暈退淨。而其人氣液漸復者。庶能救活。此爲觀舌瓣暈之要訣。

凡舌腫脹增大。不能出口者。須參舌色以辨之。如色白滑黑滑者。多由於水氣浸淫。宜通陽利水。黃膩滿布者。由濕熱鬱而化毒。毒延於口。宜大瀉濕火以祛毒。紫暗者。多由紫毒衝心。心火炎上。宜瀉火通瘀。白膩黃膩者。多由於痰濁相搏。滿則上溢。宜蠲痰泄濁。若舌瘦小。甚則癟薄者。亦須兼辨其色。淡紅嫩紅者。心血內虧。宜養血補心紫絳灼紅者。內熱風消。宜淸熱熄風。若色乾絳。甚則紫暗如豬腰色者。皆由心肝血枯。舌質萎縮。不治。此爲觀舌脹癟之要訣。

凡舌斜一偏邊者。爲舌歪。色紫紅而勢急者。多由於肝風發痙。宜熄風鎭痙。色淡紅而勢緩者。多由於中風偏枯。歪在左。宜養血益氣。從陰引陽。歪在右。宜補氣舒筋。從陽引陰。然多不治。若舌有血痕傷跡者爲舌碎。其因有四。一因舌衂。二因抓傷。三因潰瘍。四因斑痕。各宜對症施治。此爲觀舌歪碎之要訣

凡舌起瘰而凸者。多見於溫病。熱病瘟疫時毒等症。皆屬胃腸實熱。梟毒內伏。急宜大劑涼瀉。速攻其毒。若凹陷而有缺點者。其症有虛有實。實者多由於口糜。厥後舌其糜點。糜點脫去。則現凹點。由於黴毒上升者。宜去黴解毒。由於胃腎陰虛濁腐蒸

騰堵。宜救陰去腐，果能毒去腐退。則新肉漸生。凹點自滿。虛者由陰中竭。心氣不能上布於舌本。氣盛則凸。氣陷則凹。眼眶亦然。不獨舌起凹點也。病已不治。此爲觀凸凹之要訣。

2、察色

凡察色辨胎。但有白黃黑，三種。此爲結胎之顏色。察色辨舌。亦有絳紫青三種。此爲舌中之變色。胎色白而薄者，寒邪在表，宜發表。或氣鬱不舒，宜宣氣。白而厚者。中脘素虛寒。宜溫中。或濕痰不化，宜化痰。兼髮紋滿佈者多寒濕。宜溫化。如鹹而膩者多濁熱。宜清化。若胎白而厚。其上如刺。起焦裂紋。折之或糙或澀者。多爲熱極之下證。急宜寒瀉。惟淡白如無。爲虛寒宜溫補，亦有屬熱者。宜參脉症以治之。白如煮熟者爲皏白胎。俗稱呆白胎。症多不治。若胎色黃。雖邪熱漸深，但有帶白不帶白之分。有質地無質地之別。黃胎帶白。薄而無質地者。表邪未罷。熱未傷津。尚宜宣氣達表。黃胎帶濁。不帶白而有質地者。邪已結裡，黃濁愈甚。則入裡愈深。熱邪愈結。由於濕熱夾痰者，宜辛淡清化。由於濕熱夾食者。宜苦辛通降。惟黃而糙黃而燥。劇則黃而帶灰帶黑。黃而乾砂刺點。黃而中心瓣裂者。皆爲裡熱結實。均當速下以存津液。至胎黑色。有帶青帶紫焦燥津潤之不同。胎色青黑。而舌本滑潤者。爲水來尅火。多脾腎陰虛症。急宜破陰回陽。胎色紫黑。而舌本焦燥者。爲火極似水。多胃腎陰涸證。急宜瀉火救陰。他如灰色卽淡黑。灰帶白色而滑者。爲寒濕傷脾陽。宜溫脾化濕。灰帶黑色而燥者。爲濕火傷脾陰。宜潤脾救陰。𪐴醬色。卽黃兼黑。多由夾食傷寒。濁腐上泛。急宜清下。色淡者生。色濃者死。下之得通者生。不得通者死。此辨胎色之要訣也。

若夫舌色由紅轉絳轉紫者。皆有色而無胎。一由心經熱熾。刼傷絡血。宜滋血清管。一由肝經火旺。刼傷絡血。宜涼血通絡。邪盛者瀉火熄風。惟舌青爲肝藏本色發見。胃中生氣已極。雖青黑寒化。靑紫熱化之殊。終多不治。此爲察色辨舌。當分胎色舌色之要訣

凡察胎色。與虛實最多關係。如胎色黃濁者爲實。可用苦辛通降。若黃白相兼。間有淡灰者爲虛。但宜輕消化氣。黃厚而糙刺者爲實可攻瀉之。若黃薄而光滑者爲虛。切忌攻瀉。胎色黑而芒刺者爲實。攻下刻不容緩。若黑如煙煤。隱隱而光滑者爲虛。虛寒虛熱。當參脈症以施治。白色如鹹白如膩粉者皆爲實。均宜苦辛開泄。粉胎乾燥者。實熱尤盛。急宜苦寒直降。若白薄而淡。及白而嫩滑者。皆爲虛。此爲察色辨苔。（與胎同）當分虛實之要訣。

凡舌有質地而堅斂蒼者。不拘胎色白黃灰黑。由舌中延及舌邊。揩之不去。刮之不淨。底仍粗澀粘膩不見鮮紅者。是爲有根之眞胎。中必多滯。舌無質地。而浮胖嬌嫩。

不拘胎色白黃灰黑。滿布舌中。不及舌邊。揩之卽去。刮之卽淨。底亦淡紅潤澤。不見垢膩者。是爲無根之假胎。裡必大虛。卽看似胎色滿布。飲食後胎卽脫去。舌質圓浮胖嫩者。亦屬假胎。一名活胎。他如食枇杷則胎色黃。食橄欖則胎色青黑。是爲假色之染胎。故胎有地質與無地質。延及舌邊與但布舌中。爲辨虛實之大綱。此爲察色辨胎。當分眞假之要訣。

凡胎薄者表邪初見。胎厚者裡滯已深。固已。但要辨其薄而鬆者無質。揩之卽去。爲正足化邪。卽薄而膩者。邪入尙淺。亦宜宣氣達邪。惟質厚而膩者有地。揩之不去。多穢濁盤踞。若厚而鬆者。裡氣已化。但須輕淸和解。此爲察色辨胎。當分厚薄鬆膩之要訣。

凡舌胎始終一色。不拘白黃灰黑。卽有厚薄滑濇乾潤濃淡之不同。總屬常胎。當參脉症以施治。如舌一日數變。或由白而黃。由黃而黑。或乍有乍無。乍赤乍黑者。皆屬變胎。其症多凶而少吉。此爲察色辨苔。當分常變之要訣。

凡舌胎由膩化鬆。由厚退薄。乃裡滯逐漸減少之象。是爲眞退。卽有逐生薄白新胎者。尤爲胎眞退後。胃氣漸復。穀氣漸復。穀氣漸進之吉兆。若滿舌厚胎。忽然退去。舌底仍留污質膩濇。或見珠點。或有髮紋者。是謂假退。一二日間卽續生厚胎。又有治舌厚胎。中間剝落一瓣。或有罅紋。或有凹點。底見紅燥者。須防液脫中竭。用藥切宜留慎。若厚胎忽然退去。舌光而燥者此胃氣將絕也。多凶少吉。此爲察色辨胎。當分眞退假退駁去脫竭之要訣。

凡舌胎鬆者。多穢濁。粘者多痰涎。固已。惟厚膩與厚腐。尤宜辨明。厚膩者固多食積。亦有濕滯。刮之有淨有不淨。或微厚而刮不脫。雖有邪從火化。漸積而乾。而舌本尙罩一層粘涎。是爲厚膩之常胎。若厚腐雖多由胃液腐敗。然有膿腐霉腐之別。如舌上生膿腐胎。白帶淡紅。粘厚如瘡中之膿。凡內癰多有此症。肺癰腸癰。多白腐胎。胃癰多黃腐胎。肝癰腰癰。多紫黑腑胎。下甘結毒。仍多白腑胎。若霉腑胎。滿舌生白衣如霉胎。或生糜點如飯子樣。皆由食道延上。先由咽喉而起。繼則延累滿舌。直至滿口皆有糜點。多見於濕溫之霉伏暑。赤痢梅毒疳積等症。此由胃體腐敗。津液悉化爲濁熱。中無砥柱。蒸騰而上。無論白腐黃腐。其病總多不治。此爲察色辨胎。當分鬆粘及厚膩與厚腑之要訣。

若夫察看舌色。則舌色本紅。淡於紅者血虛也。淡紅無胎。反微似黃白胎者。氣不化液也。甚則淡紅帶靑者。血分虛寒也。婦人子宮冷者有之。胎死腹中者亦有之。久痢虛極者。亦恆有之。濃於紅者爲絳。血熱也。尖絳者心火上炎也。根絳者血熱內燥也。通絳無胎。及似有胎粘膩者。血熱又挾穢濁也。絳而深紫。紫而潤黯者。中脘多瘀。紫而乾晦者。肝腎氣絕。由絳而紫。紫而轉黑者。絡瘀化毒。血液已枯不治。若舌

本無胎。隱隱若罩。黑光者。平素胃燥舌也。煙家多有此舌。此爲察色辨舌。當分舌色濃淡之要訣

（三）辨質

辨質者辨明其舌之本質也。其質雖滿舌屬胃。而內含經絡甚多。與心脾肝腎實互相關係。凡病之虛實。症之吉凶。多由於此診斷之。故辨質較觀形察色。尤爲扼要

凡舌質堅斂而兼蒼苦老。不論胎色白黃灰黑。病多屬實。舌質浮胖而兼嬌嫩。不拘胎色白黃灰黑。病多屬虛。此辨舌質老嫩。斷病虛實之要訣。

凡舌質柔軟伸縮自由者。氣液自滋。舌質强硬。伸縮爲難者。脉絡失養。但舌强與舌短不同。舌短者舌系収緊。舌强者舌質堅硬。此辨舌質軟硬。察液潤燥要之訣。

凡看舌質。先辨乾滑燥潤。乾者津乏。捫之而澀。滑者津足。捫之而濕。燥者液涸。捫之而糙。潤者液充。捫之而滑。如病初起而舌即乾者。津竭可知。病久而舌尚潤者。液存可識。望之若乾。捫之却滑者。若濕熱蒸濁。其色黃亮。若瘀血內蓄。其色紫暗。望之若潤。捫之却燥者。若氣濁痰凝。其胎白厚。若氣虛傷津。其胎白薄。他如陰虛陽盛者。其舌必乾。陽虛陰盛者。其舌必滑。陰虛陽盛而火旺者。其舌必乾而燥。陽虛陰盛。而火衰者。其舌必滑而潤。此

辨舌之質乾滑燥潤。斷病津液充乏陰陽盛衰之要訣。

凡舌質有光有體。不論白黃灰黑。刮之而裡面紅潤。神氣榮華者。凡病多吉。舌質無光無體。不拘有胎無胎。視之而裡面枯晦。神氣全無者。凡病皆凶。此辨舌質榮枯。斷病吉凶之要訣。

凡舌圓大碎嫩。其質紅潤者。皆屬心紅虛熱。病尚可治。舌枯小捲短。其質焦紫者。皆屬肝腎陰涸。病多速死。此辨舌質圓嫩枯短。斷病虛熱陰涸之要訣。

凡舌色如硃柿。光如鏡面。或如去膜豬腰子。或歛束如荔枝殼。或乾枯紅長。而有直紋透舌尖者。病皆不治。倘屬頭面易見之舌質已枯。更有生氣雖絕。而舌質上面。反罩一層胎色。如潔白似花片。呆白如荳腐渣。或如嚼碎飯子。皖白兼青。枯白而起黃麋點。視其舌邊白底。必皆乾晦枯瘁。一無神氣。乃舌質已壞。臟氣皆絕也。病皆速死。此辨舌質無神無氣。斷病必死之要訣

（四）提要

凡以舌胎之五色。分察五臟。乃五行之死法。不足以察四時雜感之變症。惟以胎色之白黃灰黑。舌色之紅絳紫青。察六經傳變之症候。確鑿可憑。歷驗不爽。醫家把握首賴乎此。

凡舌上胎。有垢上浮是也。不論白黃灰黑。必先區分燥潤。及刮之堅鬆者。以定胃腸之虛實。此爲要訣。若無胎而舌胎變幻。多屬心腎虛證。或肝胆風火證

。甚則臟氣絕症。尤必察色光之死活。及本質之榮枯。辨其臟眞絕與不絕。以决變症壞病之死生。最爲要訣。

凡以手捫舌。滑而軟者病屬陰。粗而糙者病屬陽。固已。然虛寒者舌固滑而軟。而邪初傳裡。及眞熱假寒。亦間有滑軟之舌。實熱者。舌固糙而粗。而血虛液涸。及眞寒假熱。亦或有粗糙之舌。其辨別處。虛寒症。必全舌色淡白滑嫩。無餘苔。無點無罅縫。邪初傳裡症。全舌白滑而有浮膩苔。寒滯積中者舌亦相類。眞熱假寒症。必全舌色白。而有點花罅裂積內。各實胎不等。而舌上之胎。刮亦不淨。舌底之色却多隱紅。若重刮之。沙點旁或少許出血。實熱症。及邪火入陰經症。全舌必有或黃或黑。積滯乾焦罅裂芒刺等胎。血虛液涸症。全舌必絳色無苔。或有橫直罅紋。而舌短小不等。眞寒假熱症。全舌雖或有灰黑色。及乾糙焦裂芒刺厚胎。但鬆浮而不及邊沿。一經察即脫淨。舌底必淡白而不紅。或淡紅而舌圓大胖嫩。此以舌辨寒熱虛實。活法推求之要訣。

凡舌短由於生就者。無關壽夭。亦無藥可治。若因病縮短。則邪陷三陰。皆能短舌。先當辨其胎色。如舌紅短而有白泡者。少陰血虛火旺也。宜滋陰降火。舌黑短而乾焦者。厥陰熱極火逼也。宜急下存陰。倘可十救一二。惟舌短而捲。男子囊縮。婦人乳縮。乃臟腑熱極。而肝陰已涸也。雖多不治。能受大劑清潤凉瀉藥者。亦可十救一二。至於舌硬。有强舌木舌重舌腫舌大舌之別。强舌多痰熱症。木舌重舌。多心經燥熱症。腫舌大舌。多脾經濕熱症。總屬實熱。無虛火。尤以心經血熱爲最多。此辨舌短舌硬之總訣。

凡看舌胎。黃胎易辨。但有表裡實熱症。絕少表裡虛寒症。表症風火暑燥。皆有黃胎。傷寒必邪傳裡入胃。其胎始黃。黑胎均屬裡症。無表症。寒熱虛實。各症皆有。亦有熯胎染胎。較爲難辨。灰胎則黑中帶紫。有實熱症。無虛寒症。有濕熱傳裡症。有時疫流行症。有鬱痰停胸症。有蓄血如狂症。其症不一。若淡灰卽淡黑。黑中帶白。多寒中脾腎症。衢醬胎。則黃赤兼黑。凡內熱久鬱。夾食中暑。夾食傷寒傳脾。皆有此胎。不論何症何脉。皆屬實熱裏症。無表分虛寒症。若白胎尤多錯雜。辨病較難。表裏寒熱虛實症皆有。且多夾色變色。有合併症。有半表裏症。最宜詳辨。總之察看胎色。必先辨刮舌情形。凡舌刮後。有津而光滑。不起垢膩。底見淡紅潤澤。均屬無根之浮胎。屬表屬虛屬寒者多。刮不淨或刮不脫。及刮去垢膩後。舌底仍留污質。薄如漿糊一層。膩澀不見鮮紅。均屬有根之眞胎。屬裡屬實屬熱者多。次辨有無朱點罅紋芒刺。及板貼與鬆浮。初起由白變黃。由黃變灰變黑。由黃黑變衢醬。舌中起胎。延及根尖。有朱點芒刺罅紋。而板貼不鬆者。均屬裡症實症壞熱症。若由淡白滑胎。忽然轉灰轉黑。其初無變黃之一境。望之似有焦黑芒刺乾裂之狀。然刮之必淨。濕之必潤，無朱點。無罅紋。其形浮胖者。皆屬眞寒假熱之虛胎。此以胎色辨表裡寒熱虛實之總訣。

凡有舌色。全舌淡紅。不淺不深者平人也。有所偏則爲病。表裡虛實熱症。皆有紅舌。惟寒症則無之。舌紅雖皆屬熱。而有紅餂，紅瘰，紅短，紅硬，紅斑，紅戰，紅裂，紅碎，之各殊。舌紫有表裡實熱症。無虛寒症。雖有寒邪化火。瘟疫內發。酒食濕滯。誤服溫補之種種病因。總屬肝臟絡熱症。若淡紫中夾別色。則亦有虛寒症。惟舌見青色。多凶少吉。若青滑有薄苔者。多屬寒中肝臟。又可用溫藥救治。婦人胎死腹中者。亦可用藥救療。若純青無胎而光者。臟腑生氣已竭。決死不治。若舌淡紅而現藍色紋。胃有寒食結滯者。尚可急投溫補溫通葯救之。此以舌色辨寒熱虛實吉凶生死之總訣。

（二）聞診

（一）辨聲

聲雖發於肺。實發自丹田。其輕清重濁。雖由基始。要以不異平時爲吉。而聲音清朗如常者。形病氣不病也。始病卽氣壅聲濁者。邪干清道也。病未久而語聲不續者。其人中氣本虛也。脈之呻吟者痛也。言遲者風也。多言者。火之用事也。聲如從甕中言者。中氣之濕也。言而微。終日乃復言者。正氣奪也。衣被不斂。言語善惡。不避親疏者。神明之亂也。出言懶怯。先重後輕者。內傷元氣也。出言壯厲。先輕後重者。外感客邪也。攢眉呻吟者頭痛也。噫氣以手撫心者。中脘痛也。呻吟不能轉身。坐而下一脚者。腰痛也。搖頭以手捫腮者。齒頰痛也。呻吟不能行步者。腰脚痛也。診時吁氣者。鬱結也。搖頭而言者。裡痛也。形眼大羸聲啞癆瘵者。咽中有肺花瘡也。暴啞者。風痰伏火。或怒喊哀號所致也。語言蹇澀者。風痰也。診時獨言獨語。不知首尾者。思慮傷神也。傷寒壞病。聲啞唇口有瘡者。狐惑也。平人無寒熱。短氣不足以息者。痰火也。此皆聞證之大要也，

上唇瘡虫咬肛　下唇瘡虫咬臟

（二）辨臭

口中氣出穢濁者。胃中有濁熱也。咯痰腥臭者。肺中有積熱也。咯痰如膿而臭者。肺癰也。大便酸臭者。飲食傷脾也。穢臭者。腸中熱極也。嘔吐酸臭者。胃中有熱也。嘔瀉生腥氣清冷者。霍亂寒症也。小便臭濁。濕熱症也。病人有尸臭氣者。脾胃敗也。

此為辨臭氣之大要也。

（三）問診

張景岳十問歌

一問寒熱二問汗。三問頭身四問便。五問飲食六問胸。女清男混七聾八渴俱當辨。九問舊病十問因。再兼服藥參機變。婦人尤必問經期。惡路有無產後驗。

（一）問寒熱

形寒肢不和者。氣虛陽衰也。惡寒發熱者。初感外邪。病在表也。或體氣不振。虛寒虛熱也。但熱不寒者。熱在經也。壯熱而口渴者。熱在裡也。

（二）問汗

身無熱而汗者。曰自汗。屬陽表不固者多。寐時汗出寤時卽止者。曰盜汗。屬陰虛內不守者多。形寒發熱汗出。曰風傷衞。病在表。壯熱汗出。曰病在經。形寒發熱無汗者。曰寒傷榮。宜解表。壯熱煩渴。無汗者。宜清熱。

（三）問頭身

頭疼身痛。常痛不止者。爲外感。時痛時輟者。爲內傷氣不宣暢。頭痛在前額者。屬陽明。兩太陽者屬少陽。後腦痛。屬督脉。亦屬太陽。頭暈重爲風邪。爲中濕。爲氣虛。身重者屬濕病。體痛者屬風濕。四肢痠痲者。爲氣血虛。痠重者。爲風濕着脾。

（四）問便

凡溲腸寒者溺白。腸熱者溺黃。清白如冷水者爲陰寒。渾白如米泔者爲濕熱。紅黃色者爲實熱。淡黃色者爲虛熱。深紅老黃者。爲肝腸盛。淺紅淡黃者。爲腎陰虛。清長而利者。心陽虛而腎氣下陷也。短澀而痛者。心火盛而膀胱結熱也。溺自遺而不知者。病必死。溺極多而虛煩者。病亦危。小兒由睡中遺溺者。謂之尿床。腎與膀胱虛寒也。小兒初溲黃赤色。落地良久。凝如白膏者。謂之溺白。肝熱逼成腎疳也。如飲一溲一。色亦凝如白膏。味甜無臭者。三消症中之下消也。溺時點滴。尿管痛如刀割者。砂淋石淋血淋膏淋勞淋等之五淋症也。輕爲濕火。重爲淋毒。溺時不痛。色凝如膏。細白稠黏者。精濁之候。包如朵脂。渾濁滑流者。溺濁之候。一爲房事傷腎。一爲濕火下注。太陽蓄血在膀胱。驗其小便之利與不利。陽明蓄血在陽胃。驗其大便之黑與不黑。大抵虛寒之症。大便必或溏或瀉。實熱之症。大便必既燥且結。故凡大便形如鴨糞而稀者寒濕。形如蟹渤而粘者。署濕。下利清穀。有生腥氣者。爲陰寒。有酸臭氣者。爲積熱。大便色青。形稀而生腥氣重者。爲脾腎虛寒。汁粘而臭穢氣重者。爲肝胆實熱。大便老黃色者爲實熱。淡黃色者爲虛熱。大便紅如桃醬者。爲血熱。黑如膠漆者爲瘀熱。大便白色者屬脾虛。亦主胆黃。醬色者屬脾濕。亦主腸垢。大便褐色者火重。黑色者火尤重。大便酸臭如壞醋傷食滯。腥臭如敗卵者傷乳積。大便急迫作聲者小腸熱。肛門熱灼而痛者直腸熱。

(五)問飲食

凡症屬虛寒者。口多不渴。症屬實熱者。口多燥渴。其常也。若論其變。凡渴喜熱飲者皆屬痰飲阻中。或氣不化津。渴喜冷飲者。飲多者火就燥。飲少者渴化火。陽明實熱之渴。大渴引飲。太陰濕熱之渴。渴不引飲。少陰虛熱之渴。口燥而渴不消水。厥陰風火之渴。口苦而渴則消水。自利而渴者。陽明熱瀉。自利不渴者。太陰寒瀉。胃中液乾而欲飲。飲必喜冷而能多。膀胱蓄水。而欲飲。飲必吐水而不多。先渴後嘔者。水停心下。先嘔後渴者。火爍胃液。口中乾而消渴者。總屬肝胃熱病。口中和而不渴者。多屬脾腎寒症。凡能食者。胃氣尚强。少食而安者。則爲中虛。食而甚者。內有實

邪。病不能食者。乃屬胃弱。喜食甘者中虛。喜食酸者肝虛

（六）問胸腹 附按法

凡胸痞不舒者。濕阻氣機。或肝氣上逆。胸痛者。爲水結氣分。或肺氣上壅。按其膈中氣塞者。非胆火橫竄包絡。卽伏邪盤踞募原。按其脇肋脹痛者。非痰熱與氣互結。卽蓄飲與氣相搏。胸前高起。按之氣喘者。則爲肺脹。膈間突起。按之實硬者。則爲龜胸。若肝病須按兩脅。兩脅滿實而有力者肝平。兩脅下痛引小腹者肝鬱。男子積在左脇下者疝氣。女子塊在右腹下者屬瘀血。兩脅空虛。按之無力者爲肝虛。兩脅脹痛。手不可按者爲肝癰。惟夏病霍亂痧脹者。每多夾食夾水夾血。與邪互併。結於胸脅。水結胸者。按之疼痛。推之漉漉。食結胸中者。按之滿痛。摩之噯腐。血結胸者。痛不可按。時或昏厥。因雖不同。而其結胸拒按則同。次按滿腹。凡仲景所云胃家實者。指上中二脘而言。以手按之痞硬者。爲胃家實。按其中脘雖痞硬。而揉之漉漉有聲者。飲癖也。加上中下三脘。以指撫之。平而無澀滯者。胃中平和而無宿滯也。凡腹滿痛。喜按者屬虛。拒按者屬實。喜暖手按撫者屬寒。喜冷物按放者屬熱。按腹而其熱烙手。痛不可忍者內癰。痛在心下臍上。硬痛拒按。按之則痛益甚者食積。痛在臍旁小腹。按之則有塊應手者血瘀。腹痛牽引兩脅。按之則軟。吐水則痛減者水氣。惟蟲病按腹有三候。腹有凝結如筋而硬者。以指久按。其硬移他處。又就所移者而按之。其硬又移他處。或大腹或臍旁或小腹。無定處。是一候也。右手輕輕按腹。爲時

稍久。潛心候之。有物如蚯蚓蠢動。隱然應手。是二候也。高低凹凸。如畎畝狀。熱按之。起伏聚散。上下往來。浮沉出沒。是三候也。若繞臍痛。按之磊者。乃燥屎結於腸中。欲出不出之狀。水腫脹滿症。按之至脾臍。臍隨手移左右。重手按之夫脊。失臍根者死。此診胸腹之大法也。然按胸必先按虛里。按之微動而不應手者。宗氣內虛。按之躍動而應手者。宗氣外泄。按之彈手。洪大而搏。或絕而不應者。皆心胃氣絕也。病不治。虛里無動脉者必死。虛里搏動而高者。亦爲惡候。大抵淺按便得。深按不得者。氣虛之候。輕按洪大。重按虛細者。血虛之候。按之有形。或三四至一止。或五六至一止。積聚之候。按腹之要。以臍爲先。按之充實。腎氣充也。按之綿軟裡氣虛也。按之有動脈者。乃陰虛氣不潛。切忌發汗。亦忌攻下。久病而見此者。不治。由熱病傷陰而見者。如能熱漸退動漸微者。猶可治之

（七）問聾

腎開竅於耳。病而耳漸聾者。熱邪入裡。腎陰傷也。聾愈甚者。熱愈盛陰愈涸。非佳象也。若其熱漸退。其陰漸復。其耳漸清者吉。若耳暴聾者。爲風痰伏火使然。或爲外物所傷。又當別論。

（八）問渴

口渴者裡有熱。或津液傷也。口不渴。內有虛寒。或泄未損也。其他如渴喜熱飲。喜冷飲。飲多飲小。參觀五問飲食條。

（九）問舊病

病人素有痰飲哮喘。或疝瘕積聚。每夾新病而復發。診者須先追問。審其究竟。熟重熱輕。而定治療。

（十）問病因

疾病之發。必有其因。或因過勞不節而傷精。或因飲食不慎而傷脾。或因衣服脫穿着寒而傷肌表。或因腦怒驚恐而傷肝腎。知其病因。卽可得病之在臟在腑在表在裡。施治乃無誤也。

（十一）問睡眠

欲問睡眠。最宜查實。不食不眠。胃多食積。嗜睡惡飲。脾多積濕。睡中咬牙。將病風熱。睡時忽咳。痰滯食積。邪在陽分。朝熱暮涼。夜可安眠。邪陷陰分。暮熱朝涼。夜不安眠。陰虛惡陽。陰靜晝煩。暮能寧睡。陽虛惡陰。旦安暮亂。夜難熟睡。

（十二）診婦人問天癸

診治婦人。必先問者。經期遲速。或來與否。外感風邪。經水適來。寒熱往來。邪陷血室。內傷之症。骨蒸勞熱。經閉不行。血枯癆瘵。經水先期是爲血熱。後期呆者。血虛氣滯。崩漏之症。血熱血瘀。勞傷虛寒。均能致之。產後崩漏。子宮血溢。

（四）切診

脈爲血府。氣血之神。心機紓縮。逼令循行。資始於腎。資生於胃。陰陽相貫。本乎營衛。營行脈中。衛行脈外。脈不循行。營壅衛敗。氣如風箱。血如波瀾。血脈氣息。上下循環。十二經中。皆有動脈。惟手太陰。寸口取決。脈之大會。息之出入。脈行六寸。一呼一吸。初持脈時。令仰其掌。掌後高骨。是爲關上。關前爲陽。關後爲陰。陽寸陰尺。光後推尋。心肝居左。肺脾居右。腎與命門。兩尺推究。左大順男。右大順女。男左女右。各宜分主。關前一分。十二經注。左爲人迎。右爲氣口。神門決斷。兩在關後。人無二脈。病死不愈。男女派同。惟尺則異。脈有七診。曰浮中沉。上下左右。消息求尋。又有九候。舉按輕重。三部浮沉。各候五動。寸候膻上。關候膈下。尺候於臍。下至跟踝。左脈候左。右脈候右。病隨所在。不病者否。浮主心肺。沉主腎肝。脾胃中州。浮沉之間。專主中氣。脈宜和緩。命門元陽。右尺同斷。春弦夏洪。秋毫各石。四季和緩。是謂平脈。太過實强。病生於外。不及虛微。病生於內。春得秋脈。死在金日。五臟准此。推之不失。四時百病。胃氣爲本。脈貴有神。不可不審。

何秀山先生按曰。此總括內難二經。脈理診法之精義。句句名言。字字金玉。學者當熟讀之。

調停自氣。呼吸定息。四至五至。平和之則。三至爲遲。遲則爲冷。六至爲數。數即熱症。轉遲轉冷。轉數轉熱。遲數既明。浮沉當別。浮沉遲數。辨內外因。外因於天。內因於人。天有陰陽。風雨晦冥。人喜怒憂。思悲恐驚。外因之浮。則爲表症。沉裡遲陰。數則陽盛。內因乙浮。虛風所爲。沉氣遲冷。數熱何疑。浮數表熱。沉數裡熱。浮遲表虛。沉遲冷結。表裡陰陽。風氣冷熱。辨內外因。脈症參別。脈理浩繁。總括於四。既得提綱。引伸觸類。浮遲法天。輕手可得。泛泛在上。如水漂木。有力洪大。來盛去悠。無力虛大。遲而且柔。虛甚則散。渙漫不收。有邊無中。其名曰芤。脈小爲濡。綿浮水面。濡甚則微。不任尋按。沉脈法地。近於筋骨。深深在下。沉極爲伏。有力爲牢。實大弦長。牢甚則實。幅幅而强。無力爲弱。柔小如緜。弱甚則細。如蜘絲然。遲脈屬陰。一息三至。小駃於遲。緩不及四。三損一敗。病不可治。兩息奪精。脈已無氣。浮大虛散。或見芤革。浮小濡微。沉小細弱。遲細爲濇。往來極難。促則來數。一止卽還。結則來緩。止而復來。代則來緩。止不能回。數脈屬陽。六至一息。七疾八極。九至爲脫。浮大者洪。沉大牢實。往來流利。是謂之滑。有力爲緊。彈如轉索。數見寸口。有上爲促。數見關中，動脈可候。狀如小豆。長則氣治。過於本位。長而端直。弦脈應指。短則氣病。不能滿部。不見於關。惟尺寸候。

秀山先生按此總括各脈常象之精義。

一脈一形。各有主病。數脈相兼。則見諸症。浮脈主表。裡必不足。有力風熱。無力血熱。浮遲風虛。浮數風熱。浮緊風寒。浮緩風濕。浮虛傷暑。浮芤失血。(浮洪虛火)浮微勞極。浮細陰虛。浮散虛劇。浮弦痰食。浮滑痰熱。沉脈主裡。主寒主積。有力痰食。無力氣鬱。沉遲虛寒。(沉數熱伏)沉緊冷痛。沉緩水蓄。沉牢痼冷。沉實熱極。沉弱陰虛。沉細痺濕。沉弦飲痛。沉滑(頭痛)宿食。沉伏吐利。陰毒聚積。遲脉主臟。陽氣伏潛。有力爲痛。無力虛寒。數脉主腑。主吐主狂。有力爲熱。無力爲瘡。滑脉主痰。或傷於食。下爲蓄血。上爲吐逆。濇脉少血。或中寒濕。反胃結腸。自汗厥逆。弦脈主飲。病屬肝胆。弦數多熱。弦遲多寒。浮弦支飲。沉弦懸飲。陽弦頭痛。陰弦腹痛。緊脈主寒。又主諸痛。浮緊表寒。沉緊裡痛。長脉氣平。短脉氣病。細則少血。大則病進。浮長風癇。沉短宿食。血虛脉虛。氣實脉實。洪脈爲熱。其陰則虛。細脉爲濕。其血則虛。緩大者風。緩細者濇。緩濇血少。緩滑內熱。濡少陰虛。弱小陽竭。陽竭惡寒。陰虛發熱。陽微惡寒。陰微發熱。男微虛損。女微瀉血。陽重汗出。陰動發熱。爲痛與驚。崩中失血。虛寒相搏。其名爲革。男子失精。女子失血。陽盛則促。肺癰陽毒。陰盛則結。疝瘕積鬱。代則氣衰。或泄膿血。傷寒心悸。女胎三月。

秀山先生按此爲各脉主病之大要

脈之主病。有宜不宜。陰陽順逆。吉凶可推。中風浮緩。急實則忌。浮滑中痰。沉遲中氣。尸厥沉滑。卒不知人。入臟身冷。入腑身溫。風傷於衛。浮緩有汗。寒傷於榮。浮緊無汗。暑傷於氣。脈虛身熱。濕傷於血。脈緩細濇。傷寒熱病。脈喜浮洪。沉微濇小。症反必凶。汗後脈靜。身凉則安。汗後脈燥。熱甚必難。陽病見陰。病必危殆。陰病見陽。雖困無害。上不至關。陰氣已絕。下不至關。陽氣已竭。代脈止歇。臟絕傾危。散脈無根。形損難醫。飲食內傷。氣口急滑。勞倦內傷。脾脈大熱。欲知是氣。下手脈沉。沉極則伏。濇弱久深。六鬱多沉。滑痰緊食。氣濇血芤。數火細濕。滑主多痰。弦主留飲。熱則滑數。寒則弦緊。浮滑兼風。沉滑兼氣。食傷短疾。濕留濡細。瘧脉自弦。弦數者熱。弦遲者寒。代散者折。泄瀉下痢。沉小滑弱。實大浮洪。發熱則惡。嘔吐反胃。浮滑者昌。弦數緊濇。結腸者亡。霍亂之候。脉代勿訝。厥逆遲微。是則可怕。咳嗽多浮。聚肺關胃。沉緊小危。浮濡易治。喘急息肩。浮滑者順。沉濇肢寒。散脉逆症。病熱有火。洪數可醫。沉微無火。無根者危。骨蒸發熱。脉數而虛。熱而濇小。必殞其軀。勞極諸虛。浮軟微弱。土敗雙弦。火炎急數。諸病失血。脉必見芤。緩小可喜。數大可憂。瘀血內蓄。却宜牢大。沉小濇微。反成其害。遺精白濁。微濇而弱。火盛陰虛。芤濡洪數。三消之脉。浮大者生。細小微濇。形脫可驚。小便淋閉。鼻頭色黃。濇小無血。數大無妨。大便燥結。須分氣血。陽數而實。陰遲而濇。癲乃重陰。狂乃重陽。浮洪吉兆。沉急凶殃。癇脈宜虛。實急者惡。浮陽沉陰。滑痰數熱。喉痺之脉。數熱遲寒。纏喉走馬。微伏者難。諸風眩暈。有火有痰。左濇死血。右大虛看。頭痛多弦。浮風緊寒。熱洪濕細。滑緩厥痰。氣虛弦輭。血虛微濇。腎厥弦堅。眞痛短濇。心腹之痛。其類有九。細遲從吉。浮大延久。疝氣弦急。積聚在裡。牢急者生。弱急者死。腰痛之脉。多沉而弦。兼浮者風。兼緊者寒。弦滑痰飲。濡細腎 。大乃弦虛。沉實內着。脚氣有四。遲寒數熱。浮滑者風。濡細者濕。痿病肺虛。脉多微緩。或濇或緊。或細或濡。風寒濕氣。合而爲痺。浮濇而緊。三脉乃備。五疸實熱。脉必洪數。濇微屬虛。切忌(陽黃)發渴。脈得諸沉。責其有水。浮氣與風。沉石在裡。沉數爲陽。沉遲爲陰。浮大出厄。虛小可驚。脹滿弦脈。脾受肝尅。濕熱洪數。陰寒遲熱。浮爲虛滿。緊則中實。浮大可治。虛小危極。五臟爲積。六腑爲聚。實强者生。沉細者死。中惡腹滿。緊細者生。脈若浮大。邪氣已深。癰疽浮數。惡寒發熱。若有痛處。癰疽所發。脈數發熱。若痛者傷。不數不熱。不疼陰瘡。未潰癰疽。不怕洪大。已潰癰疽。洪大可怕。肺癰已成。寸數而實。肺痿之形。數而無力。肺癰色白。脈宜短濇。不宜浮大。唾糊嘔血。腸癰實熱。滑數可知。數而不熱。關脈芤虛。微濇而緊。未膿當下。緊數膿成。切不可下。

秀山先生按。此爲脈症宜忌之大要。

婦人易產乳諸

婦人之脉。以血爲本。血旺易胎。氣旺難孕。少陰(兩尺脉)動甚。謂之有子。尺脉滑利。姙娠可喜。滑疾不散。胎必三月。但疾不散。五月可必。左疾爲男。右疾爲女。女腹爲箕。男腹如斧。關或滑大。代促無防。舌青脉伏。其胎必傷。尺滑帶數。胎氣過強。浮遲而濇。其胎防殞。六七月後。脉喜實長。八月弦實。沉細不祥。神門微緊。胎必防傷。大勞驚仆。胎血難藏。沉細短濇。終多凶殃。足月脉亂。反是吉象。臨產六至。脉號離經。沉細急數。胎已下臨。浮大難產。急於色徵。面舌唇色。忌黑與青。面赤舌青。子死母活。面靑舌赤。母死子活。面舌俱靑。口噴熱穢。若胎在腹。子母俱殞。新產之脉。緩滑爲吉。實大弦牢。諸病皆逆。沉細虛弱。產後相合。潰疾血崩。血脫陰竭。

常人歲 50 弦 12 痾靈 12 弦 16

小兒之脉。七至爲平。更察色證。與虎口紋。

奇經八脉。其診又別。直上直下。浮則爲督。牢則爲衝。緊則任脉。寸左右彈。陽蹻可訣。尺左右彈。陰蹻可別。關左右彈。帶脉當訣。尺外斜上。至寸陰維。尺內斜上。至寸陽維。督脉爲病。脊强癲癎。任脈爲病。男多七疝。女子帶下。瘕聚癥堅。衝脈爲病。逆氣裡急。上冲則咳。爲厥爲呃。帶主帶下。腰痛精失。陽維寒熱，目眩僵仆。陰維心痛。胸剌脅築。陽蹻爲病。陽緩陰急。陰蹻爲病。陰緩陽急。癲癇瘛瘲。寒熱恍惚。八脈主病。各有所屬。

秀山先生按曰。上爲婦女小兒。與奇經八脈。脈症之總訣。

雀啄連連。止而又作。（肝絕）屋漏水流。半時一落。（胃絕）彈石沉弦。按之指搏。（腎絕）乍密乍疏。亂如解索。（脾絕）本息未搖。魚翔相若。（心絕）蝦游再冉。忽然一躍。（大腸絕）釜沸空浮。絕無根脚。（肺絕）七怪一形。醫休下藥。

七怪之外。又有眞臟。肝眞臟脉。中沉急硬。如按弓弦。如循刀刃。心眞臟脈。緊而不柔。前曲後倨。如操帶鈎。脾眞臟脉。乍數乍疏。如鳥之啄。代而中阻。肺眞臟脈。無根亦虛。輕散無緒。如風吹羽。腎眞臟脈。堅搏牽連。散亂而硬。如奪索然。平人無脉。移於外絡。兄位弟乘。陽谿列缺。六陰六陽。反關岐出。脈不足憑。色證爲別。

秀山先生按曰。此爲七怪脉眞臟脉。與平人異脉脉態之總訣。

附檢溫器之定熱計數。

攝氏檢溫計。普通平人爲三十六主。至三十七主。不足者謂之不熱。自卅七度半至。卅八度。謂之亜輕熱。卅八度至卅八度半。謂之輕熱，在卅八度半至卅九度半。謂之中等熱。卅九度半至四十度以上者。謂之高熱。在四十一度半以上者。謂之過高熱。此爲新近醫生之檢溫定熱計法。……完……

針灸治療謌訣淺註

禁針穴歌

神庭眼紅腫 膻中向下針 神道交神經 通心 氣衝治疝三 汩靜 青靈動 舌下中之海泉 石金津石玉液

腦戶顖會及神庭。玉枕絡却到承靈。顱息角孫承泣穴。神道靈臺膻中明。
水分神闕會陰上。橫骨氣衝針莫行。箕門承筋手五里。三陽絡穴到青靈。
孕婦不宜針合谷。三陰交內亦通論。石門針灸應須忌。女子終身孕不成。
外有雲門並鳩尾。缺盆主客深暈生。肩井深時亦暈倒。急補三里人還平。
刺中五臟胆皆死。衝陽血出投幽明。海泉(咳遺尿)顴髎乳頭上。脊門(督脉穴)中髓傴僂形。
手魚腹陷陰股內。膝臏筋會反腎經。腋股之下各三寸。目眶關節皆通評。

按按前人所用之針。與今之毫針較。其粗數倍。故對於內部有重要神經。或血管腦髓脊髓。易於刺傷。發生其他疾患。乃有禁針之避忌。以令所用之毫針刺之。固無甚妨碍也。雖然亦當知有所避忌。以愼爲要。秀腦戶顖會玉枕絡却承靈。中爲腦髓。亦爲面部。器官重要神經佈之處。顱息角孫。適當絡脉之上。神庭一穴。前賢云。刺之則發狂。乃偶然之事。中無重要神經。有目翳者。非刺不可。神道靈臺脊門。（卽脊中穴）中爲脊髓。適爲心肺肝之系附著之處。承位爲三叉神經之通於眼系者。水分神闕今人亦有鍼者。中爲大動脉管。不可過深。刺及耳會陰乳中之禁針。殆避嫌也。橫骨爲生殖系之精囊。卵巢佈及之處。針勿宜深。氣衝爲淋巴結節之處。粗針則傷。膻中避直刺。箕門承筋手里。三陽絡青靈衝陽顴髎。中非靜脉。卽爲動脉。前人恐出血不止故列入禁穴。在今日無須避忌。鳩尾恐傷及心尖與刺破膈膜。非至不得已時始針之。必使患者兩手直舉。方可下針。肩井缺盆過深。則傷及迷走神經之入於胃者。引起胃之反射性也。海泉在舌下正中絡上。並治消渴。刺出血。魚腹腋股下。中有靜脉。可無忌。膝臏出液則跛。總之在經驗上。頭之上後部。爲大小腦延髓之處，不宜深刺。背部自腰以上。胸部自臍以上。肋骨所蔽之部。悉勿過深。不傷及內臟爲要。手足諸部。雖無須避忌。但針宜清潔。若有鏽汚得等物。遺入血管之中。卽危險有不堪設想之。當三注焉。

禁灸穴訣

啞門風府天柱擎。承光臨泣頭維平。絲竹攢竹睛明穴。素髎禾髎近香程。
顴髎下關人迎去。天牖天府到周榮。淵液乳中鳩尾下。(傷心)腹哀臂後尋肩貞。
陽池中冲少商穴。魚際經渠一順行。地五陽關脊中主。隱白漏谷通陰陵。
條口犢鼻上陰布。伏兔髀關申脈迎。委中殷門承扶上。白環心俞同一經。
灸而勿針針勿灸。針經爲此嘗叮嚀。庸醫針灸一齊用。徒使患者炮烙形。

按按禁灸各穴。悉屬神經散佈浮淺之處。或直接動脉之所。所謂灸則傷神明者。卽指灸傷血管與神經也。至於灸不再針。針不再灸之說。良以灸後肌膚表皮破潰。復以粗劣之針刺入。汚物易於傳入。致紅腫潰膿。若針而再灸。則針孔未閉。火氣同汚物亦易直入。故針灸不能並施。今以針留孔穴。以艾燃針柄。使溫熱由針傳入。頗可取法。惟效不及直接灸之爲愈。

井榮俞原經合歌

少商魚際與太淵　經渠尺澤肺相連　手太陰肺經
商陽二三間合谷　陽谿曲池大腸牽　手陽明大腸經
隱白大都太白脾　商丘陰陵泉要知　足太陰脾經
厲兌內庭陷谷胃　陽衝解谿三里隨　足陽明胃經
少衝少府屬於心　神門靈道少海尋　手少陰心經
少澤前谷後谿腕　陽谷小海小腸經　手太陽小腸經
湧泉然谷與太谿　復溜陰谷腎所宜　足少陰腎經
至陰通谷東京骨　崑崙委中膀胱知　足太陽膀胱經
中衝勞宮心包絡　大陵間使傳曲澤　手厥陰心包絡經
關冲液門中渚焦　陽池支溝天井索　手少陽三焦經
大敦行間太衝看　中封曲泉屬於肝　足厥陰肝經
竅陰俠谿臨泣胆　丘墟陽輔陽陵泉　足少陽胆經

井榮兪原經合表

陰經＼五行	井 木	榮 火	兪 土	經 金	合 水	絡
肺	少商	魚際	太淵	經渠	尺澤	列缺
脾	隱白	大都	太白	商丘	陰陵泉	公孫
心	少衝	少府	神門	靈道	少海	通里
腎	湧泉	然谷	太谿	復溜	陰谷	大鐘
包絡	中衝	勞宮	大陵	間使	曲澤	內關
肝	大敦	行間	太衝	中封	曲泉	蠡溝
	春刺	夏刺	季夏刺	秋刺	冬刺	

陽經	井金	滎水	俞木	原	經火	合土
大腸	商陽	二間	三間	合谷	陽谿	曲池
胃	厲兌	內庭	陷谷	衝陽	解谿	三里
小腸	少澤	前谷	後谿	腕骨	陽谷	小海
膀胱	至陰	通谷	束骨	京骨	崑崙	委中
三焦	關衝	液門	中渚	陽池	支溝	天井
胆	竅陰	俠谿	臨泣	丘墟	陽輔	陽陵泉

按按內經（靈樞）九鍼十二原篇曰。五臟五腧。五五廿五腧。六府六腧。六六卅六腧。經脈十二。絡脈十五。凡廿七氣。以上下所出爲井。所溜爲滎。所注爲腧。所行爲經。所入爲合。二十七氣所行。皆在五腧也。節之交三百六十五會。所言節者。神氣之所遊行出入也。非皮肉筋骨也。考井者泉也。水原之所出也。靈樞廿七氣之所出爲井

。言經脉之氣、由此起源發出。汪昂註曰。井者如水之出也、故曰所出爲井。溜者流也。靈樞廿七氣之溜爲滎。言經脈之氣。由此處急流而過也、汪昂註曰。滎者如水之流也、兪者輸也。靈樞廿七氣之所注爲兪。言經氣由此輸注也。汪昂註曰。兪者如水之注也、經去行經也。靈樞二十七氣之所行爲經。言經脈之氣。由此處通行而過。汪昂註曰。經者如水之行也。合會也接也。靈樞二十七氣之所入爲合。言經絡之氣由此會接。汪昂云。合者而水之會也。素問曰。治府者治其合。又曰陽氣在合。取合以虛陽邪。原者源也本也。釋曰脉之所過爲原。又曰瀉必針其原。至於春刺夏刺之說。言春令木旺。宜刺井穴以應之。夏令火旺。宜刺滎穴以應之。長夏土旺。宜刺兪穴以應之。秋爲金旺。宜刺經穴以應之、冬爲寒水司令。宜刺合穴以應之。此屬前賢惑於陰陽五行之說。有此附會。在治療上未進然也。

井滎兪經合治法總訣

井　井、之所治。皆心下滿。

滎　滎、之所治。皆主身熱。

兪　兪、之所治。皆主體重節痛。

經　經、之所治。皆主喘嗽寒熱。

合　合、之所治皆主熱氣而泄。

按按凡中滿悶。屬於井經之病者。則刺肺之井穴。屬於大腸經之病者。則刺大腸經之井穴。餘可類推。凡身熱發燒。屬於肺經而病者。則刺肺經之滎穴。如爲大腸經之熱者。則刺大腸經之滎穴。餘可類推。凡骨節痠重疼痛。屬於肺經者。刺肺之兪穴。屬於大腸經之病者。刺大腸經之俞穴。餘可類推。寒熱喘嗽之屬於肺經病者。則經刺肺之經穴。若屬於脾經病者。則刺脾之經穴。餘可類推。發熱兼泄。或汗泄或下泄、屬於肺經病者、則刺肺之合穴。若屬於脾經病者。則刺脾之合穴。餘可類推。

附五藏熱論

肝熱病者。小便先黃。腹痛多臥身熱。熱爭則狂言及驚。脇滿痛。手足躁。不得臥。庚辛甚。甲乙大汗。氣逆則庚辛死。刺足厥陰少陽。合肝熱病者。左頰光赤。

心熱病者。先不樂。數日乃熱。熱爭則卒心痛。煩悶善嘔。頭痛面赤無汗。壬癸甚。丙丁大汗。氣逆則壬癸死。刺手少陰太陽。又曰心熱病者、顏先赤。

脾熱病者。先頭重頰重煩心。顏青欲嘔身熱。熱爭則腰痛不可用俯仰。腹滿泄。兩頷痛。甲乙甚。戊已大汗。氣逆則甲乙死。刺足太陰陽明。又曰脾熱病者。鼻先赤。

肺熱病者。先淅然厥起毫毛。惡風寒。舌上黃身熱。熱爭則喘咳痛。走胸膺背。不得太息。頭痛不堪。汗出而寒。丙丁甚。庚辛大汗。氣逆則丙丁死。刺手太陰陽明。又曰肺熱病者。右頰先赤。

腎熱病者。先腰痛胻痠。若濁數飲。身熱。熱爭則項痛而強。胻寒且痠。足下熱不欲言。戊已甚。壬癸大汗。氣逆則戊已死。刺足少陰太陽。又曰腎熱病者頤先赤。

熱病先胸脇痛。手足躁。刺足少陽。補足太陰。

熱病始手臂痛者。刺手陽明太陰。而汗出止。

熱病始於頭首者。刺項太陽。而汗出止。
熱病始於足脛者。刺足陽明。而汗出止。
熱病先身重骨痛。耳聾好暝。刺足少陰。
熱病先暈冒而熱。胸脇滿。刺足少陰少陽。
諸治熱病。以飲之寒水乃刺之。必寒衣之。居止寒處。身寒而止也。

附五藏欬論

肺欬之狀。欬而喘息有音。甚有唾血。肺欬不已。則大腸受之。大腸欬狀。欬而遺矢。心欬之狀。欬則心痛。喉中介介如梗狀。甚則咽腫喉痺。心欬不已。則小腸受之。小腸欬狀。欬而失氣。（屁）

肝欬之狀欬則兩脇下痛。甚則不可以轉。轉則兩胠下滿。肝欬不已。則胆受之。肝欬之狀。欬嘔胆汁。

脾欬之狀。欬則右腋下痛。隱隱引肩背。甚則不可以動。動則欬劇。脾欬不已。則胃受之。胃欬之狀。欬而嘔。嘔甚則長虫出。

腎欬之狀。欬則腰背相引而痛。甚則咳涎。腎欬不已。則膀胱受之。膀胱欬狀。欬而遺溺。久欬不已。則三焦受之。三焦欬狀。欬而腹滿不欲飲食。（總指上文）此皆聚於胃關於肺。使人多涕吐面浮腫。

諸欬治之奈何。治臟者治其俞。治腑者治其合。浮腫者治其經。

脾胃生痰之原肺乃貯痰之所

俞乃背上五臟俞穴如心俞肺俞

十二經原穴歌

胆出丘墟肝太衝。小腸腕骨是原中。心從神門原內過。胃是衝陽氣可通。
脾出太白腸合谷。肺原本是太淵同。膀歸京骨陽池焦。腎乃太谿大陵包。
按按脉之所過爲原。瀉必針其原。凡病由於某經之氣太過者。卽刺某經之原穴以瀉之。

十五絡穴歌

人身絡脉一十五。吾今逐一從頭舉。手太陰絡爲列缺。手少陰絡卽通里。
手厥陰絡爲內關。手太陽絡支正是。手陽明絡偏歷當。手少陽絡外關位。
足太陽絡號飛揚。足陽明絡豐隆記。足少陽絡爲光明。足太陰絡公孫寄。
足小陰絡名大鐘。足厥陰絡蠡溝配。陽督之絡號長強。陰任之絡爲屛翳（會陰）。
脾之大絡名大包。十五絡名君須記。
按按支而橫出者爲絡。十二經各有別絡。別絡者。由此經分支而與別經相連屬之路也。

四總穴歌

肚腹三里求。腰背委中留。頭項尋列缺。面口合谷收。
按按肚腹之疾。都腸胃病。所屬亦爲脾胃二經。故凡治肚腹之疾。以三里穴爲主。腰背爲太陽經之分野。故治腰背之疾。以委中爲主穴。頭項面口。指頭項與頭之前半面言。爲大腸經之分野。列缺爲肺之絡。而通於大腸經者。故列缺與合谷爲治頭項面口之主穴。

行鍼指要歌

或鍼風。先向風府百會中。或鍼水。水分俠臍上邊取
或鍼結。鍼着大腸泄水穴。或針痨。須向膏肓及百勞
或鍼虛。氣海丹田委中奇。或針氣。亶中一穴分明記
或鍼嗽。肺俞風門須用灸。或針痰。先針中脘三里門
或鍼吐。中脘氣海亶中補。翻胃吐食一般醫

按按風指中風頭風。水指水腫臌脹。結指積聚閉結。痨指虛痨傳尸。虛指精神衰弱。血虛氣虛。氣指氣結氣促或氣閉。嗽是咳嗽。痰係痰飲哮喘之類。吐則包含嘔吐翻胃噎膈諸症。

八脈西江月

衝脈公孫

〔公孫乾六衝脈。〕九種心疼。涎悶。結胸。翻胃。難停。酒食積聚胃腸鳴。水食氣疾膈病。臍痛腹疼脇脹。腸風瘧疾心疼。胎衣不下。血迷心。泄瀉。公孫立應。

接按前人以八脈配八卦與九宮數。本穴公孫。在卦爲乾。在數爲六。合奇經之衝脈。故杜撰一句曰。公孫乾六衝脈。冠於公孫西江月詞之上。便記誦也。〔下七條意同〕九種心疼。是氣痛。血痛。寒痛。熱痛。食痛。飲痛。虫痛。蛀痛。悸痛。九

種是也。

陰維脈 內關

（內關艮八陰維）中滿心胸痞脹。腸鳴泄瀉脫水。食難下膈淹夾傷。積塊堅橫脇搶。婦女脇疼心疼。結胸裡急難當。傷寒不解結胸堂。瘧疾內關獨當。

督脈 後谿

（後谿兌七督脈。）手足拘攣戰掉。中風不語癇癲。頭疼眼腫淚漣漣。腿膝腰背痛遍。項强傷寒不解。牙疼腮腫。喉咽手麻足麻破傷牽。盜汗後谿先砭。

陽蹻脈 申脈

（申脈坎一陽蹻）腰背屈强腿痛。惡風自汗頭疼。雷頭赤目痛眉稜手足麻攣臂冷。吹乳耳聾鼻衂。癇癲肢節煩憎。遍身腫滿汗頭淋。申脈先針有應。

兼治癇癲

帶脈 臨泣

（臨泣巽四帶脈。）手足中風不舉。痛麻發熱拘攣。頭風痛腫項腮連。眼腫赤疼頭旋。齒痛耳聾咽腫。浮風搔癢筋牽。腿疼脇脹肋肢偏。臨泣針時有驗。

陽維脈 外關

（外關震三陽維。）肢節腫疼膝冷。四肢不遂頭風。背胯內外骨筋攻。頭項眉稜皆痛。

手足熱麻盜汗。破傷眼腫睛紅。傷寒自汗衣烘烘。獨會外關爲重。

任脉 列缺

〔列缺離九任脉。〕痔瘧便腫泄痢。唾紅溺血咳痰。牙疼喉腫小便難。心胸腹疼噎嚥。產後發强不語。腰痛血疾臍寒。死胎不下膈中寒列缺乳癰多散

陰蹻 照海

〔照海陰蹻坤二五。〕喉塞小便淋澀。膀胱氣痛腸鳴。食黃酒積腹臍并。嘔瀉胃翻便緊。產難昏迷積塊。腸風下血常頻。膈中快氣氣核侵。照海有功必定。

按八脈八穴。能統治人身一切病苦。故每有以此八穴應診者。普通針醫。則先取八脈穴。再及其他要穴。收效較單憑八穴爲便捷。考公孫內關二穴。專治胸部與少腹二疾。後谿申脈。專治手足腰背頭面諸疾。臨泣外關。專治手足面部諸疾。列缺照海。專治少腹咽喉胸部諸疾。

十二經治症主客絡原訣

肺主大腸客 肺原太淵 大腸絡偏歷

太陰多氣而少血。心胸氣脹掌發熱。喘咳缺盆痛莫禁。咽腫喉乾身汗越。肩內前廉兩乳疼。痰結膈中氣如缺。所生病者何穴求。太淵偏歷與君說。

按按主客者。視病苦之偏重於某經者。卽以某經爲主病而刺其原穴。其涉及他經者則爲客。客者尅也涉也。譬如甲經之病。乙經受其應響而波及亦病。卽乙經受甲經之客是也。下條意同。

大腸主肺客

大腸原合谷
肺經絡列缺

陽明大腸俠鼻孔。面痛齒疼顋頰腫。生疾目黃口亦乾。鼻流清涕及血湧。喉痺肩前痛莫當。大指次指爲一統。合谷列缺取爲奇。二穴針之居病總。

脾主胃客

脾原太白
胃絡豐隆

脾經爲病舌本强。嘔吐胃翻疼腹臟。陰氣上衝噫難瘳。體重脾搖心事忘。瘧生振慄兼體羸。秘結疸黃手執仗。股膝內腫厥而疼。太白豐隆取爲尙。

胃主脾客

胃原衝陽
脾絡公孫

腹瞋心悶意悽愴。惡人惡木惡燈光。耳聞響動心中惕。鼻屬唇喎瘧又傷。棄衣驟步心中熱。痰多足痛與瘡瘍。氣蠱胸腿疼難止。衝陽公孫一次康。

心主小腸客

心原神門
小腸絡支正

少陰心痛且乾嗌。渴欲飲兮爲臂所。生疾目黃口亦乾。脇臂疼兮掌發熱。若人欲治勿差求。專在醫人心審察。驚悸嘔血及怔忡。神門支正何堪缺。

小腸主心客 小腸原腕骨 心絡通里

小腸之病豈爲良。頰腫肩疼兩臂傍。項頭强頸難轉側。嗌頷臚痛甚非常。肩似拔兮臑似折。生病耳聾及目黃。臑肘臂外外後廉痛。腕骨通里取爲詳。

腎主膀胱客 腎原太谿 膀胱絡飛揚

臉黑嗜臥不欲糧。目不明兮發熱狂。腰痛足疼步難履。若人捕獲難躲藏。心胆戰兢氣不足。更兼胸結與身黃。若欲治之無更法。太谿飛揚取最良。

膀胱主腎客 膀胱去京骨 腎經絡大鐘

膀胱頸病目中疼。項腰足腿痛難行。痢瘧狂癲心煩熱。背弓反手額眉稜。鼻衄目黃筋骨縮。脫肛痔漏腹心膨。若要除之無別法。京骨大鐘任顯能。

三焦主包絡客 三焦原陽池 包絡絡內關

三焦爲疾耳中聾。喉痺咽乾目腫紅。耳後肘疼并出汗。脊間心後痛相從。肩背風生連膊肘。大便堅閉及遺癃。前病治之何穴愈。陽池內關法理同。

包絡主三焦客 包絡原大陵 三焦絡外關

包絡爲病手攣急。臂不能痛如屈。胸膺脇痛脇腫乎。心中淡淡面色赤。目黃善笑不肯休。心煩心痛掌熱極。良醫達士細推詳。大陵外關病消釋。

肝主胆客 肝原太冲 胆絡光明

氣少血多肝之經。丈夫潰疝苦腰疼。婦人腹疼小腹腫。甚則嗌乾面脫塵。所生病者胸滿嘔。腹中泄瀉痛無停。癃閉遺溺疝瘕痛。太冲光明卽安寧。

胆主肝客 胆原丘墟 肝絡蠡溝

胆經之穴何病主。胸脇肋疼足不舉。面體不澤頭目疼。缺盆腋腫汗如雨。頸項癭瘤堅似鐵。瘧生寒熱連骨髓。以上病症欲除之。須向丘墟蠡溝取

馬丹陽天星十二訣

1、三里膝眼下。三寸兩筋間。能通心腹脹。善治胃中寒。腸鳴並泄瀉。腿腫膝胻痠。傷寒羸瘦損。氣蠱及諸般。年過三旬後。針灸眼便寬。取穴當審的。八分三壯安。

按三里穴。善治腸胃之疾。腎主元氣。脾主中氣。卽後天之生氣。書曰有胃氣則生。蓋脾胃腸三者。爲供給營養之中樞。腸胃無病。中氣乃强故。古人於三旬之後。必常灸三里。以助脾胃之氣化。增加血液之運行。古諺有曰。若欲身體安。三里常不乾。卽指常灸三里。致起泡潰爛也。近今日人甚篤信三里灸法。謂非但能治腸胃病。且能健身體云。

2、內庭次指外。本屬足陽明。能治四肢厥。喜靜惡聞聲。癮疹咽喉痛。數欠及牙疼。瘧疾不能食。針着便惺惺。

按按內庭爲足陽明之滎穴。故所治悉屬足陽明。經氣太過之疾。

3、曲池拱手取。屈肘骨邊求。善治肘中痛。偏風手不收。挽弓開不得。筋緩莫梳頭。喉閉促欲死。發熱更無休。遍身風癬癩。針着卽時瘳。

按按本穴治陽明經之身熱與浮風身癬。及肘肩屈伸諸病。

4、合谷在虎口。兩指歧骨間。頭疼并面腫。瘧病熱還寒。齒齲鼻衂血。口禁不開言。針入五分許。令人卽便安。

按按合谷穴之主治有特效者。爲口齒頭面諸疾。

霍亂抽筋

5、委中曲脷裡。橫紋脉中央。腰痛不能舉。沈沈引脊梁。痠痛筋莫展。風痺復無常。膝頭難伸屈。鍼入卽安康。

按按委中一穴。專治腰背膝腿之疾。

穴在脚肚中

6、承山名魚腹。腨腸分內間。善治腰疼痛。痔疾大便難。脚氣并膝腫。展轉戰疼痠。霍亂及轉筋。穴中刺便安。

按按本穴爲治脚氣。或霍亂轉筋之特效穴。

偏疝臍下⊙

7、太衝足大指。節後二寸中。動脉知生死。能醫驚癇風。咽喉并心脹。兩足不能行。七疝偏墜腫。眼目似雲朦。亦能療腰痛。鍼下有神功。

按按太衝爲肝經之原穴。驚癇疝氣。目生雲翳。咽喉心脹。都屬肝經氣太過之疾患。故太衝能治之。七疝者。爲衝疝。狐疝。癩疝。厥疝。疝瘕。癀疝。癃疝七種。少腹上衝心而痛。不得前後爲衝疝。睾丸偏小偏大。時上時下爲狐疝。陰囊少腹悶痛。結形如瓜爲疝瘕。睾丸腫痛。甚至潰膿爲癀疝。睾丸腫大。小溲不通爲癃疝。

8、崑崙足外踝。跟骨上邊尋。轉筋腰尻痛。暴喘滿中心。舉步行不得。一動卽呻吟。若欲求安樂。須於此穴針。

按按崑崙治足踝背附骨之病。爲最特效。腰痛轉筋亦善。

9、環跳在髀樞。側臥屈足取。折腰莫能顧。冷風并濕痺。腿胯連腨痛。轉側重欷歔。若人鍼灸後。頃刻病濟除。

按按環跳治腰痛由於折傷氣血滯。而致者有特效。下肢風濕痺痛痿弛。亦有特效。

10、陽陵居膝下。外臁一寸中。膝腫并麻木。冷痺及偏風。舉足不能起。坐臥是衰翁。針入六分止。神功妙不同。

按本穴專治下肢之風濕痿痺。

11、通里腕側後。去腕一寸中。欲言聲不出。懊憹及怔忡。實則四肢重。頭腮面頰紅。虛則不能食。暴瘖面無容。毫針微微刺。方信有神功。

按本穴專治胸廓內藏。及聲帶之疾。與血行之疾。

12、列缺腕側上。食指手交义。善療偏頭患。遍身風痺痳。痰涎頻壅上。口禁不開牙。若能明補瀉。應手卽如拏。

按按列缺善治頭面之疾。及遍身肌肉淺層神經諸疾患。

狂宜插進捻退宜出針速癲針留一二分鐘始出針用寸餘粗針輕

神門上脘

十三鬼穴詞

百邪爲疾狀癲狂。十三鬼穴須推詳。一鍼鬼宮人中穴。二針鬼信取少商。鬼壘三鍼爲隱白。鬼心四刺大陵岡。申脉五鍼通鬼路。風府六鍼鬼枕旁。七車鬼床頰車穴。八針鬼市聞承漿。九刺勞宮鑽鬼窟。十刺上星登鬼堂。十一鬼道會陰取。玉門頭上刺嬌娘。十二曲池淹鬼腿〔火針〕。十三鬼封舌下藏。出血須令舌不動。更加間使後谿良。男先針左女先右能令鬼魔立刻降。

按孫眞人十三鬼穴。專治神魂不安。或歌或吟。或笑或哭或多言多語。或靜默不聲。或晝夜妄行。或潛居不動。裸體形穢。親長不避。癲狂之疾。頗有神效。行針依歌訣次序下鍼。中脉曲池二穴。宜用火針。舌下海泉宜出血。

雜病穴法歌

雜病隨症選雜穴。仍兼原合與八脈。經絡原會別論詳。臟腑俞募當謹始。根結標本理系微。四關三部識其處按按原爲五臟之腧、及六府之原。合卽十二經之合穴。八脉卽奇經八脈之主穴。經直行曰經。此指十二經。絡橫行曰絡。此指十五絡。會指五會。氣會膻中。血會膈俞。筋會陽陵。骨會大杼。髓會絕骨。俞穴也。穴之在於背者曰俞。如心俞肺俞之類。募者五臟之募穴。肺之募爲中府穴。肝之募爲期門。心之募爲巨闕。脾之募爲章門。腎之募爲京門。此言經氣之結聚。處爲之募。俞亦同。惟募在胸腹。俞在背部。難經曰。俞在陽而募在陰是也、俞穴可常針。能散其風寒。能補其臟氣。募則宜少針、以能泄其臟氣也、根結標本者。指病之終始治之標本也。內經曰。病有終始。治有標本。知所先後、得其道矣。四關者指四大關節。肘肩髀膕膝。三部者指上中下三部也。

傷寒一日刺風府。陰陽分經次第取。

按按傷寒一日見太陽症。頭痛項强惡寒發熱。先刺風府。繼刺他穴。二日見陽明症。頭痛發熱自汗。不惡寒反惡熱。先刺陽明之滎穴內庭。再刺他穴。三日見少陽症。口苦咽乾目眩。胸脇滿痛。寒熱往來。先刺少陽之俞穴臨泣。再刺他穴。四日見太陰症。腹滿而痛。食不下。時腹時痛。自利不渴。先刺太陰之井隱白穴。五日見少陰症。脉微細。但欲寐。身重惡寒。先刺少陰之俞太谿穴。再刺他穴。六日見厥陰症。腹中拘急。下利清穀。嘔吐酸苦。甚則吐蚘。先刺厥陰之經中封穴。再針他穴。一日二日三日計數也、非一日必見太陽症。二日必見陽明症。惟傷寒見太陽症。不拘其日數之多少寡。病尚未傳。則刺其風府可也。症見陽明。則刺榮穴。不必問其日數。餘皆同。在表之病。則刺陽經之穴。在裡之病。則刺陰經之穴。所謂在表刺三陽經。在裡刺三陰經。病經六日未汗。當刺期門三里。惟陰經之病久。宜灸關元爲妙。

汗吐下法非有他。　合谷內關陰交杵。

防閉結

汗法　針合谷。行九陽數。得汗行瀉法。汗止身溫出針。如汗不止。針陰市。補合谷。

瀉法　。針三陰交。行六陰數。一方使病者口鼻秘氣。呑鼓腹中。卽泄。泄不止。補合谷。行九陽數。

吐法　針內關。先補六次。瀉三次。一方使病者作欲吐之狀。卽吐。吐不止。補九陽數。使其調匀呼吸卽止。

按汗吐下三法。非行於小人能得效者。必病者未病無汗有汗之資。無汗之機。始發生汗之效力。溱溱而出矣。吐亦須胸膈閉悶不堪。欲吐不能者。旋之方有效。瀉亦先必具有必須瀉之條件。如腹滿矢氣大解。欲解而不得。行之乃有效。雖然汗吐下爲行鍼之功力所致。但醫者無絕對之暗示。以堅其必得汗吐下之心理。則其功亦不著。

一切風寒暑濕邪。頭疼發熱外關起。

按按頭疼發熱。病屬外感。不論風寒暑濕之所中。概先鍼外關。再及其他各穴。如風府風池太陽大椎各經之禁穴等。

頭面耳目口鼻病。　曲池合谷爲之主。

按頭面耳目口鼻之病。由氣火血熱。而發紅腫痛之疾苦。乃以曲池合谷爲治療之穴。

偏正頭痛左右針。　列缺太淵不用補。

按列缺太淵之治偏正頭痛。係指外感風邪所致。或大腸經氣火太過所致。與血虛頭痛。或肝胆氣火太過所致之偏正頭痛不同。幸注意之。并治列缺太淵二穴之外。加刺風池。以收捷效。

頭風目眩項捩强。　申脉金門手三里。

按太陽經之風邪。稍涉陽明經病。故申脉金門手三里能治之。

赤目迎香出血奇。　臨泣太衝合谷侶。　按此赤目。當爲胆與大腸兩經之火上炎。

耳聾臨泣與金門。　合谷針後聽人語。　按此條耳聾。爲風火所擾之暴聾。

鼻寒鼻痔及鼻淵。　合谷太衝隨手取。

按此不也屬於風熱性所致之病。否則合谷太冲未必有效。

口噤喎斜流涎多。　地倉頰車仍可舉。

按此爲中風而致。地倉頰車二穴宜灸。喎左灸右喎右灸左。

口舌生瘡舌下竅。　三稜出血非粗裂。

按舌部病。而屬紅腫痛者。前賢爲心熱。即舌之局部充血。故刺其舌下兩邊之紫絡。放出鬱血。其病即愈。

舌裂出血尋內關。　太冲陰交走上部。

按前賢有言曰。舌爲心之苗。舌裂出血。爲心經血熱上湧。其血熱之上升。每挾肝氣而潛逆。內關太冲。所以平心肝逆上火。三陰交爲脾經穴。脾經絡舌下。舌裂出血。亦有心脾之熱者。故亦須針三陰交。

舌上生苔合谷當。　手三里。治舌風舞。

按舌苔之厚。由於腸胃之濁熱上泛使然。合谷所以瀉其濁熱也。舌風舞。卽熱病。心熱太過。舌伸出齒外。數動如蛇舌。手三里刺之有特效。其理不明。

牙風面腫頰車神。　合谷臨泣瀉不數。　按牙風卽牙痛。三穴俱宜刺。用瀉法。

二陵二蹻與二交。頭項手足相互與。兩井兩商二三間。手上諸風得其所。

按二陵卽陰陵陽陵。二蹻卽中脈(陽蹻)照海。(陰蹻)二交卽陽交三陰交。上列六穴。可治頭項手足之病。兩井卽肩井天井。兩商卽少商商陽。二間。卽二三間。此六穴可治手上諸風痛或痲痺。

手指連肩相引疼。　合谷太冲能救苦。　按手指與肩臂俱痛。爲大腸經病。

手三里治肩連臍。　脊背心後稱中渚。

按肩痛與臍痛腹痛。手三里可治之。肩痛及脊。則中渚可已之。

冷嗽只宜補合谷。　三陰交瀉卽時住。

按合谷所以補肺氣。三陰交所以瀉脾氣。補肺卽所以助肺之肅降而嗽已。瀉脾殆瀉其上衝之氣歟。鄙意冷嗽都屬痰飲。由於溫失溫運。嗽是標。脾失溫運是本。治病必求其冷嗽。當補三陰交。而不當瀉。犯虛虛之弊。并須溫灸肺脾二俞。斯爲根治。

霍亂中脘可入深。　三里內庭深幾許。

按霍亂上吐下泄。中宮清濁混肴。揮霍撩亂。胃腸神經。起劇烈之反射作用。中脘一穴。頗俱特效。蓋可以止神經之反射性。而使之安靜。吐瀉立止。三里內庭平胃氣也。

心痛翻胃刺勞宮。　寒者少澤細手止。

按前賢云。心爲君主之官。不可受邪之侵襲。故心不能病。所病者俱屬心包絡病。且心不可瀉。須瀉心者。都瀉心包絡。勞宮心包俞穴也。即原穴也。瀉必針其原。瀉勞宮即瀉心也。心中寒而滿者。補小腸井穴少澤。助心大也。

心痛手戰少海求。　若欲除根覓陰市。

按少海用補法。陰市爲胃經穴。實則瀉其子歟。眞理不明。在經穴主治各病之原理未能暢明以前。頗多難解之處。諸君皆好學深思之士。對於某經穴之所以能主治某病之眞理。有相當之學理可以釋明者。希表而出之。所謂集思廣益也。

太淵列缺穴相連。　能祛氣痛刺兩乳。

按兩乳亦爲肺經分野之所及。太淵列缺瀉肺氣也。害。針有效。

脇痛只須陽陵泉。　腹痛公孫內關爾。

按脇爲肝胆經之分野。故刺陽陵有效。公孫內關。爲治心胸腹痛脹悶之特效穴。

瘧疾素向分各經。　危氏刺指舌紅紫。　按足太陽瘧。先寒後熱。汗出不已。刺金門。

足少陽瘧。寒熱心惕汗多。刺俠谿

足陽明瘧。寒久乃熱。汗出喜見日光火氣。刺衝陽。
足太陰瘧。寒熱善嘔。色乃衰。刺公孫。
足少陰瘧。嘔吐甚。欲閉戶而居。刺大鐘。
足厥陰瘧。少腹滿。小便不利。刺太冲。
肺瘧令人心寒。寒甚熱。熱間善驚。如有所見。刺列缺。
心瘧令人煩心。甚欲得清水。反寒多不甚熱。刺神門。
肝瘧令人色。蒼蒼然太息。其狀若死者刺中封。
脾瘧令人寒。腹中痛。熱則腸中鳴。鳴巳汗出。刺商丘。
腎瘧令人洒洒然。腰脊痛。宛轉大便難。手足寒。刺太谿。
胃瘧令人善飢而不能食。食而支滿腹大刺厲兌。
危氏復刺十指尖出血。及舌下紫腫筋出血。
又按刺瘧之法。必於瘧發前一小時左右刺之。方有效。過遠則效不彰。

痢疾合谷三里宜。甚者必須兼中膂。

合谷大腸俞脾俞天樞

按中醫名曰痢病在氣。刺合谷。赤痢病在血。刺小腸俞。赤白痢氣血皆病。刺足三里中膂。實則白者。儻腸壁爲寒食所傷。所下者爲腸液。故白色。腸因傷而炎腫。腸壁血管破裂。所下者爲血液。故赤色。兩者互雜。乃爲赤白色。其有胆液滲入者。則間夾黃綠色。名曰五色痢。爲痢疾之重者。宜加刺三焦俞。灸脾俞與天樞。

心胸痞滿陰陵泉。針到承山飲食美。

熱瀉利肛熱冷則反是

按此症由脾家濕熱。挾胆熱失於疎化而成之痞滿。故陰陵承山治之。宜觀其舌苔。舌質紅者刺瀉之。淡者加灸。

泄瀉肚腹諸般疾。[illegible]三里內庭功無比。

按挾熱者宜瀉。因傷生冷或寒者宜灸。天樞一穴亦不可少。

水腫水分與腹溜。

按水腫放水法。先用小針。次用大針。以雞翎管透之。(最好用放水針)水出渾濁者死。清者生。足上水腫大者。於腹溜穴上放之。

附瀉瘀血法。先用針補入地部。少停瀉出人部。少停復補入地部。少停瀉出針。其瘀血自出。虛者僅出黃水。

脹滿中脘三里揣。

按脹滿多屬胃不消化。挾濕挾滯中脘三里有大效。

腰痛環跳委中求。若連背痛崑崙式。

按環跳委中。善治股部閃痛。不能俯仰。股痛連背者。再刺崑崙。宜加刺人中。

腰連腿疼腕骨升。三里降下隨拜跪。

按腰連腿疼。係指腰背部痛及腿部。

腰連脚痛怎生醫。環跳行間與風市。脚膝諸痛羨行間。三里中脉金門侈。脚若轉筋眼發花。然谷承山法自古。兩足難移先懸鐘。條口後計能步履。兩足痠麻補太谿。僕參內庭盤跟楚。脚連脇腋痛難當。環跳陽陵泉內杵。冷風濕痺針環跳。陽陵三里燒針尾。

按上節悉屬筋骨痠痛之症。祇須審其病苦之在何經而刺之可也。

七疝大敦與太衝。　五淋血海男女通。

按疝都屬厥陰病。大敦太衝。所以瀉其氣也。五淋者。勞淋血淋氣淋石淋膏淋是也。血海雖能治五淋。亦宜兼刺他穴。如湧泉陰陵氣海等穴。

大便虛秘補支溝。　瀉足三里效可擬。

按虛秘者。大腸少蠕動力也。即胆汁分泌過少。腸蠕動呆滯不運。補支溝。瀉足三里。宜再按摩腸部。

熱閉氣閉先長強。　大敦陽陵堪調護。

按熱閉氣閉。爲猝失人事。昏不知人。悉屬腦神經猝失大覺。熱閉者。身熱如灼。舌絳赤而乾。氣閉者。身或熱或不熱。舌亦不甚絳。長強穴之神經。能宣通腦系。中醫謂閉厥之症。都屬肝經之病。肝爲風臟。其性剛強。易於厥逆。肝胆互爲表裡。故長強大敦陽陵能治閉厥。

小便不通陰陵泉。　三里瀉下溺如注。

按小便不通。刺陰陵三里外。宜再刺關元。

內傷食積針三里。　璇璣相應塊亦消。

按三里係手三里與足三里。對於食積。二穴皆須針。

脾痛氣血先合谷。　後針三陰針用燒。

按原穴爲脾病氣血。先合谷。頗費解。（恐病係痛字之誤）脾部痛。非血寒即氣滯。

合谷所以疏其氣。三陰交所以溫其血。

一切內傷內關穴。痰火積塊退煩潮。

按內關善治胸中病。內傷都爲情志之病。其病伏都在胸脇上腹部。故內關一穴能治之。

血熱效加中脘足三里

吐血尺澤功無比。衄血上星與禾髎。

按吐血每因欬逆上氣而發生。尺澤所以降肺氣之衝逆。血得行其常道。吐血不止而自止。上星禾髎之治衄血。殆安靜該部之神經。不刺激血液之外溢。

喘急列缺足三里。嘔噎陰交不可饒。

按肺與胃之氣化宜降。升則喘逆嘔吐之病生。列缺足三里。所以降肺胃之氣。而喘急可已。嘔吐亦是胃逆。陰交亦降其逆也。此穴有謂足三陰交。有謂任脈陰交穴。鄙意二穴皆是。都不可非。

日申脈夜海照

勞宮能治五般癇。更刺湧泉疾若挑。

按五癇爲豬羊牛雞馬癇。都爲痰涎阻塞咽喉聲帶所發出各種之聲音。以其聲似何種畜聲。卽以何癇名之

神門專治心癡呆。人中間使祛癲妖。

按癡呆癲狂。悉屬精神上受劇烈之刺激。或所欲不得。遂致神經起變化。如癲如狂。如鬼祟。神門人中間使刺之。頗其神效。

脫肛灸百會

尸厥百會一穴美。更針隱白效照照。

按尸厥者。猝然昏亂不知人。四肢逆冷。其狀若死。

婦人通經瀉合谷。　三里至陰催孕娠。

按婦人經阻不通。瀉合谷。補三陰交。經可通。足三里與至陰催產。理不可解。恐屬心靈轉移之法

死胎陰交不可緩。　胞衣照海內關尋。

按死胎不下。先瀉陰交再補之。胞衣不下。之於照海內關亦如之。

小兒驚風刺少商。　人中湧泉瀉莫深。

按人中通督脈與太陽經。凡急驚風。都病在太陽。見背及張。四肢瘛瘲。下寒上熱。人中緩太陽之拘急。湧泉引熱下行。故驚風能已。

癰疽初起審其穴。　只刺陽經不刺陰。

按癰疽從背出者太陽經。從鬢出者少陽經。從髭出者陽明經。以上俱以各經井滎俞經合五治之。從胸出者。以絕骨一穴治之。

傷寒流注分手足。　太冲內庭可浮沉。

按前賢謂傷寒傳足不傳手。太冲內庭。一爲肝經穴。一爲胃經穴。厥陰爲陰之理。陽明爲陽之盛。病由陽經傳入陰經爲逆。由陰經退出陽經爲順。順者浮也。逆者沉也。病毒之移轉吉凶。以二經爲機樞。太冲內庭防其逆也。

熟此鑒跡手要活。得後方可度金鍼。又有一言眞妙訣。上補下瀉值千金。

卷完

百症賦

百症俞穴。再三用心

昔賢謂穴之在於背者名俞穴。俞者注也輸也。言經絡之氣輸注於此也。故人身之穴　皆得名之曰俞穴。不必專指背部而言。經凡十二。絡凡十五。奇經凡八穴。有三百六十五穴。縱横貫注。宜熟誌之。

顖會連於玉枕。頭風療以金針。

頭項重痛。當刺以針。若血虛眩暈。則非針灸肝俞腰俞不可。又按顖會與玉枕。宜灸不宜針。

懸顱頷厭之中。偏頭痛止。

偏頭痛。書稱肝胆風熱。懸厘頷厭宜刺。微出血。更刺風池。其效甚佳。

强間豐隆之際。頭痛難禁。

頭痛由於痰痰火上擾者。宜刺豐隆以降其痰火。强間不易刺入。可刺風府。

原夫面腫虛浮。須仗水溝前頂。

脾虛而浮腫。刺水溝。流去面浮腫之水氣。頗效。前項宜灸。

耳聾氣閉。全憑聽會翳風。

胆肝之火挾風而上僭。則耳暴聾。刺聽會翳風以瀉之。

面上虫行有驗。迎香可取

而癢如虫行。係血風熱所致。刺瀉迎香。

耳中蟬鳴有聲。聽會可攻。

耳鳴有痰火上擾者。針聽會外。宜再鍼豐隆風池等穴。係腎虛者。當更灸腎俞。氣海以固腎元。

目眩兮。支正飛揚。

手太陽經脉與足太陽經脉。俱縈繞於目。故支正飛揚能治目眩。且二穴皆屬絡脉。刺絡脈。即所以瀉其血。

目黃兮。陽綱胆俞。

目黃肌膚黃黃而深者。名陽黃宜刺。淡而晦暗者爲陰黃宜灸之。至陽一穴。亦宜針灸

攀睛攻肝俞少澤之所。

努目攀睛。如係心肝之火。可刺肝俞與少澤。若攀睛已久。火炎已平。宜灸治之。於刺灸之外。當點治翳藥品。

淚出刺臨泣頭維之處。

淚出即迎風流淚。淚熱而微覺粘手者。屬熱。宜刺之。冷而不粘手者。爲寒則灸

之。

目中漠漠。　那尋攢竹三間。

漠漠者視物不明。翬膜上似有白膜遮蓋。近代眼科醫生。名之曰氣膜。

目覺䀮䀮　急取養老天柱。

目䀮䀮無所見。卽不明之意。此症屬於內障。俗名大眼瞎子。

觀其雀目肝氣。　睛明行間而細推。

雀目者似雀之目。黑夜卽不見物。由於肝熱腎虛之所致。睛明行間外。肝兪湧泉皆宜刺。

怕傳經也

審他項强傷寒。　溫溜期門而主之。怕傳經也

傷寒太陽病。項强几几。刺大腸經溫溜。與肝之期內。當再刺推天柱。

廉泉中衝。　舌下腫痛可取。

舌爲心苗。舌下腫痛。屬於心熱。亦有脾熱者。

天府合谷。　鼻中衄血宜走。

此症屬於肺氣熱。陽明經火逼血妄行。

耳門糸竹空。　住牙疼於頃刻。

頰車地倉穴。　正口喎於片時。

中風而致口　。喎左者灸右。喎右者灸左。

喉痛兮。　液門魚際去療。

三焦邪熱上攻。喉中紅腫。

轉筋兮。　金門丘虛來醫。

轉筋者。卽小腿膀腸症攣。刺金門丘虛之外。當刺承山尤效。

陽谿俠溪。　頷腫口噤並治。

頷腫而口噤。兼存生外瘍者。除刺針外。宜照外瘍治之。

少商曲澤。　血虛口渴同施。

口渴而由於血虛。亦屬於邪熱津枯而致者。刺少商出血。刺曲澤。再宜刺舌下。

通天治鼻內無聞之苦

通天宜灸。該穴部位之神經通於鼻內。

復溜去舌乾口燥之悲。

腎陰虛而有熱。則舌乾而口燥。復溜可治之。　少商

啞門關冲。　舌緩不語而要緊。（加舌下廉泉）

舌緩不語、而要緊者。舌根無力皷動也。由於三焦邪熱所傷。

天鼎間使。　失音囁嚅而休遲。

囁嚅欲言不能猝言也。

太冲瀉唇喎以速愈。　承漿瀉牙疼而卽移。

唇喎針太冲得愈者。殆爲肝陽暴逆而唇喎。承漿之瀉牙疼。屬下門牙痛。

項强多悪風。　束骨相連於天柱。

太陽傷寒。加刺風府大推。

熱病汗不出。　大都經接於經渠。

熱病無汗。大都經渠針刺外。再治問使合谷。

且如兩臂頑痲。　少海就傍於三里。

少海與手三里。當針灸幷施。

半身不遂。　陽陵遠達於曲池。

陽陵與曲池之治半身不遂。以灸爲主。

建里內關。　掃盡胸中之苦悶。

胸中苦悶者。卽痞滿病也。建里內關。刺有特效。

聽宮脾俞。　袪殘心下之悲悽。

心下悲悽者。精神不愉快。似覺心下酸楚。背間寒慄。灸脾俞有效。聽宮穴。理不可解。殆瀉小腸之火。以安其心歟。

從知脇肋疼痛。　氣戶華蓋有靈。

　針氣戶華蓋。治脇肋痛。大都少效。宜加刺期門。

腹內腸鳴。　下脘陷谷能平。

　腹內腸鳴。中有水氣。下脘宜針灸幷施。更宜灸天樞。

胸脇支滿何療。　章門不用細尋。

　胸脇支滿。章門宜多灸

膈痛飲蓄難禁。　膻中巨闕便針。

　膈下飲蓄作痛。膻中巨闕針之。宜再灸脾俞與中脘。

胸滿更加噎塞。　中府意舍所行。

　肺氣失於肅降。卽胃氣上逆而爲噎塞胸滿。灸膈俞。

胸膈停留瘀血　腎俞巨髎宜徵。

　胸膈停留瘀血。而針巨髎。理頗費解。恐係巨闕之誤。

胸滿項强　神藏璇璣宜試。

　神藏與璇璣。治胸滿則可。若治項强。則大椎風池不可少。

背連腰痛　白環委中曾經。

　背部腰痛針白環委中環跳有特效

脊强兮。水道筋縮。刺人中

脊强轉側不利。

目眩兮。顴髎大迎。

目眩羞明。針顴髎與大迎。宜再針攢竹。

痓病非顱顖而不愈。

痓病灸顱顖之外。宜再刺風府大推曲池合谷中脘。崑崙等穴。

臍風須然谷而易醒。

臍風但憑然谷一穴。恐難十全。臍之四週宜各灸一壯。

委陽天池。腋腫針而速散。

腋下筋腫。二手不能上舉。委陽與天池。曾針過頗效。

後谿環跳。腿疼刺而即輕。

腿痛刺環跳與後谿而不愈。當刺陽陵與崑崙。

夢魘不安。厲兌相諧於隱白。

經曰胃不和。則臥不安厲兌隱白。殆泄胃經之熱。以安其胃也。

發狂奔走。上脘同起於神門。

神門治發狂奔走。上脘降其痰熱之上衝。

驚悸怔忡。取陽交解谿勿誤。

驚悸怔忡不寧。陽明少陽經火上擾心陰。陽交解谿。所以瀉其火也。

仗天冲大橫須精。

反張悲哭。

反張悲哭。俱爲二三歲內之小孩有之。凡症都屬藏寒與驚癇之反張不同。

癲病必身柱本神之令。

身柱本神。刺癲疾而不愈。再刺大陵間使神門。

發熱仗少冲曲池之津。

發熱瀉曲池。刺少冲。曾驗有效。惟熱過重者。委中合谷間使後谿等穴亦宜刺。

歲熱時行。　陶道復求肺俞理。

流行風溫之熱。刺陶道肺俞外。合谷曲池亦當刺。

風癇常發。　神道還須心俞甯。

此症宜灸。　心俞少灸爲是。

濕寒濕熱下髎定。

濕寒濕熱之症。範圍頗廣。下髎之治濕寒濕熱。殆指腸風痔漏之症。

厥寒厥熱湧泉清。

厥寒厥熱之刺湧泉。亦專指熱厥而言。寒厥宜灸關元。

寒熱惡寒　三間疎通陰郄諳。

三間與陰郄。宜刺而再灸。

煩心嘔吐。幽門閉徹玉堂明。

二穴近胃脘。故治煩心與嘔吐。

行間湧泉。去消渴之腎竭。

消渴分上中下三消。下消又名腎消。屬腎經虛而有火。行間湧泉泄其火也。

陰陵水分。治水腫之臍盈。

水腫之症。小便多不利。刺陰陵。疏肝而利小便。灸水分。溫脾陽而消水腫。

癆瘵傳尸。趨魄戶膏肓之路。

魄戶膏肓。治傳尸癆瘵。宜治之早。且宜灸。幷灸三里。

中邪霍亂。尋陰谷三里之程。

中邪霍亂。係指嘔吐足轉筋之病。陰谷三里之外。當再刺承山委中尺澤中脘等穴

治疸消黃。諧後谿勞宮而看。

治黃疸刺灸勞宮後谿外。當再刺灸至陽。

倦言嗜臥。往通里大鐘而明。

通里屬心經。大鐘屬腎經。二穴治倦臥。宜加刺。單灸脾俞可愈。

咳嗽連聲。肝俞須迎天突穴。

咳嗽連聲。係指頓嗽。前賢謂風伏肺底。每欲冲出而不得也。

小便赤澀。兌端獨瀉太陽經。「小海穴」

小便赤澀不利。乃小腸結熱。

刺長强於承山。　善主腸風新下血。

長強宜寸半

腸風下血。乃腸出血。前腎謂之濕熱下注。長强承山有效。

針三陰於氣海。　專司白濁從遺精。

三陰交與氣海。針治白濁遺精之症。須俟濕熱已淨盡。乃可針。

且如肓俞橫骨。瀉五淋之久積。

五淋之針肓俞橫骨。亦須俟濕熱已去。

陰都後谿。　治盜汗之多出。

盜汗針後谿與陰郄。須在汗泄時猝刺之。非此不能止汗。

脾虛穀兮不消。　脾俞膀胱俞覓。

脾虛少運。穀不易化。二穴常多灸之。

胃冷食而難化。　魂門胃俞堪責。

胃寒不化魂門胃俞。亦須多灸。中脘亦不可少灸。

鼻痔必取齦交。　癭氣須求浮白。

齦交治鼻痔。瀉其氣也。浮白治癭氣。宜針而多灸之。

大敦照海。患寒疝而可蠲。

二穴善治疝氣之冲痛。最快用三角灸　臍⊙。

五里臂臑。　生癧瘡而能治

二穴治瘰癧。宜灸。

至陰屋翳。　療癢疾之疼多。

此條理解難。

肩髃陽谿。　消癮風之熱極。

癮風血熱病也。二穴乃瀉熱也。

抑又論婦人經事改常。　自有地機血海。

二穴宜針灸并施。於經之愆期者頗效。

女子少氣漏血。　不無交信合陽

少氣漏血。乃氣不攝血。淋瀉不凈也。

帶人產崩。衝門氣衝宜審。

衝門屬脾。氣衝屬胃。二穴能止帶固崩。蓋脾能統血。衝任爲子女血海。衝隸屬於陽明也。

月潮違限。　天樞水泉須詳。

月潮前期。宜刺宜瀉。後期宜補宜灸。

肩井乳癰而極效。

乳癰都肝胆鬱熱。初起刺肩井與尺澤頗效。

商丘痔瘤而最良。〔瘤恐瘺字誤〕

痔漏刺商丘外。承山長强宜刺之。

脫肛取百會尾翳之所。

大氣陷下脫肛久不愈。百會宜灸之。尾翳卽長强宜刺。

無子搜陰交石關之鄉。

無子之原因有多種。陰交石關。不過灸子宮之虛寒不孕。

中脘主乎積痢。外坵收乎大腸。

中脘外坵治痢疾脫肛。當加灸天樞氣海大腸俞。

寒瘧兮。商陽太谿驗。

寒瘧針商陽太谿外。宜再加灸大椎。

痃癖兮。衝門血海强

痃癖之成。都爲血瘀氣聚。衝門血海宜多灸。

夫醫乃人之司令。非志力而莫爲。針乃理之淵微。須至人之指教。先究其病原。後考其穴道。隨手見功。應針取效。方知玄理之玄。始識妙中之妙

賦中所述。悉屬前人經驗之作。每病刺每穴。其理有不可解者。針之則甚有效。其有不甚效驗者。亦占十之一二。蓋作者囿於韻語。難免掇拾成章。惜作者未加詳註。使學者不免目迷五色之憾矣

完

中國針灸治療學講義
七

經絡要穴精華目錄

科目　　頁數

中國針灸治療學講義　目錄

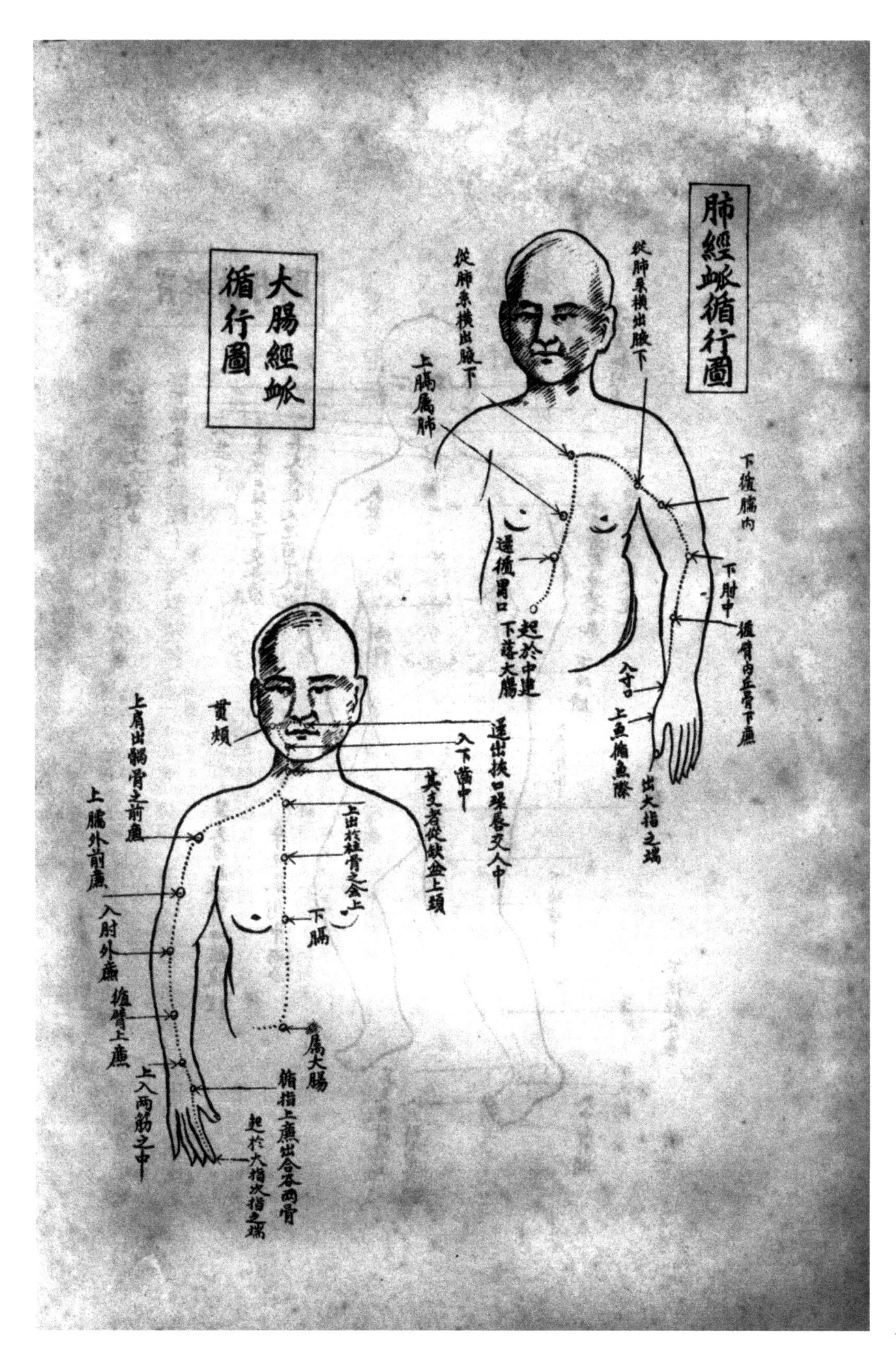

肺經脈循行圖
從肺系橫出腋下
從肺系橫出腋下
上膈屬肺
下循臑內
下肘中
循臂內上骨下廉
入寸口
上魚循魚際
出大指之端
還循胃口
起於中焦
下絡大腸
大腸經脈循行圖
貫頰
還出挾口環唇交人中
入下齒中
其支者從缺盆上頸
上出於柱骨之會上
下膈
屬大腸
上肩出髃骨之前廉
上臑外前廉
入肘外廉
循臂上廉
上入兩筋之中
循指上廉出合谷兩骨
起於大指次指之端

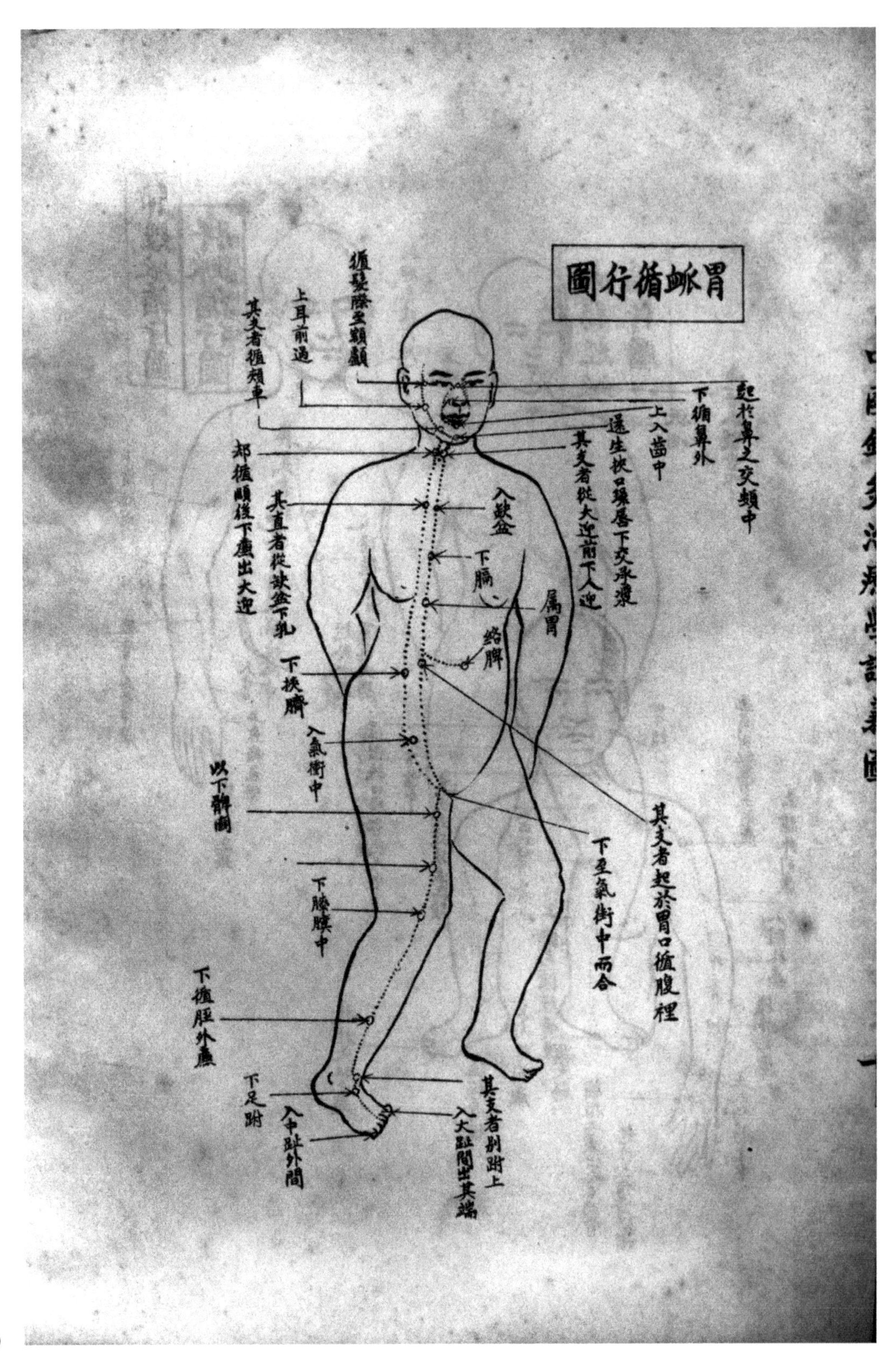
胃脈循行圖
起於鼻之交頞中
下循鼻外
上入齒中
還出挾口環脣下交承漿
其支者從大迎前下人迎
循髮際至額顱
上耳前過
其支者循頰車
却循頤後下廉出大迎
其直者從缺盆下乳
入缺盆
下膈
屬胃
絡脾
下挾臍
入氣街中
以下髀關
下膝臏中
下循脛外廉
下足跗
入中趾外間
其支者別跗上
入大趾間出其端
其支者起於胃口循腹裡
下至氣街中而合

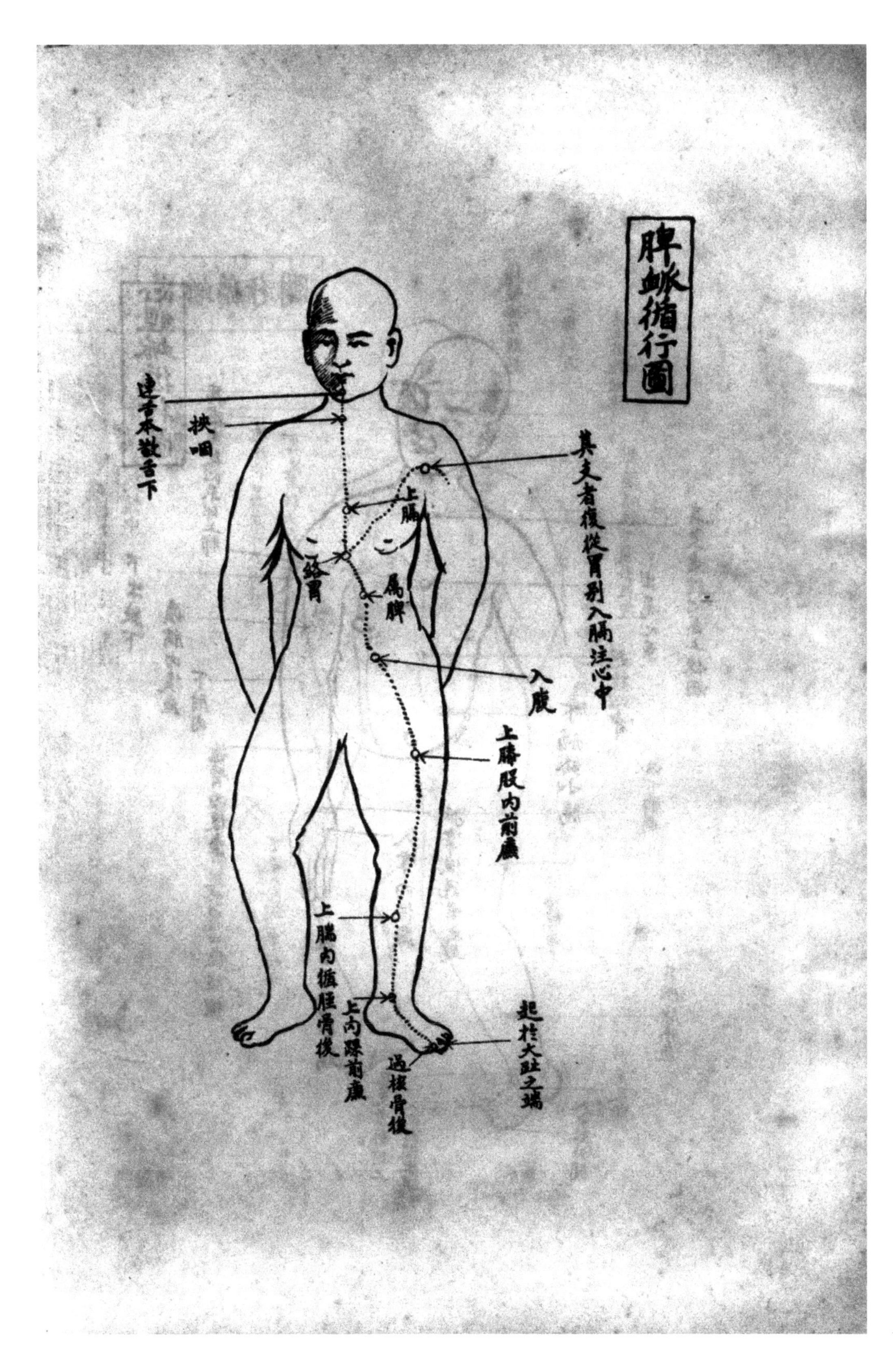

脾脈循行圖
連舌本散舌下
挾咽
其支者復從胃別入膈注心中
上膈
絡胃
屬脾
入腹
上膝股内前廉
上腨内循脛骨後
上内踝前廉
過核骨後
起於大趾之端

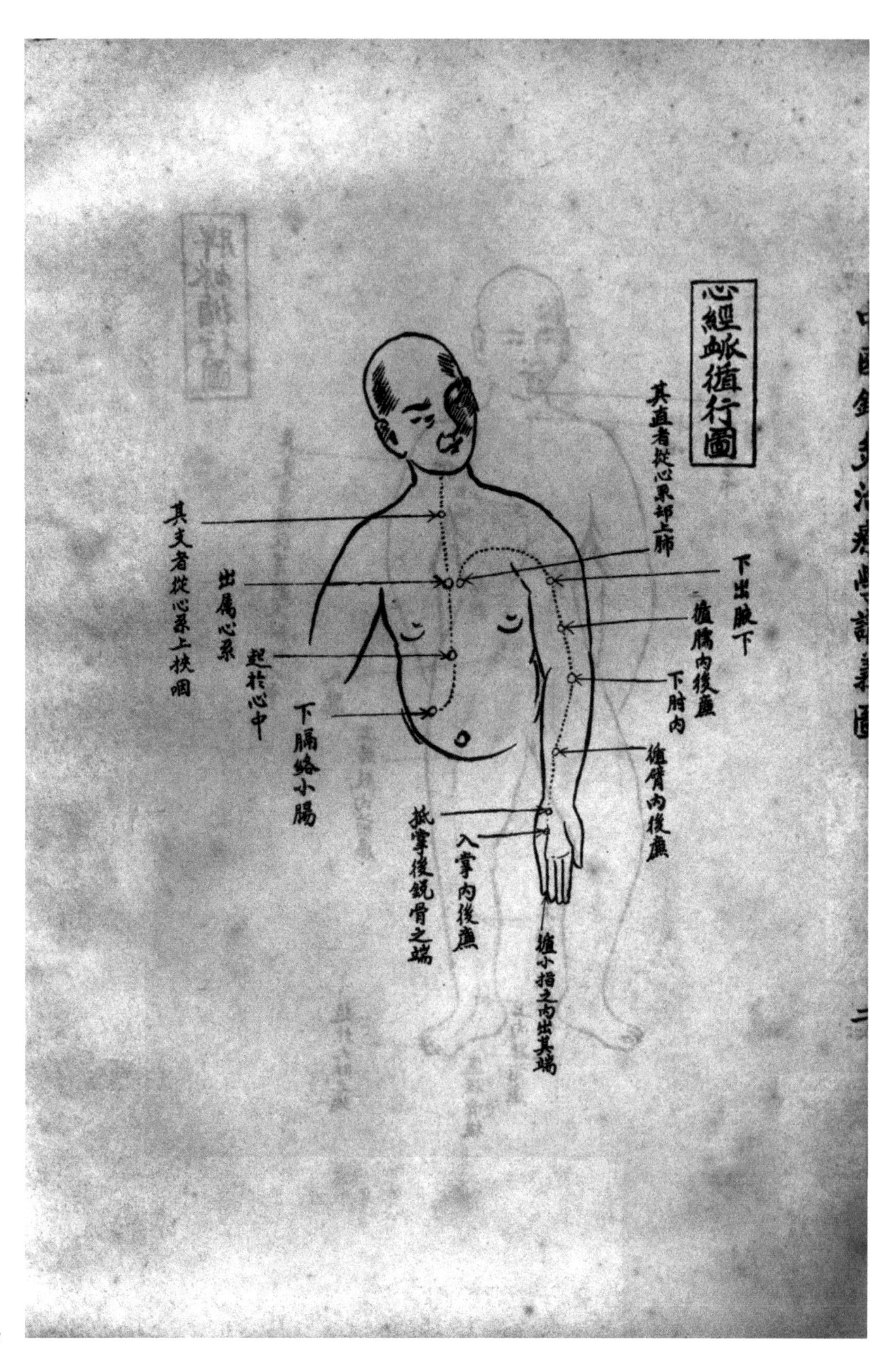
心經脈循行圖
其直者從心系卻上肺
下出腋下
循臑內後廉
下肘內
循臂內後廉
循小指之內出其端
入掌內後廉
抵掌後銳骨之端
下膈絡小腸
起於心中
出屬心系
其支者從心系上挾咽

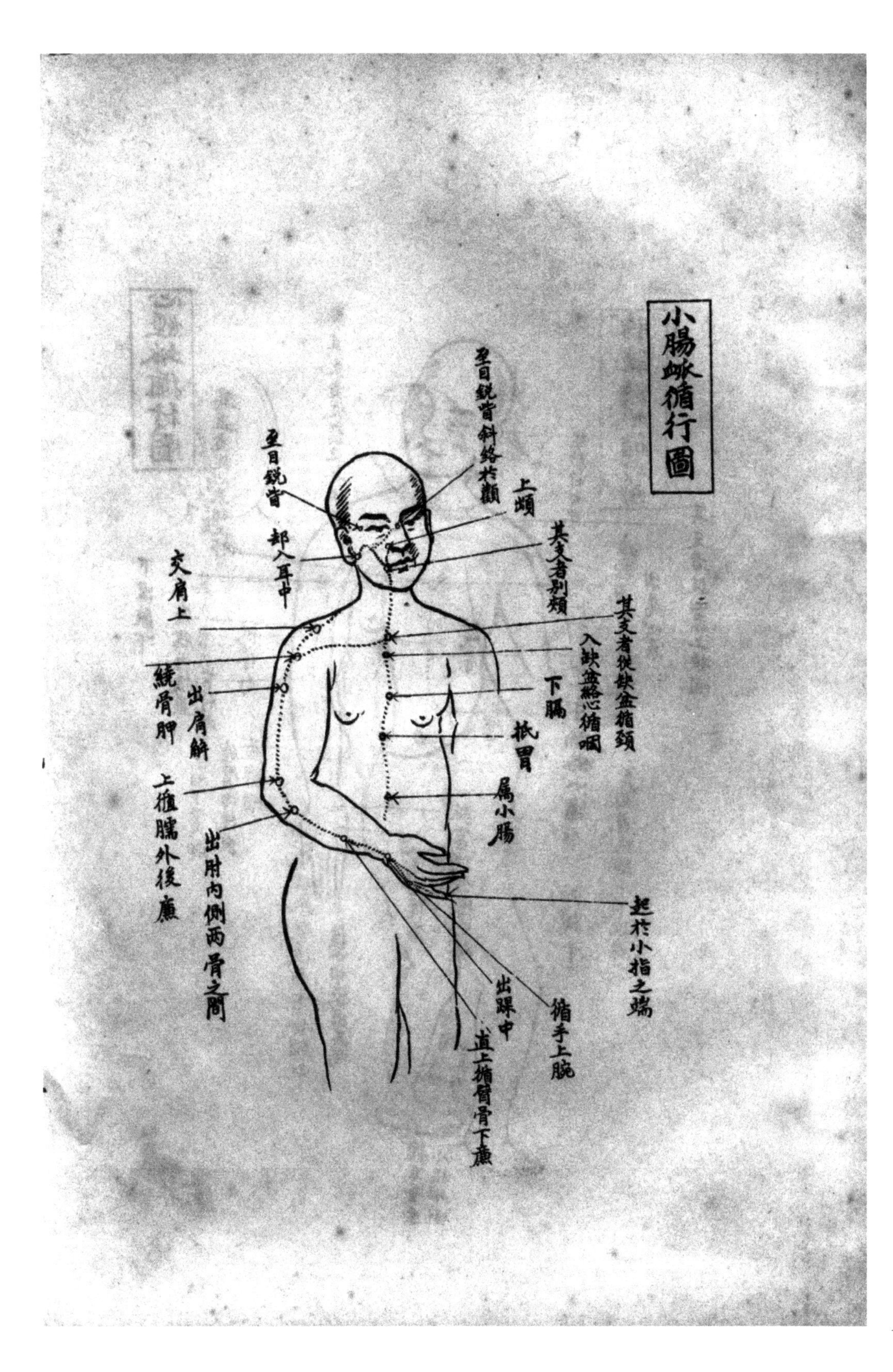

小腸脉循行圖
至目銳眥斜絡於顴
至目銳眥
上頔
其支者別頰
卻入耳中
交肩上
其支者從缺盆循頸
入缺盆絡心循咽
下膈
繞肩胛
出肩解
抵胃
屬小腸
上循臑外後廉
出肘內側兩骨之間
起於小指之端
出踝中
循手上腕
直上循臂骨下廉

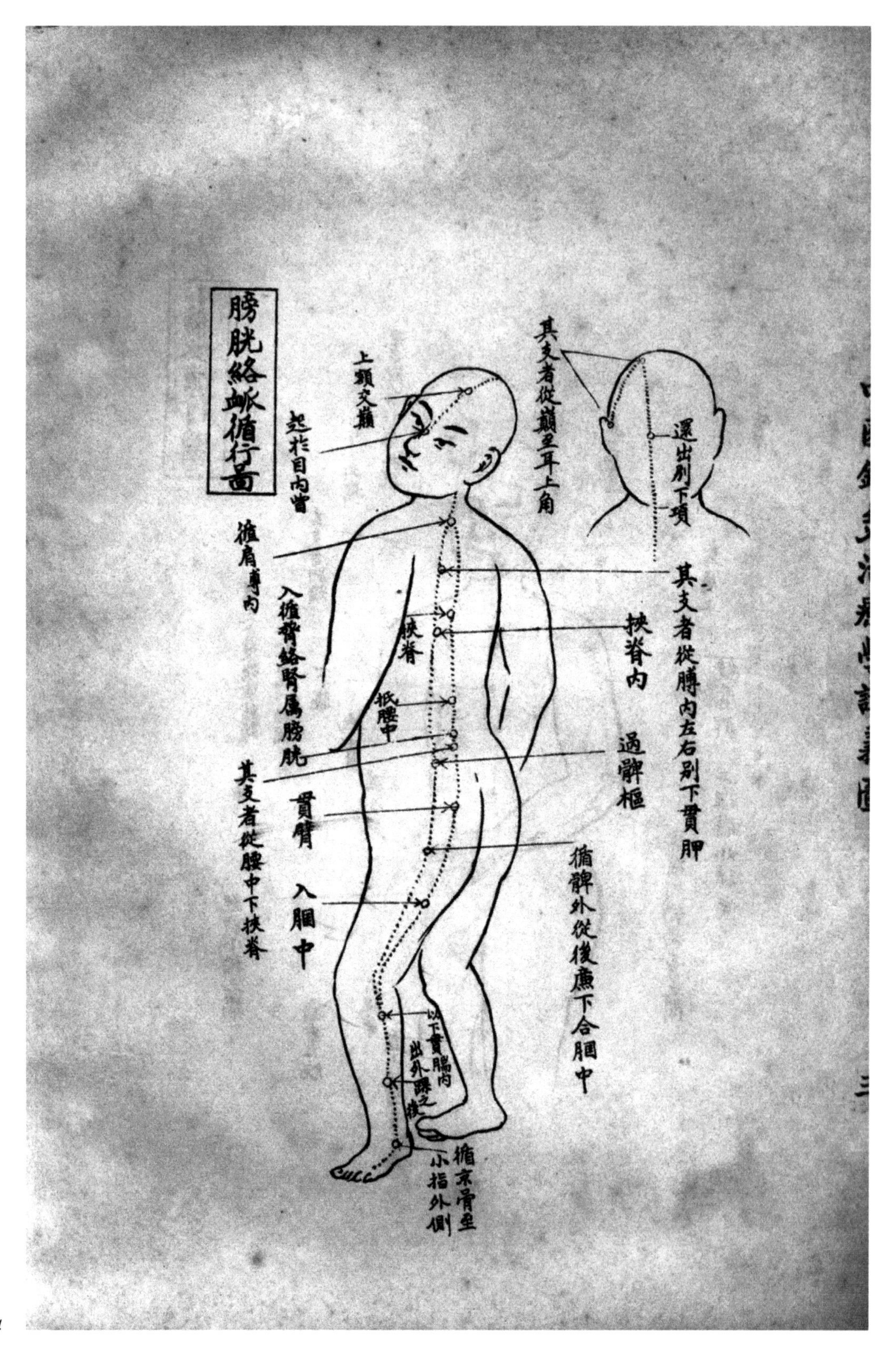
膀胱絡脈循行圖
上額交巔
起於目內眥
其支者從巔至耳上角
還出別下項
循肩髆內
入循膂絡腎屬膀胱
挾脊
抵腰中
其支者從髆內左右別下貫胛
挾脊內
過髀樞
其支者從腰中下挾脊
貫臂
循髀外從後廉下合膕中
入膕中
以下貫腨內
出外踝之後
循京骨至
小指外側

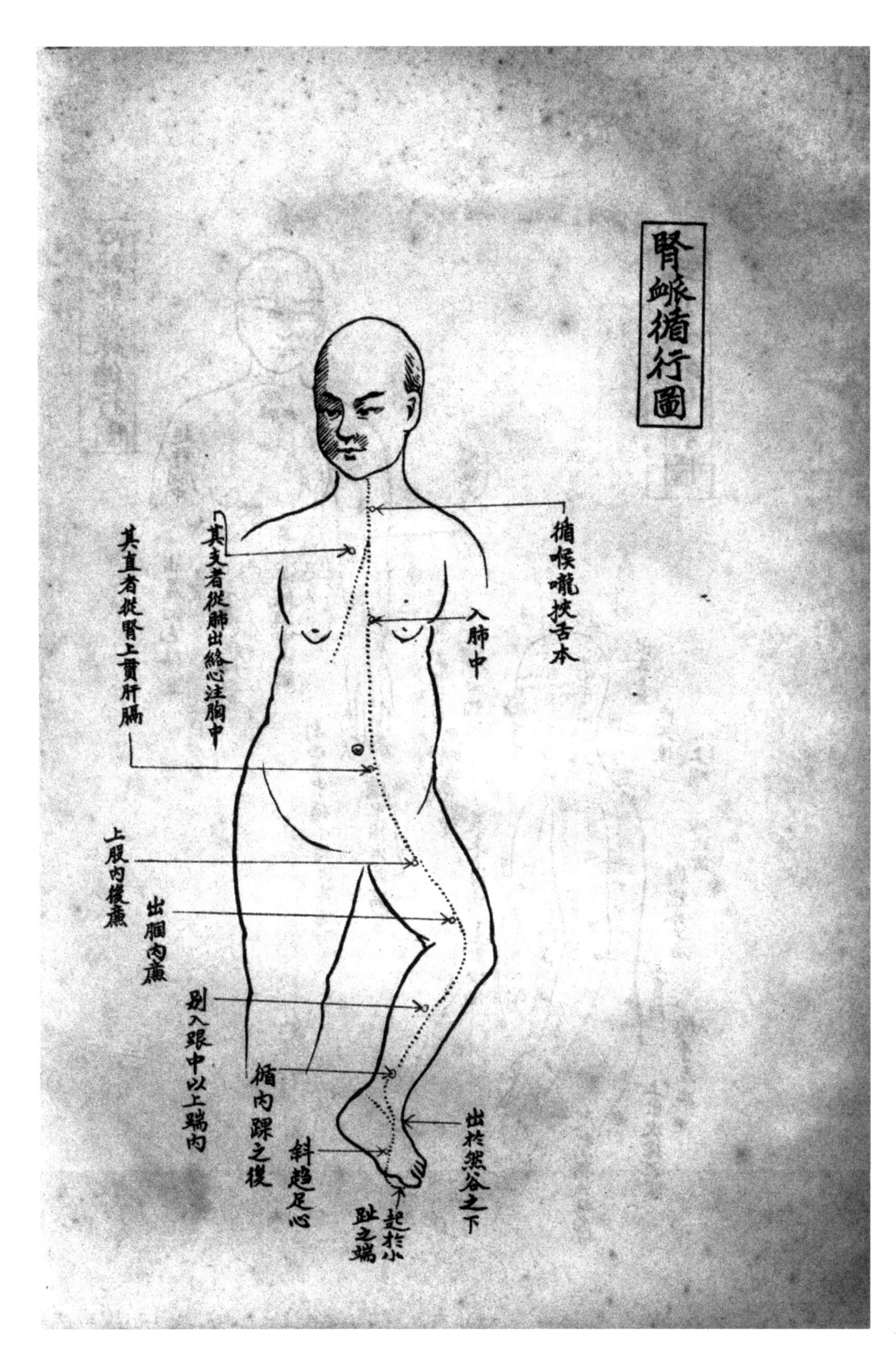
腎脈循行圖
循喉嚨挾舌本
入肺中
其支者從肺出絡心注胸中
其直者從腎上貫肝膈
上股內後廉
出膕內廉
别入跟中以上踹內
循內踝之後
斜趨足心
起於小趾之端
出於然谷之下

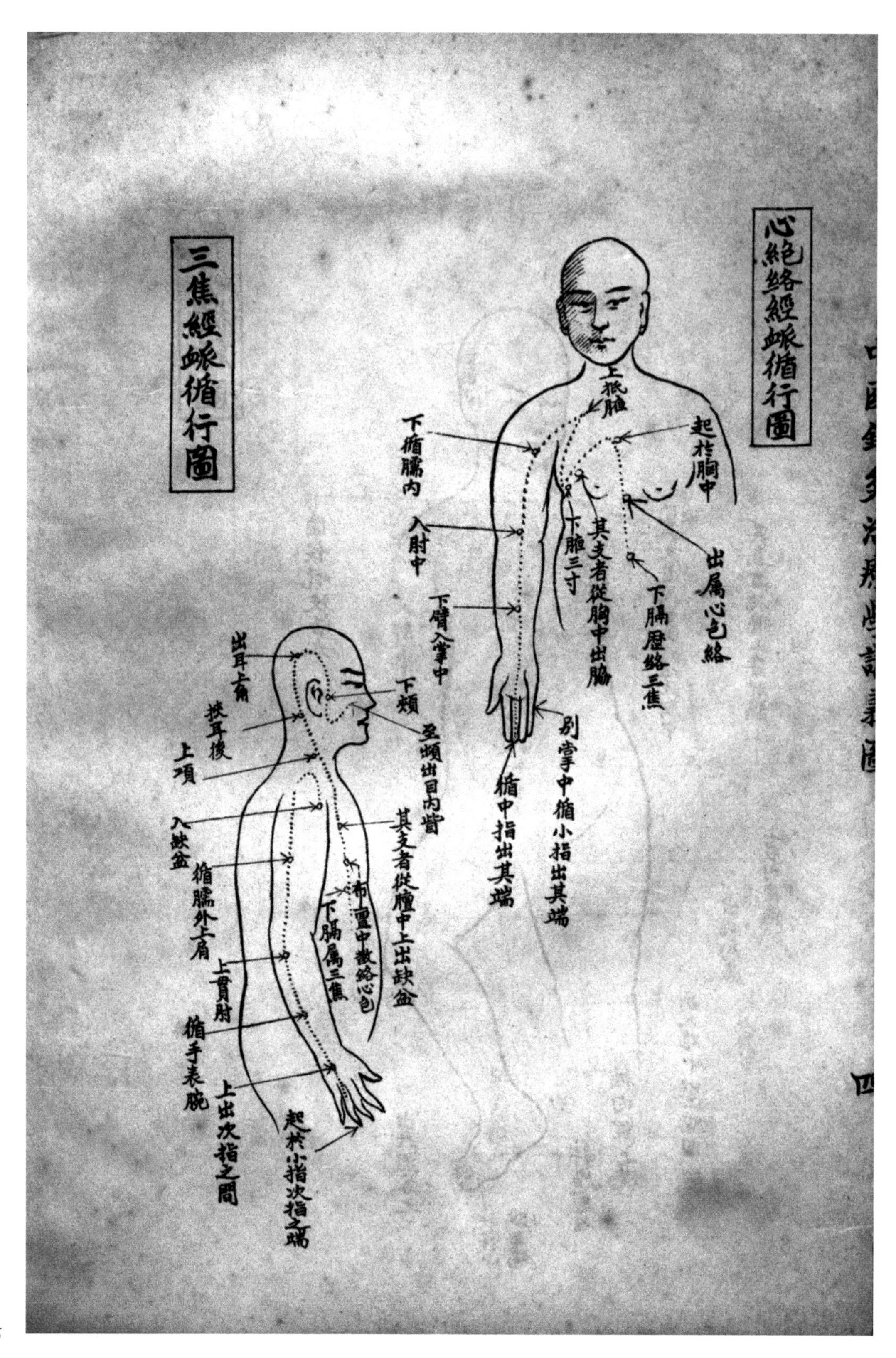
三焦經脉循行圖
心絶絡經脉循行圖
上抵腋
下循臑内
起於胸中
入肘中
下腋三寸
其支者從胸中出脇
出屬心包絡
下膈歷絡三焦
下臂入掌中
別掌中循小指出其端
循中指出其端
出耳上角
下頰
扶耳後
至頗出目内眥
上項
入缺盆
其支者從膻中上出缺盆
循臑外上肩
布膻中散絡心包
下膈屬三焦
上貫肘
循手表腕
上出次指之間
起於小指次指之端
四

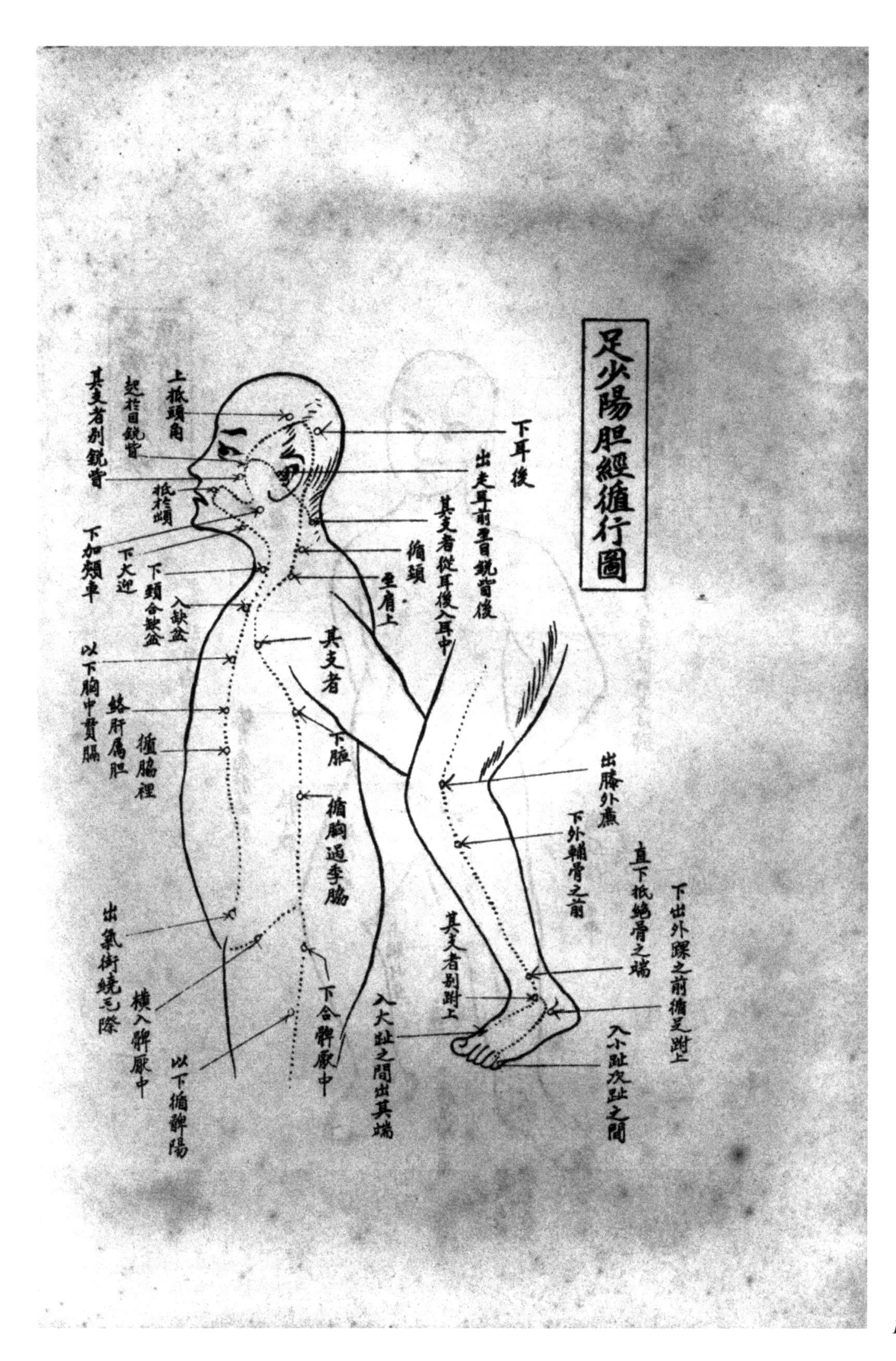
足少陽胆經循行圖
上抵頭角
起於目銳眥
其支者別銳眥
抵於䪼
下加頰車
下大迎
下頸合缺盆
入缺盆
以下胸中貫膈
絡肝屬胆
循脇裡
出氣街繞毛際
橫入髀厭中
以下循髀陽
下耳後
出走耳前至目銳眥後
其支者從耳後入耳中
循頸
至肩上
其支者
下腋
循胸過季脇
下合髀厭中
入大趾之間出其端
出膝外廉
下外輔骨之前
直下抵絶骨之端
其支者別跗上
下出外踝之前循足跗上
入小趾次趾之間

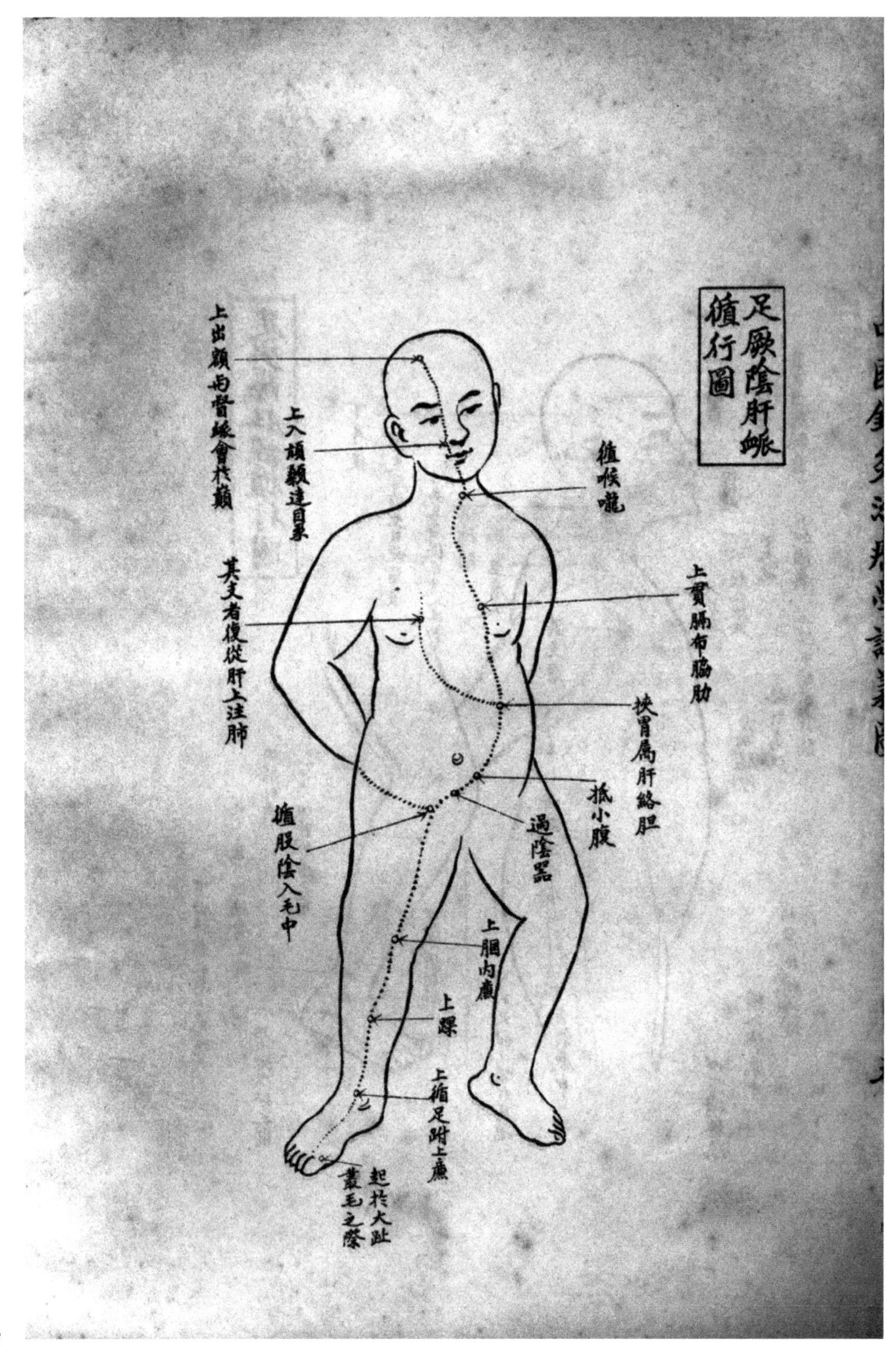
足厥陰肝脈循行圖
上出額與督脈會於巔
上入頏顙連目系
循喉嚨
其支者復從肝上注肺
上貫膈布脇肋
挾胃屬肝絡胆
抵小腹
過陰器
循股陰入毛中
上膕內廉
上踝
上循足跗上廉
起於大趾叢毛之際

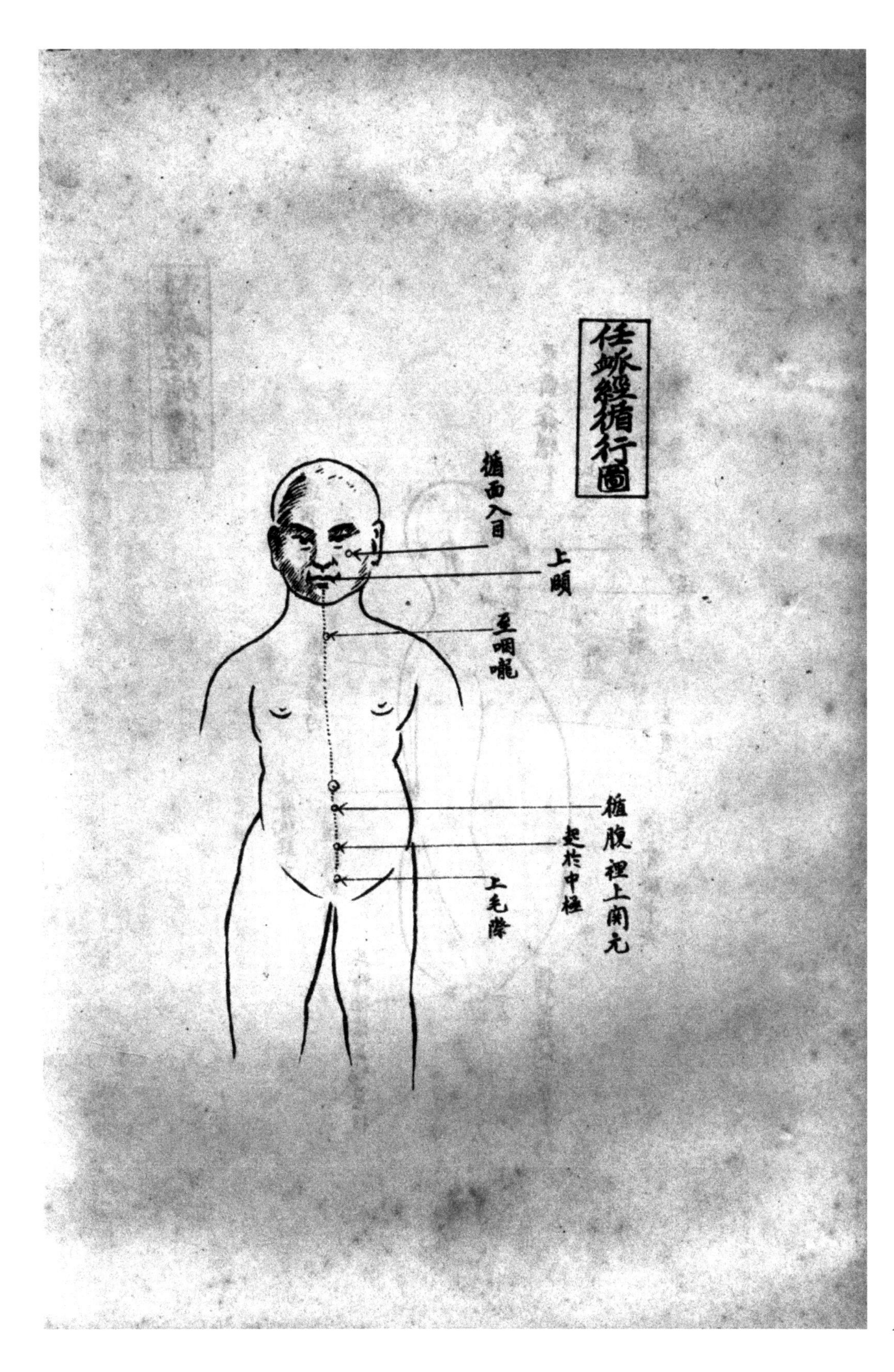

任脉經循行圖
循面入目
上頤
至咽喉
循腹裡上關元
起於中極
上毛際

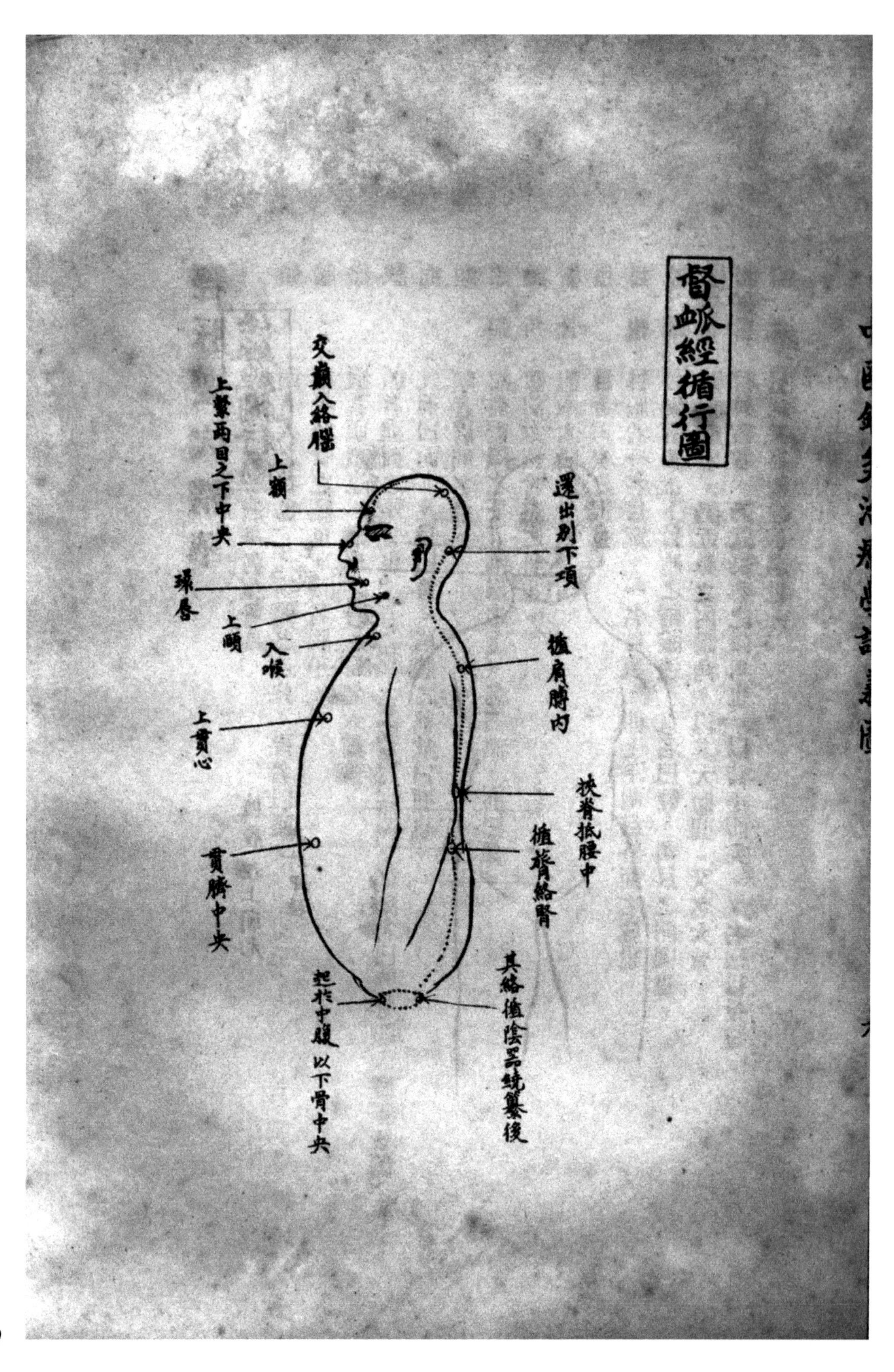
督脈經循行圖
交巔入絡腦
上繫兩目之下中央
上額
環唇
上頤
入喉
上貫心
貫臍中央
起於中腹 以下骨中央
其絡循陰器繞篡後
循脊絡腎
挾脊抵腰中
循肩髆內
還出別下項

經脈要穴精華

第一章 週身名位骨度

頭 頭者人之首也。凡物獨出之首。皆名曰頭。

腦 腦者頭骨之髓也。俗名腦子。

巔 巔者頭頂也。巔頂之骨。俗名天靈蓋。

顖 顖者巔前之頭骨也。小兒初生未闔名曰顖門。已闔名曰顖骨卽天靈蓋後闔之骨

面 凡前曰面。凡後曰背。居頭之前故曰面也。

顏 顏者眉間名也。

額顱 額前髮際之下。兩眉之上。名曰額。亦曰顙。

頭角 額前旁稜骨處之骨也。

鬢骨 卽兩太陽之骨也。

目 目者司視之竅也。

目胞 目胞者一名目窠。一名目裹。卽上下兩目外衛之胞也。

目綱 目綱者卽上下目胞之兩瞼邊。又名曰睫。司目之開闔也。

目內眥 目內眥者。乃近鼻之內眼角。以其大而圓。又名大眥。

目外眥 目外眥者。乃近鬢前之眼角也。以其小而尖。又名曰目銳眥。

目珠 目珠者目睛之俗名也。

目系　目系者目睛入腦之系也。

目眶骨　目眶者目窠四圍之骨也。上曰眉稜骨。下卽䪼骨。䪼骨之外卽顴骨也。

䪼　目之下眶骨。顴骨內上牙床之部分也。

頞　頞者兩目之間鼻梁部也。

鼻　鼻者司臭之竅也。兩孔之界骨名曰鼻柱。下至鼻之盡處。曰準頭。

頄　頄者頰內鼻旁間。近生門牙之骨也。

顴　顴者兩旁之高起大骨也。

顑　顑者俗呼爲腮。口旁頰前肉之空軟處也。

耳　耳者司聽之竅也。

蔽　蔽者耳門也。

耳郭　耳郭者耳輪也。

頰　頰耳前顴側。面兩旁之稱也。

曲頰　曲頰者頰之骨也。曲如環形。受頰車骨尾之鉤者也。

頰車　頰車者下牙床骨也。

人中　人中者鼻柱之下。唇之上。肉溝也。

口　口者司言食之竅也。

唇　唇者口端也。

吻　吻者口之四週也。

頤　頤者口角後顴之下也。

頦　頦者口之下唇。至末之處。俗名下杷殼。

頷　頷者頦下結喉上兩側肉之空軟處也。

齒　齒者口斷所生骨也。

舌　舌者司味之竅也。

舌本　舌之根名曰舌本。

頏顙　頏顙者口內之上二孔司分氣之竅也。

懸壅垂　懸壅垂者。即口內上顎之乳頭。俗名小舌。

會厭　會厭者。覆喉管之上竅。似皮似膜。發聲則開。嚥食則閉。爲聲音之戶也。

咽　咽者飲食之路也。居喉之後。

喉　喉者通聲息之路也。居咽之前。

喉嚨　喉嚨者喉也肺之系也。

嗌　嗌者咽也胃之系也。

結喉　結喉者喉之管頭也。其人瘦者。多外見頸前。

胸膺　胸者缺盆下腹之上有骨之處。膺者胸兩旁高處也。一名曰臆胸骨肉也。俗名胸膛。

髑骬　髑骬者胸之衆骨名也。

乳　乳者膺上突起兩肉有頭。婦人以乳兒者也。

鳩尾　鳩尾者即蔽心骨也。在胸骨之下岐骨之間。

膈　膈者胸下腹上之界。內部之膜也。

腹　腹者膈之下曰腹。俗名曰肚。臍之下名小腹。亦名少腹。

臍　臍者人之初生。胞帶之處也。

毛際　毛際者小腹下橫骨間叢毛之際也。

簒　簒者橫骨之下。兩股之前。相合共結之凹也。

睾丸　睾丸者男子前陰兩丸也。

上橫骨　上橫骨在喉前宛宛中。天突穴之外。小灣橫骨。旁接柱骨之骨也。

柱骨　柱骨者。膺上喉缺盆之外。內接上橫骨。外接肩解。俗名鎖子骨。

肩解　肩解者肩端骨節解處也。

髃骨　髃骨者。肩端之骨也。即肩胛骨頭臼之上稜骨也。

肩甲　肩胛者。即髃骨之末成片骨也。

臂　臂者上身兩大肢之通稱也。一名曰肱。俗名胳膊。中節上下骨交接處名曰肘。肘上之骨曰臑骨。肘下之骨曰臂骨臂骨正輔二骨。輔骨在上。短細偏外。正骨居下。長骨大偏內。二骨下接腕骨。

腕　腕者臂掌骨交接之處。以其宛屈故名也。當外側之骨名曰商骨。一名脘骨。亦名踝骨。

掌骨　掌者手之衆指之本也。掌之交骨合湊成掌。名曰壅骨。

魚　魚者在掌外側之上隴起。其形如魚而名之也。

手　手者上體所以持物也。

手心　手心者卽掌之中也。

手背　手背者掌之表也。

指骨　指骨者手指之骨也。第一大指名巨指。在外二節。本節在掌。第二節名食指。又名大指之次指。三節在外。本節在掌。第三名中指。又名將指。三節在外。本節在掌。第四指名無名指。又名小指之次指。三節在外。本節在掌。第五節指爲小指。三節在外。本節在掌。其節節交接處。俱有筋膜連絡之。

爪甲　爪甲者指之甲也。足趾同。

歧骨　歧骨者凡骨之兩叉者皆名歧骨手足同。

臑　臑者肩膊下內側。對腋處高起之肉之部也。

腋　腋者肩之下。脅之上際。俗名胳肢窩。

脅肋　脅肋者腋下至肋骨盡處之統名也。曰肋者脅之單條骨之謂也。統脅肋之總。又名曰胠。

季脅　季脇者脇之下小肋骨也。俗名軟肋。

眇　眇者。脅下無肋骨空軟處也。

腦後骨　腦後骨者。俗呼腦杓。

枕骨　枕骨者。腦後骨之下隴起者是也。其骨或稜或圓或平或長不一。

完骨　耳後之稜骨。名曰完骨。在枕骨下兩旁之稜骨也。

頸項　頸項者。頸之莖也。又莖之側也。項者莖之後也。俗名脖項。

頸骨　頸骨者。頭莖之骨。俗名天柱骨。

項骨　項骨者。頭莖骨之上三節之圓骨也。

背　背者．後身大椎以下腰以上之通稱也。

膂　膂者。夾脊骨兩旁肉也。

脊骨　脊骨者。膂脊骨也。俗名脊樑骨。

腰骨　腰骨者。卽脊骨十四椎下十五十六椎間尻上之骨也。其形中凹。上寬下窄。方圓二三寸許。兩旁四孔。下接尻骨上際也。

胂　胂者。腰下兩旁髁骨上之肉也。

臀　臀者。胂下尻旁之大肉也。

尻骨　尻骨者。腰骨十七椎十八椎十九椎二十椎二十一椎五節之骨也。上四骨節紋之旁左右各四孔。骨形內凹如瓦長四五寸許。上寬下窄。末節更小如人參蘆形。名尾閭。一名骶端。一名橛骨。一名窮骨。在肛門後。其骨上外兩旁。形如馬蹄兩者。兩髁骨上端。俗名胯骨。

肛　肛者。大腸下口也。

下横骨髁骨捷骨　下横骨在少腹下。其形如蓋。故又名蓋骨其骨左右二大孔。上兩分出向後之骨。首如張扇。下寸許。附著尻骨之上。形如馬蹄之處。名曰髁骨。下兩分出向前之骨。末如楗柱。在於臀內。名曰楗骨。與尻骨成鼎足之勢。爲坐之主骨也。婦人俗名交骨。其骨面名曰髖。俠髖之臼名曰機。又名髀樞。外接股之髀骨也。卽環跳穴是。

股

股者。下身兩大支之通稱也。俗名大腿小腿。中節上下交接處。其名曰膝。膝上之骨曰髀骨。股之大骨也。膝下之骨。曰胻骨。脛之大骨也。

髀骨

髀骨者。膝上之大骨也。上端如杵。接於髀樞下端如槌。接於胻骨也。

胻骨

胻骨者。俗名臁脛骨也。其骨兩根。在前者。名成骨又名骭骨。形粗。膝外突出之骨也。在後者名輔骨。形細。膝內側之小骨也。

伏兎

伏兎者髀骨前膝之上。起肉似俯兎。故曰伏兎。

膝解

膝解者。膝之節解也。

臏骨

臏骨者。膝上蓋骨也。

連骸

連骸者。膝外側高骨也。

膕

膕者。膝後屈處。俗名腿凹也。

腨

腨者。下腿肚也。一名腓腸。俗名小腿肚。

踝骨

踝者。胻骨之下。足跗之上。兩旁突出之高骨。在外爲外踝。在內爲內踝也。

足

足者。下體所以趨走也。俗名脚。

跗骨

跗者。足骨背也一名足趺。俗稱脚面。跗骨者。足趾本節之衆骨也。

足心

足心者卽踵之中也。

跟骨

跟骨足後跟之骨也。

趾　趾者。足之指也。其數九。名爲趾者。別爲手也。居內之大者名大趾。第二指名大趾之次趾。第三趾名中趾。第四趾。名小趾。之次趾。第五趾居外之小者名小趾。足之指節與手指節同。其大趾之本節後內側圓骨形突者。名核骨。

三毛　足大趾爪甲後爲三毛。毛後橫紋爲聚毛。

踵　踵者足下面著於地之謂也。俗名脚底版。

頭部骨度

頭髮以下至背骨。長二寸半。（自後髮際以至大椎耳骨三節處也）

（按）頭部折法。以前髮際至後髮際。折爲一尺二寸。如髮際不明。則取眉心直上後至大杼骨。折作一尺八寸。此爲直寸。橫寸法取眼內角至外角。折爲一寸。頭部橫直寸法並依此。

胸腹部骨度

結喉以下至缺盆中。長四寸。（此以巨骨上陷中而言。即天突穴處。）

缺盆以下。髃骬之中。長九寸。（髃骬之中。即鳩尾尖。）

胸圍四尺五寸。

兩乳之中。廣九寸五分。（當折作八寸。）

鶻骭中至天樞長八寸。（指中臍而言）

天樞以下至橫骨。長六寸半。

橫骨橫長六寸半。（毛際下骨曰橫骨）

（按）此古數也。以今用上下穴法參較。多有未合。宜從胸腹折法為當。胸腹折法。直寸以中行為之。自缺盆中天突穴起至歧骨際中庭穴止。折作八寸四分。自鶻骭上歧骨際下至臍心。折作八寸。臍心至毛際曲骨穴。折作五寸。橫寸以兩乳相去折作八寸。凡胸腹之橫骨折法。俱依此。

背部骨度

脊骨以下至尾骶。二十一節。長三尺。

腰圍四尺二寸。

（按）背部折法。自大椎至尾骶。通折三尺。上七節各長一寸四分。一厘。共九寸八分七厘。中七節。各一寸六分一厘。共一尺一寸六分七厘。至十四節與臍平。下七節。各一寸二分六厘共八寸八分二厘。統共二尺九分六厘。不足四厘者。有零未盡也。其直寸依此計算。橫寸用周身寸法。

側部骨度

自柱骨下行腋中。不見者長四寸。（柱骨頸項根骨）

腋以下至季脅。長一尺二寸。（季脅肋也）

季脇以下至髀樞。長六寸。

髀樞下至膝中。長一尺九寸。

横骨上廉。下至內輔之上廉。長一尺八寸。

內輔之上廉。以下至下廉。長三寸半。

內輔下廉下至內踝。長一尺二寸。

內踝以下至地。長三寸。

四肢部骨度

肩至肘長一尺七寸。

肘至腕。長一尺二寸半。

腕至中指本節。長四寸。

本節至末。長四寸半。

膝以下至外踝。長二尺六寸。

膝膕以下至跗屬。長一尺二寸。

跗屬以下至地。長三寸。

（按骨度乃靈樞經骨度篇文所論之長短．皆古數也。然骨之大者太過。小者不及。此亦但言其則耳。至於周身手足折量之法。當用前中指同身寸法爲是。

經絡要穴精華

第一章 肺經

第一節肺經脈之分野

肺手太陰之脉。起於中焦。下絡大腸。還循胃口上膈屬肺。從肺系横出腋下。下循臑內。行少陰心主之前。下肘中。循臂內上骨下廉。入寸口上魚。循魚際出大指之端。其支者。從腕後直出次指內廉出其端。

第二節手太陰肺經脈歌。

手太陰肺中府生。下絡大腸出賁門。上膈屬肺從肺系。横出腋下如中行。
肘臂寸口上魚際。大指內側爪甲根。支絡還從腕後出。接次指屬陽明經。

第三節手太陰肺經穴總歌。

手太陰肺十一穴。中府云門天府穴。俠白尺澤孔最存。列缺經渠太淵涉。
魚際少商如韮葉。

第四節手太陰肺經穴分寸歌。

太陰中府三肋間。上行雲門寸六許。雲在璇璣旁六寸。天府腋三動脉求。
俠白肘上五寸主。尺澤肘中約紋是。孔最腕側七寸擬。列缺腕上一寸半。
經渠寸口陷中取。太淵掌後横紋頭。魚際節後散脉裡。少商大指內側端。
鼻衄喉痹刺可已。

第五節手太陰肺經穴摘要訣。

（一）中府　中府乳上三肋間。　瀉除胸熱術非艱。
喘逆胸滿復氣寒。　上氣咳嗽治能兼。

此穴屬爲肺之募穴。手足太陰之會也。主瀉胸中之熱。及身體之煩熱。「百症賦」胸腹更加噎塞。中府意舍所行。「千金」上氣咳逆短氣氣滿食不下。灸五十壯。

穴在乳上第三肋間。仰臥取之。針三分至五分深。不可太深。留五呼。灸五壯至五十壯。

（二）尺澤　尺澤肘中約紋心。　筋急肘痛吊血靈。
驚風痧穢傷寒痛。　四肢腫痛汗不清。

此穴爲手太陰之脉。所入爲合水。「千金」治邪病四肢重痛諸雜候。尺澤主之。「席弘賦」五般肘痛尋尺澤。「雜病穴法歌」吐血尺澤功無比。「玉龍歌」筋急不開手難伸。尺澤從來要認眞。「又」兩肘拘攣筋骨攣。艱難動作欠安然。只將曲池針瀉動。尺澤見行是舉傳。

穴在肘中約紋之中心。以手平伸取之。針五分至一寸深。「不宜灸」。

（三）列缺　列缺腕側骨罅中。　善治寒嗽偏頭風。
尿血精出陰中痛。　氣刺乳中針有功。

此穴爲手太陰肺經之絡。別走陽明之路。「千金」治男子陰中疼痛。尿血精出灸五十壯「玉龍歌」寒痰咳嗽更兼風。列缺二穴最堪攻。先把太淵一穴瀉。多加艾火可收功。「席弘賦」氣刺兩乳求太淵。未應之時瀉列缺。「又」列缺頭痛及偏正。重瀉太淵無不應。「四總穴謌」頭項尋列缺。「馬丹陽十二訣」善療偏頭患。偏身風痺痲。痰涎頻壅上。口禁不開牙。等等。

穴在食指兩手交叉。食指盡處。兩骨罅中。針四五分。留三呼。灸七壯。

（四）經渠　　經渠主刺瘧綿綿。胸背拘急脹滿堅。
喉痺咳逆氣數欠。嘔吐心痛亦堪痊。

此穴爲手太陰脉之所行爲經金。「百症賦」熱病汗不出。大都更接於經渠。

穴在腕後五分。寸口脉上。針二分至三分。留三呼。「禁灸」

（五）太淵　　太淵齒痛最宜針。腕肘無力痛難伸。
並刺咳嗽風痰急。偏正頭疼效如神。

此穴爲手太陰脉之所生爲俞土。「席弘賦」氣刺兩乳求太淵。未應之時瀉列缺。「又」列缺頭痛及偏正。重瀉太淵無不應。「又」五般肘痛尋尺澤。太淵針後却收功。「玉龍謌」寒痰咳嗽更兼風。列缺二穴最堪攻。此時太淵一穴瀉。多加艾火即收功。「神農經」治牙疼及手腕無力疼痛。可灸七壯。「雜病穴法謌」偏正頭痛左右針。列缺太淵不用補。「又」太淵列缺穴相連。能祛氣痛刺兩乳。

穴在寸口前横紋上。搖之甚痠楚。針二三分灸三壯。

（六）魚際　　魚際主灸齒牙疼。灸其所在左右分。
更刺傷寒汗不出。並治瘧發勢防增。

此穴爲手太陰脉之所溜。爲滎火。汗不出者。針太淵經渠通里。便得淋漓。更兼二間三間手三里。便得汗至遍身。「千金」齒痛不能飲食。左患灸右。右患灸左。

穴在本節後。白肉際去太淵一寸。左針五六分深。留三呼。灸五壯。

少商　少商大指內側邊。專救驚風腫其咽。

　　昏沉猝暴風初中。急救回生此穴先。

此穴爲手太陰脈之所出爲井木。微刺出血。能泄諸臟之熱。乾坤生意。此穴爲十井穴之一。凡初中風猝爆昏沉。痰涎壅盛。不省人事。牙關緊閉。藥水不下。急以三稜針刺之。及其他諸井穴。以流通氣血。乃起死回生之妙穴。「百症賦」少商曲澤。血虛口渴同施。「天星秘訣」指痛攣急少商妙。「資生」咽中腫塞。水粒不下針刺之立愈。「肘後歌」剛柔二痙最乖張。口噤眼合面紅粧。熱血流入心肺腑。須要金針刺少商。「勝玉歌」頷腫喉閉少商前。「雜病謌法穴」小兒驚風刺少商。人中湧泉瀉莫深。

穴在大指內側端。去爪甲根如韭葉。針一呼。留三呼。瀉熱宜以三稜針刺出血。不可灸。治鬼魅則灸之。

第二章　手陽明大腸經

第一節　手陽明大腸經之分野

大腸手陽明之脈。起於大指次指之端。循指上廉。出合谷兩骨之間。上入兩筋之中。循臂上廉。入肘外廉。上臑外前廉。上肩出髃骨之前廉。上出於柱骨之會上。下入缺盆。絡肺。下膈屬大腸。其支者從缺盆上頸貫頰。入下齒中。還出挾口交人中。左之右。右之左。上挾鼻孔。

第二節　手陽明經脉謌

陽明之脉手大腸。次指內側起商陽。循指上廉出合谷。兩筋歧骨循臂長。
入肘外廉循臑外。肩端前廉柱骨旁。從肩下入缺盆內。絡肺下膈屬大腸。
支從缺盆直上頸。斜貫頰前下齒當。環出人中交左右。上挾鼻孔上迎香。

第三節　手陽明大腸經總穴謌

手陽明穴起商陽。二間三間合谷藏。陽谿偏歷溫溜長。下廉上廉手三里。
曲池肘髎五里近。臂臑肩髃巨骨當。天鼎扶突禾窌接。鼻旁五分號迎香。

第四節　手陽明大腸經穴分寸謌

商陽食指內側邊。二間尋來本節前。三間節後陷中取。合谷虎口歧骨間。
陽谿腕上筋間是。偏歷交叉中指端。（原作腕後三寸安。）溫溜腕後去五寸。
池前四寸下廉看。池前三寸上廉中。池前二寸三里逢。曲池曲肘紋頭盡。
肘髎大骨外廉迎。大筋中央尋五里。肘上三寸行向裡。臂臑肘上七寸量。
肩髃肩端舉臂取。巨骨肩尖端上行。天鼎扶下一寸眞。（原作喉旁四寸）。
扶突人迎後寸五。（原作天突旁五寸。）禾窌水溝旁五分。迎香禾窌上一寸。
大腸經穴是分明。

第五節　手陽明大腸經穴摘要謌。

（一）商陽

商陽主治病非輕。湧痰暴仆致昏沉。
傷寒中風兼痎瘧。三稜針刺立回生。

此穴爲手陽明脉之所出爲井金。爲十井穴之一。「百症賦」寒瘧兮商陽太谿驗。

穴在食指內側端。去爪甲如韭葉。針一分。留三呼。灸三壯。

（二）二間

刺到二間止痛牙。頷腫喉風頭痛加。
不思飲食身寒慄。三壯灸之乃可瘥。

此穴爲手陽明脉之所流爲滎水。「席弘賦」牙疼腰痛并咽痺。二間陽溪疾怎逃。「百症賦」寒慄惡寒。二間疏通陰郄譜。「天星秘訣」牙疼腰痛兼喉痺。先刺二間後三里。「玉龍歌」牙疼陣陣苦相煎。穴在二間要得傳。

穴在食指第三節之內側。針二分。留六呼。灸三壯。

（三）三間

鼻衄熱病三間關。下齒齲痛目背急。
喉痺咽塞氣喘多。腸鳴洞泄瘧寒熱。

此穴爲手陽明脈之所注爲俞木。『席弘賦』更有三間腎俞妙。善治肩背浮風勞。『百症賦』目中漠漠。卽尋攢竹三間。『捷經』治身熱氣喘。口乾目急。

穴在本節後陷中。針三四分。留三呼。灸三壯。

（四）合谷

合谷傷風易治平。痺痛還兼患急筋。
并針頭面諸般痛。水腫產難小兒驚。

此穴爲脉之所過爲原穴。『千金』產後脉絕不還。針入合谷三分急補之。『神農紅』一鼻脉目痛不明。牙疼喉痺。疥瘡。可灸三壯。至七壯。『蘭江賦』傷寒無汗瀉合谷。補復溜。若汗多不止。補合谷。瀉復溜『席弘賦』手連肩尖痛難忍。合谷太冲隨手取。『又』曲池兩手不如意。合谷下針宜仔細。『又』睛明治眼未特效。合谷先明安可缺。「又」冷嗽先宜補合谷。又須針瀉三陰交。「百澄賦」天府合谷。鼻中衂血宜走。「天星秘訣」脾病氣血先合谷。後針三陰交莫遲。「又」寒瘧面腫及腸鳴。先取合谷後內庭。「四總穴謌」面口合谷收。「馬丹陽十二訣」頭疼幷面腫。瘧病熱還寒。齒齲及衂血。口噤不開牙。「千金」曲池兼合谷。可徹頭疼。『肘後謌』口噤合眼葯不下。合谷一針效神奇。『又』傷寒不汗合谷瀉。「勝玉謌」两手痠痛難執物。曲池合谷共肩顒。『雜病穴法歌』頭面耳目口鼻病。曲池合谷爲之主。『又』赤眼迎香出血奇。臨泣太冲合谷侶。『又』耳聾臨泣與金門。合谷針後聽人語。『又』鼻塞鼻痔及鼻淵。合谷太冲隨手取。『又』舌上生苔合谷當。『又』牙風面腫頰車神。合谷臨泣瀉不數。『又』手指連肩相引疼。合谷太冲能救苦。『又』痢疾合谷三里宜。『又』婦人通經瀉合谷。

穴在虎口歧骨間。針入五分至一寸。留六呼。灸三壯。孕婦禁針。

陽掌針之夾掌心

（五）陽谿

陽溪主治熱如蒸。癮疹痂疥概宜針。
頭痛齒痛咽喉痛。狂妄驚惶見鬼神。

此穴爲手陽明經脉之所行爲經火。『席弘賦』牙疼腰痛幷喉痺。二間陽溪疾怎逃。『百症賦』肩髃陽溪。消癮風之熱極。
穴在手腕橫紋之上側。兩筋間陷中針二三分。留七呼。灸三壯。

（六）手三里　手三里治舌風舞。　腰背連臍痛殊苦。
頭風目眩臂頑麻。　齒痛項强手難舉。

「席弘賦」腰背痛連臍不休。手中三里便須求。「又」手足上下針三里。食癖氣塊憑此取。「百症賦」手臂頑麻。少海就傍於三里。「通玄賦」肩背痛治三里宜。「勝玉謌」臂痛背疼針三里。「雜病穴法歌」頭風目眩項捩强。申脈金門手三里。「又」手三里治肩連臍。「又」手三里治舌風舞。穴在曲池下二寸。針三分至一寸。灸五壯。

（七）曲池　曲池取得治中風。　手攣筋急滿胸中。
喉痺傷寒兼瘧疾。　遍身風癬灸多功。

此穴爲手陽明脉之所入爲合土。「神農經」治手肘臂膊。疼細無力。半身不遂。發熱胸前煩滿。灸十四壯。「玉龍歌」傴補曲池瀉人中。只將曲池針瀉動。尺澤兒行見聖傳。「百症賦」半身不遂。陽陵遠達於曲池。「又」發熱仗少冲曲池之律。『標幽賦』曲池肩井。甄權針臂痛而復射。『席弘賦』曲池兩手不如意。合谷下針宜仔細。「秦承祖」主大人小兒遍身風痂灸之。『馬丹陽十二訣』善治肘中痛。偏風手不收。挽弓開不得。筋緩莫梳頭。喉閉促欲死。發熱更無休。遍身風癬癩。針着卽時瘥。『千金』爲十三鬼穴之一名曰鬼臣。治百邪癲狂鬼魅。『腰背若患攣急風。曲池一寸五分攻。『勝玉歌』兩手痠重難執物。曲池合谷共肩顒。

『雜病穴法歌』頭面耳目口鼻病。曲池合谷爲之主。

穴在肘外輔骨之陷中。以手拱胸前取之。針八分。至一二寸深。灸三壯。至十數壯。有至數十壯者。

（八）肩顒　肩顒專療癱瘓疾。手攣肩腫四肢熱。
精神憔悴灸還宜。更防癭氣加瘰癧。

此穴主瀉四肢之熱。「千金」灸癭氣須十七八壯。「玉龍歌」肩端紅腫痛難當。寒濕相爭氣血狂。若向肩顒明補瀉。管君多灸自安康。「天星秘訣」手臂攣痺取肩顒。『百症賦』肩顒陽溪消癮風之熱極。「勝玉歌」兩手痠重難執物。曲池合谷共肩顒。

穴在肩尖下寸許。舉臂有空陷。針六分至寸餘。灸七至七七壯。

（九）迎香　迎香主治鼻不通。兼治面癢若行虫。
多涕有瘡生瘜肉。此穴須知禁火攻。

『玉龍謌』不聞香臭從何治。迎香二穴可堪攻。『席弘賦』耳聾氣閉聽會針。迎香穴瀉功如神。

穴在鼻窪外五分。針二三分至六七分。禁灸。

第三章　胃足陽明經

第一節　足陽明胃經脈之分野

胃足陽明之脈。起於鼻之交頞中。旁納太陽之脉。下循鼻外。上入齒中還出挾口環唇。下交承漿。循頤後下廉。出大迎。循頰車。上耳前。過客主人。循髮際至額顱。其支者從大迎前下人迎。循喉嚨入缺盆。下膈屬胃絡脾。其直者。從缺盆下乳內廉。下挾臍入氣街中。其支者起於胃口。下循腹裡。下至氣街中而合。以下髀關。抵伏兔。下膝臏中。下循脛外廉。下足跗入。中指內間。其支者下廉三寸而別。下入中指外間。其支者別跗上。入大指間出其端。

第二節　胃足陽明經脉訣

足陽明胃交鼻起。下循鼻外下入齒。還出挾口繞承漿。頤後大迎頰車裡。
耳前髮際至額顱。支下人迎缺盆底。下膈入胃絡脾宮。直者缺盆下乳內。
一支幽門循腹中。下行直合氣街逢。遂由髀關抵膝臏。胻跗中指內間同。
一支下膝注三里。前出中指外間通。一支別走足跗上。次指之端經已終。

第三節　胃足陽明經穴總歌

四十五穴足陽明。頭維下關頰車停。承泣四白巨髎經。地倉大迎對人迎。
水突氣舍連缺盆。氣戶庫房屋翳屯。膺窗乳中延乳根。不容承滿梁門起。
關門太乙滑肉穴。天樞外陵大巨存。水道歸來氣衝次。髀關伏兔走陰市。
梁邱犢鼻足三里。上巨虛連條口位。下巨虛跳上豐隆。解溪冲陽陷谷中。

內庭厲兌經穴終。

第四節　足陽明胃經穴分寸歌

胃之經兮足陽明。承泣目下七分尋。四白目下方一寸。巨髎鼻孔旁八分。
地倉挾吻四分近。(橫刺)大迎頷前寸三分。頰車耳下曲頰陷(原作八分)下關耳前動脉行。
頭維神庭旁四五。人迎喉旁寸五眞。水突筋前迎下在。氣舍突下穴相乘。
缺盆舍外橫骨內(原作舍下)相去中行四寸明。氣戶璇璣旁四寸。至乳六寸又分明。
庫房屋翳膺窗近。乳中正在乳頭心。次有乳根出乳下。各一寸六不相侵。
却去中行須四寸。以前穴道與君陳。不容巨闕旁二寸。却近幽門寸五新。
其下承滿與梁門。關門太乙滑肉門。上下一寸無多少。共去中行二寸尋。
天樞臍旁二寸間。樞下一寸外陵安。樞下二寸大巨穴。樞下四寸水道全。
水下一寸歸來好。共去中行二寸邊。氣衝鼠鼷上一寸。又去曲骨三寸間。
(原作去中行四寸專)髀骨膝上有尺式。伏兎膝上六寸是。陰市膝上方三寸。
梁邱膝上二寸記。膝臏陷中犢鼻存。膝下三寸三里至。膝下六寸上廉穴。
膝下七寸條口位。膝下八寸下廉看。下廉之旁豐隆係。(原作膝下九寸)
却是踝上八寸量。解溪跗上繫鞋處。衝陽跗上五寸喚。陷谷庭後二寸間。
內庭次指外間陷。厲兌大次趾外端。

第五節　胃足陽明經穴摘要訣

淚熱　頭冷香　痛勿灸

（一）頭維

頭風疼痛刺頭維。　三分刺入祇沿皮。
目痛不明泪多出。　針之則愈灸不宜。

「玉龍謌」眉間疼痛苦難當．攢竹沿皮刺不妨。若是眼昏皆可治。更針頭維即安康。『百症賦』淚出刺臨泣頭維之處。

穴在額角入髮際。去神庭旁四寸五分。針三分。沿皮臼下．『禁灸』。

頰車針　邊地倉

（二）頰車

頰車主灸牙不開。　口眼歪斜出語難。
牙風面腫亦可刺。　偏正頭痛何憂哉。

「百症賦」頰車地倉穴。正口喎於片時。『玉龍謌』口眼喎斜最可嗟。地倉妙穴連頰車。『勝玉謌』瀉却人中及頰車。治療中風口吐沫。『雜病穴法謌』口禁喎斜流涎多。地倉頰車仍可舉。『又』牙腫面風頰車神。

穴在耳下一寸曲頰之端。近前陷中。針三五分深。灸三至七七壯。炷如小麥。

中風

（三）地倉

口眼喎斜灸地倉。　脣弛頰腫失音吭。
牙關不開目不閉。　瞤動視物目䀮䀮。

『百症賦』頰車地倉穴。正口喎於片時。『靈光賦』地倉能治兩流涎。『肘後歌』虫在臟腑食肌肉。須要神針刺地倉。『雜病穴法歌』口噤喎斜流涎多。地倉頰車仍可舉。

穴在口角旁四分。針三分灸七至七七壯。病左治右。病右治左。艾炷宜小。過大則口反喎。灸承漿可愈。

胃寒性

（四）乳根　膺腫乳癰灸乳根。小兒龜胸有名稱。

噎膈膈氣食難下。胸悶臂痛治尤能。

穴在乳中下一寸六分。仰而取之。針三分。灸五壯。

（五）天樞　天樞主灸脾胃傷。泄瀉痢疾甚相當。

兼治癥脹癥瘕病。艾火加多體必康。

此穴爲手陽明大腸之募。主治腸鳴瀉痢。腹痛氣塊。虛損勞弱。可灸之。自二七壯至百壯。「百症賦」月潮違限。天樞水泉須詳。「勝玉謌」腸鳴大便時泄瀉。臍旁二寸灸天樞。

穴在臍旁二寸。針五分。灸五至百壯。「孕婦不可針」

（六）伏兎　膝冷須尋伏兎中。幷愈脚氣痛痺風。

若逢穴處生瘡癤。說與醫人莫用功。

穴在膝上六寸。正跪坐而取之。針五分。「禁灸」

胃寒疝

（七）陰市　陰市堪愈痿痺深。腰膝多寒似水侵。

兼刺两足拘攣症。寒疝少腹痛難禁。

「玉龍謌」腿足無力身立難。原因風濕致傷殘。倘知二市穴能灸。步履悠然漸自安。「千金」水腫大腹。灸隨年壯。「席弘賦」心疼手顫少海間。若要除根覓陰市。「通玄賦」膝胻痛陰市能治。『靈光賦』兩足拘攣覓陰市。「勝玉謌」腿股轉痠難移步。環跳風市及陰市。

穴在膝上三寸。屈膝取之。針三分至七分深。灸三至七七壯。

（八）足三里　足三里治氣上攻。諸虛牙痛及耳聾。噎膈臌脹水腫喘。寒濕脚氣兼痺風。

此穴爲足陽明脉之所入爲合土。主瀉胃中之熱。「華陀」療五勞七傷羸瘦虛弱。瘀血乳癰。「百症賦」中邪霍亂。尋陰谷三里。之程。『席弘賦』手足上下針三里。食癖氣塊憑此取。「又」虛喘須尋三里中。「又」胃中有積刺璇璣。三里功多人不知。『又』氣海專能治五淋。更針三里隨呼吸。『又』耳內蟬鳴腰欲折。膝下明存三里穴。『又』若針肩井須三里。不刺之時氣未調。『又』腰連胯痛急。便於三里攻其隘『又』脚痛膝腫針三里。懸鍾二陵三陰交。『又』腕骨腿疼三里瀉。『天星秘訣』耳鳴腰痛先五會。次針耳門三里內。『又』若患胃中停宿食。後尋三里起璇璣。『又』傷寒過經不出汗。期門三里先後看。『玉龍謌』寒濕脚氣不可熬。先針三里及陰交。再將絕骨穴見刺。腫痛頓時立見消。『又』肝家血少目昏花。宜補肝俞力便加。更把三里頻瀉動。還先谿血刺無差。『乂』水病之疾最難瘳。腹滿虛脹不肯消。先灸水分并水道。後針三里及陰交。「又」傷寒過經猶未解。須向期門穴上針。忽然氣喘攻胸膈。三里瀉多須用心。「馬丹陽十二訣」能通心腹脹。善治胃中寒。腸鳴并泄瀉。腿股膝胻痠。傷寒羸瘦損。氣臌及諸般。『勝玉謌』

兩膝無端腫如斗。膝眼三里艾當施。『靈光賦』治氣上壅足三里。『雜病穴法訣』霍亂中脘可入深。三里內庭瀉幾許。『又』泄瀉肚腹諸般病。三里內庭功無比。脹滿中脘三里揣。『又』腰連腿疼腕骨升。三里降下隨拜跪。『又』脚膝諸痛羨行間。三里申脉金門侈。『又』冷風濕痺針環跳。陽陵三里燒針尾。『又』大便虛閉補支溝。瀉足三里效可擬。『又』喘急列缺足三里。『又』小便不通陰陵泉。三里瀉下溺如注。『又』內傷食積針三里。

穴在膝眼下三寸。坐而垂膝取之。針一寸五分。至三寸。灸三至數十壯。

（九）豐隆

豐隆可治病癲狂。　頭痛面腫針卽全。

婦人心痛哮喘症。　腿膝痠疼步履艱。

此穴為足陽明之絡。別走太陰者。『玉龍歌』痰多須向豐隆瀉。『百症賦』強間豐隆之際。頭痛難禁。『席弘賦』豐隆專治婦人心中痛。『肘後歌』哮喘發來侵不得。豐隆針入三分深。

穴在外踝上八寸。針六七分。灸三壯。

（十）解溪

解溪治療風水氣。　腹足虛腫目生翳。

氣逆發噎頭目眩。　悲泣癲狂兼驚癇。

此穴為足陽明脉之所行為經火。『神農經』治腹脹脚腕痛。目眩頭疼。可灸七壯『玉龍歌』脚背疼起丘墟理穴。斜針出血卽時輕。解溪再與商丘識。補瀉行針要辨明。『百症賦』驚悸怔忡。治陽谷解溪弗誤。『肘後譜』傷寒脉洪當瀉解。沉細之時補便瘳。『一傳』氣發噎將死。灸之效。

穴在足腕上繫鞋帶處。針三五分深。灸五壯。

（十一）衝陽

衝陽主治病在胃。足痿跗腫難進退。
針刺之時須留神。不教血出斯爲貴。

此穴爲足陽明所過爲原。『天星秘訣』足緩難行先絕骨。次尋條口及沖陽。

穴在足跗上五寸。針三分。灸三壯。一說不宜灸。

（十二）陷谷

何病最宜刺陷谷。腸鳴疝痛痺及腹。
無汗振寒水氣腫。面腫善噫瘧疾作。

此穴爲足陽明脈之所注爲腧木。胃脈弦者。瀉此則木平而胃氣自啓。「百症賦」腹內腸鳴。下脘陷谷能平

穴在次趾外。本節後。去內庭二寸。針三五分。灸三壯。

（十三）內庭

內庭堪瀉痞滿堅。腹鳴寒振痛其咽。
非瀉婦人石蠱脹。行經頭暈腹痛疼。

此穴爲足陽脈之所溜爲滎水。主療久瘧不愈及腹脹。「玉龍歌」小腹脹滿氣攻心。內庭二穴要先針。『天星秘訣』寒瘧面腫及腸鳴。先取合谷後內庭。「千金」三里內庭。治肚腹之病妙。『捷徑』治石蠱。『馬丹陽十二訣』能治四肢厥。喜靜惡

聞聲。癮疹咽喉痛。數欠及牙疼。瘧疾不思食。耳鳴卽便清。『雜病穴法歌』霍亂中脘可入深。三里內庭瀉幾許。「又」泄瀉肚腹諸般疾。三里內庭功無比。『又』兩尺痠痳補太溪。僕參內庭盤跟楚。

穴在次中二趾之間。針四五分。灸三數壯。

(十四) 厲兌

曷爲須尋厲兌穴。驚狂面腫兼尸厥。
喉痺足寒膝臏中。隱白同消夢魘惡。

此穴爲足陽明脉之所出爲井金穴。『百症賦』夢魘不安。厲兌相諧於隱白。

穴在足次趾外側爪甲角。針一分。灸一壯。

第一章　足太陰脾經

第一節　足太陰脾經脉之分野。

脾足太陰之脉。起於太趾之端。循趾內側白肉際。過核骨後。上內踝前廉。上腨內循經骨後。交出厥陰之前。上膝股內前廉。入腹屬脾絡胃。上膈挾咽。連舌本。散舌下。其支者。復從胃別上膈。注心中。

第二節　足太陰脾經脉詞

太陰脾起足大指。上循內側白肉際。核骨之後內踝前。上腨循胻經膝裡。
股內前廉入腹中。屬脾絡胃與膈通。俠喉連舌散舌本。支絡從胃注心宮。

第三節　足太陰脾經穴總詞

二十一穴脾中州。隱白在足大指頭。大都太白公孫盛。商丘三陰交可求。漏谷地機陰陵穴。血海箕門衝門開。府舍腹結大橫排。腹哀食竇連大谿。胸鄉周榮大包隨。

第四節　足太陰脾經穴分寸訣

大趾內側端隱白。節前陷中求大都(原作節後)。太白核前白肉際。(原作內側骨內下)節後一寸公孫呼。商丘踝前陷中遭。(原作內踝微前陷)踝上三寸三陰交。踝上六寸漏谷是。膝下五寸地機朝。膝下內側陰陵泉。血海膝膑上內廉(上三寸半)。箕門穴在魚腹取。動脉應手越筋間。衝門橫骨兩端同。去腹中行四寸半。衝上七分府舍求。舍上三寸腹結算。結上三寸是大橫。却與臍平莫胡亂。中脘之旁四寸取。便是腹哀分一叚。中庭旁五食竇穴。亶中去六是天溪。再上寸六胸鄉穴。周榮相去亦同然。大包腋下有六寸。淵液之下三寸絆。

第五節　足太陰脾經穴摘要訣

(一)隱白　隱白原治脾病科。腹脹喘滿不得和。尸厥足寒與驚忤。並治婦人天癸多。

此穴為足太陰脉之所出為井木。婦人月事過時不止。針之立愈。「百症賦」夢魘不安。厲兌相諧於隱白。「雜病穴法訣」尸厥百會一穴美。更針隱白效昭昭。穴在足趾內爪甲縫際。去爪甲如韭葉。針一分。留三呼。「禁灸」。

（二）大都　大都主治溫熱病。　骨痛腰痠臥不定。
厥逆傷寒嘔煩悶。　胎產百日灸弘禁。

此穴爲足太陰脉之所流爲滎火。凡婦人孕後。及新產未及三月。不宜灸。『千金』治大便難。灸如年壯。霍亂下瀉不止。灸七壯。『席弘賦』氣滯股疼不能立。橫骨大都宜救急。「百症賦」熱病汗不出。大都更接於經渠。『肘後謌』腰腿疼痛十年春。服藥尋方枉費金。大都引氣探根本。

穴在大趾內側。本節前第二節後。針三分。灸三壯。

（三）太白　太白治腰痛不安。　瀉痢膿血大便難。
痔漏腹脹食不化。　身重骨痛膝胻痠。

此穴爲足太陰脈之所注爲兪土。

穴在核骨下微前。赤白肉際。針二三分。灸三壯。

（四）公孫　壅痰積塊取公孫。　下血腸氣寒熱蒸。
兼治婦人氣蠱病。　隨機補瀉見功能。

此穴爲足太陰之絡。別走陽明者。「神農經」。治腹脹心疼。灸七壯。「席弘賦」吐疼須是公孫妙。「標幽賦」脾冷胃疼。瀉公孫而立愈。「雜病穴法歌」腹痛公孫內關原。

穴在核骨後。赤白肉際。足背最高骨之下針五七分。灸三壯。

（五）商丘　痺虛須向商丘記。　寒瘧疸黃嘔痞氣。

腹脹胃痛脚背疼。　嘔吐腸鳴還瀉痢。

此穴爲足太陰脉之所行爲經金。「神農經」治脾虛腹脹胃脘痛。灸七壯。「玉龍謌」脚背疼起商丘處穴。斜針出血即時輕。解溪再與商丘識。補瀉行針要辨明。」百症賦『商丘痔漏而最良。「勝玉歌」脚背痛時商丘刺。

穴在內踝骨下微前陷中。針三分。灸五壯。

（六）三陰交　三陰交治痞滿堅。　痼冷疝氣脚氣纏。

婦人不孕及難產。　帶下遺精淋濁安。

此穴爲足太陰少陰厥陰之會。凡女人難產。月水不禁。赤白帶下。先瀉後補。小腸疝氣。偏墜木腎腫痛。小便不通。渾身浮腫。先補後瀉。『玉龍謌』寒濕脚氣不可熬。先針三里及陰交。『百症賦』針三陰於氣海。專司白濁重遺精。『席弦賦』冷嗽先宜補合谷。却須針瀉三陰交。『又』脚痛膝腫針三里。懸鍾二陵三陰交。「又」胸膈痞滿先陰交。針到承山飲食美。「乾坤生意」小腸疝氣。針大敦陰交不可緩「雜病穴法歌」舌裂出血尋內關。太冲陰交走上部。「又」冷嗽只宜補合谷。三陰交瀉即時住。

穴在內踝上三寸。針三五分。灸三壯。「孕婦禁針」

（七）陰陵泉　陰陵泉治氣成淋。　水腫腹堅臥不寧。

小便諸疾足膝腫。　遺尿泄瀉或遺精。

此穴爲足太陰脉之所入爲合穴。『神農經』治小便不通。疝瘕。灸七壯。「千金」小便不禁針五分。灸隨年壯。「又」水腫下得臥。灸百壯。『玉龍謌』膝盖紅腫鶴膝瘋。陽陵二穴亦可攻。陰陵針透尤收效。紅腫漸消見異功。『太乙歌』腸中切痛陰陵調。『席弘賦』陰陵泉治心胸滿。『又』脚痛膝腫針三里。懸鍾二陵三陰交。『百症賦』陰陵水分治水腫之臍盈。『大星秘訣』若是小腸連臍痛。先刺陰陵後三里。『通玄賦』陰陵能開通水道。『雜病穴法歌』小便不通陰陵泉。三里瀉下溺如注。

穴在膝下內輔骨下陷中。與陽陵泉相對。去膝橫開一寸餘。針五分。灸三壯。正坐屈膝取之。

（八）血海

血海堪醫經不調。　腎風腹脹末能消。
崩漏帶下婦人疾。　熱瘡濕痒癢須搔。

『百症賦』婦人經事改常。自有地機血海。『又』痃癖兮。衝門血海强。『靈光賦』氣海血海療五淋。『勝玉歌』熱瘡臁內年年發。血海尋來可治之。『雜病穴法謌』五淋血海男女通。

穴在膝臏上二寸半。膝之內側。針五分。灸五壯。

第一節　手少陰心經脈之分野

心手少陰之脈。起於心中。出屬心系。下膈絡。少腸其支者。從心系上挾咽。繫目系。其直者。復從心系却上肺。下出腋下。下循臑內後廉。行太陰心主之後。下肘內循臂內後廉。抵掌後銳骨之端。入掌內後廉。循小指之內出其端。

第二節　手少陰心經脉謌

手少陰脉起心中。下膈直與小腸通。支者還從心系走。直上喉嚨繫目瞳。
直者上肺出腋下。臑後肘內少海從。臂內後廉抵掌中。銳骨之端注少衝。

第三節　手少陰心經總穴歌

九穴午時手少陰。極泉青靈少海深。靈道通里陰郄後。神門少府少衝尋。

第四節　手少陰心經穴分寸歌

少陰心起極泉中。腋下筋間動引胸。青靈肘上二寸覓。少海肘後五分充。
靈道掌後一寸半。通里腕後一寸同。陰郄去腕五分的。神門掌後銳骨逢。
少府小指本節末。小指內側是少衝。

第五節　手少陰心經穴摘要謌

（一）少海　少海主刺腋下瘰。羊癎痺痛肩風漏。
心痛手顫臂頑麻。目眩發狂亦可退。

此穴爲手少陰脉之所入爲合水。『席弘賦』心疼手顫少海間。若要除根覓陰市。

『百症賦』兩臂頑麻。少海就傍於三手里。『雜病穴法謌』心痛手顫少海求。『勝玉謌』瘰癧少海天井邊

穴在肘內廉。去肘端五分。針三分。不宜灸。

（二）靈道

治愈心痛取靈道。　骨寒髓冷火燒到。
瘈瘲暴瘖不能言。　此穴施針甚爲妙。

此穴爲手少陰脉之所行爲經金。主治心痛。「肘後謌」骨寒髓冷火來燒。靈道妙穴分明記。

穴在掌後一寸五分。針三分。灸五壯。

（三）通里

溫熱堪除通里記。　無汗懊憹心驚悸。
喉痺苦嘔暴瘖瘂。　婦人崩漏經多費。

此穴爲手少陰絡。別走太陽者。『神農經』治目眩頭疼。可灸七壯。「玉龍謌」連日虛煩面赤粧。心中驚悸亦難當。若須通里穴尋得。一用金針體便康。『百症賦』倦言嗜臥。往通里大鍾如明。「馬丹陽十二訣」欲言聲不出。懊憹及怔忡。實則四肢重。頭顋面頰紅。聲平仍欠數。喉閉氣難通。虛則不能食。暴瘖面無容。穴在掌後一寸。針三分。灸三壯。

（四）神門

怔忡心悸扣神門。　癡呆中惡遽狂奔。
並治小兒驚癇症。　或時惡寒欲就溫。

此穴爲手少陰之脉所注爲俞土。「百症賦」發狂奔走。上脘同起於神門。「玉龍歌」痴呆之症不可侵。不識尊卑枉罵人。神門獨治痴呆病。『雜病穴法歌』神門專治心痴呆。「勝玉歌」後谿鳩尾及神門。治療五癇立便瘥。

穴在掌後銳骨之端陷中。針三五分。灸三壯。

（五）少府　久瘧宜尋少府中。　肘腋拘攣痛引胸。
婦人陰挺痛而癢。　男子遺尿治亦同。

此穴爲手少陰脉之所流爲滎火。主治心胸痛。『肘後歌』心胸有病少府瀉。

穴在手少指本節掌中。針三分。灸三壯。

（六）少冲　少冲主治心胆寒。　怔忡顛狂後嘸酸。
氣寒血熱心煩滿。　眼赤火炎不一端。

此穴爲手少陰脉之所出爲井木。『百症賦』發熱仗少冲曲池之津。「玉龍歌」胆寒心虛病如何。少冲二穴最功多。並刺出血。可治醉暴之病。

穴在小指內廉之端。針一分。灸一壯。

第六章　手太陽小腸

第一節　手太陽小腸經脉之分野

小腸手太陽之脉。起於小指之端。循手外側上腕。出踝中。直上循臂骨下廉。出肘內側两筋之間。上循臑外後廉。出肩解。繞肩胛。交肩上。入缺盆。絡心循咽下膈。抵胃屬小腸。其支者。從缺盆循頸上頰。至目銳眥。却入耳中。其支者。別頰上䪼。抵鼻。至目內眥。斜絡於顴。

第二節　手太陽小腸經脈譚

手太陽經小腸脈。小腸之端起少澤。循手外廉出踝中。循臂骨內肘外側。
上循臑外出後廉。直過肩解繞肩胛。交肩下入缺盆內。向腋絡心循咽嗌。
下膈抵胃屬小腸。一支缺盆貫頸頰。至目銳眥却入耳。復從耳前仍上䪼。
抵鼻升至目內眥。斜絡於顴別絡接。

第三節　手太陽小腸經穴總譚

手太陽穴一十九。少澤前谷後谿藪。腕骨陽谷養老繩。支正小海外輔肘。
肩貞臑俞接天宗。髎外秉風曲垣首。肩外俞連肩中俞。天窗乃與天容偶。
銳骨之端上顴髎。聽宮耳前珠上走。

第四節　手太陽小腸經穴分寸譚

小指端外爲少澤。前谷外側節前覓。節後捏拳取後溪。腕骨腕前骨陷側。
兌骨下陷陽谷討。腕後銳上覓養老。支正腕骨五寸量。小海肘端五分好。
肩貞胛下兩筋解。臑俞大骨下陷保。天宗秉風後骨中。秉風髎外舉有空。
曲垣肩中曲胛陷。外俞去脊三寸從。中俞二寸大椎旁。天窗扶突後陷詳。
天容耳下曲頰後。顴髎面鳩銳端量。

聽宮耳中大如菽。　此爲小腸手太陽。

第五節　手太陽小腸經穴摘要謌

（一）少澤
少澤堪治心中煩。　喉痺舌强目翳攀。
耳聾不眠項臂强。　婦女生瘍得乳難。

此穴爲手太陽脉之所出爲井金。『千金』治耳聾不得眠補之。『玉龍歌』婦人吹乳痛難消。吐血風痰稠似膠。少澤穴內明補瀉。「百症賦」攀睛攻肝俞少澤之所。「靈光賦」少澤應除心下寒。

穴在小指端。去爪甲如韭葉。針一分。灸一壯。

（二）前谷
前谷治愈瘧與癲。　頭項肩臂痛難痊。
更治產後不生乳。　目翳鼻塞咳聲連。

此穴爲手太陽脉之所流爲滎水。主治熱病無汗補之。

穴在小指外側本節前。針二三分。灸一壯。

（三）後溪
尋得後溪瘧疾平。　癲癇從此漸心淸。
頸項難顧肘腕痛。　脅肋腿疼亦告輕。

此穴爲手太陽所注爲俞木。「神農經」治項頸不得回顧。肩寒肘疼。灸七壯。『玉龍謌』時行瘧疾最難禁。穴法由來未審明。若把後溪穴尋得。多加艾火卽時輕。『蘭江賦』後溪專治督脉病。癲狂此穴治還輕。『百症賦』陰郄後谿治盜汗之多出。「又」後谿環跳。腿疼刺而卽輕。「又」治疸消黃。諧後谿勞宮而看。『通玄賦』癇發癲狂兮。憑後谿而料理。「千金」後谿列缺。治胸項之痛。「肘後歌」脇肋腿痛後溪妙。「勝玉歌」後谿鳩尾及神門。治療五癇立便痊。

穴在小指本節後。第五掌骨之前外端。握拳取穴。針三分。灸三壯。

（四）腕骨　腕骨能療臂腕疼。　五指諸痛分淺深。

脾疾翻胃食吐常。　疸黃瘧疾亦堪針。

此穴爲手太陽脈之所過爲原。『通玄賦』固知腕骨袪黃。『玉龍謌』腕中無力痛艱難。握物難移體不安。腕骨一針能見效。莫將補瀉等閒看「又」脾疾之症有多般。致成翻胃腕食難。黃疸亦須尋腕骨。金針必定奪中腕。『雜病穴法歌』腰連腿疼腕骨升。三里降下隨拜跪。

穴在腕尖踠豆骨側。握掌向內取之。針三四分。灸三壯。

（五）陽谷　頭面之疾刺陽谷。　脇痛項腫病手膊。

癲狂痔漏陰痿疾。　小兒瘈瘲治尤速。

此穴爲手太陽脈之所行爲經火。「百症賦」陽谷俠谿。頷腫口噤並治。

穴在手腕之两顆骨間。針三分。灸三壯。

（六）支正　七情六鬱支正探。　肘臂十指盡皆攣。

兼治消渴飲不止。　補瀉分明自可安。

此穴爲手太陽之絡。別走少陰者。『百症賦』目眩兮。支正飛揚。
穴在腕側上五寸。針三分。灸三壯。

（七）小海　小海肘尖五分陷。　齒根腫痛刺爲便。
肘臂肩臑頸項痒。　風眩瘛瘲五癇歛。

此穴爲手太陽脉所入爲合土。主肘臂痛。
穴在尺骨鶯嘴。突起之上端去肘尖五分陷中。以手屈肘。向頭取之。針三分。灸三壯。

（八）聽宮　耳內蟬鳴取聽宮。　並治腎虛耳暴聾。
癲疾失音心腹滿。　心下悲悽俱可攻。

『百症賦』聽宮脾俞。祛殘心下之悲悽。
穴在耳前珠子傍。針三分。灸三壯。

第七章　足太陽膀胱經。

第一節　足太陽膀胱經脉之分野

膀胱足太陽之脉。起於目內眥。上額交巔。其支者。從巔至耳上角。其直者。從巔入絡腦。還出別下項。循肩髆內。挾脊抵腰中。入循膂絡腎。屬膀胱。其支者。從腰中下挾脊。貫臀入膕中。其支者。從髆內左右別下。貫胛挾脊內。過髀樞。循髀外。從後廉下合膕中。以下貫腨內。出外踝。循京骨。至小指外側。

第二節　足太陽膀胱經脈歌

足太陽經膀胱脈。目內眥上起額尖。支者巔上至耳角。直者從巔腦後懸。絡腦還出別下項。仍循肩膊挾脊邊。抵腰膂腎膀胱內。一支下與後陰連。橫臀斜入委中穴。一支膊內左右別。貫胛挾脊過髀樞。臀內後廉膕中。合下貫腨內外踝後。京骨之下指外側。

第三節　足太陽膀胱經穴總歌

足太陽經六十七。睛明目內紅肉藏。攢竹眉冲與曲差。五處上寸半承光。通天絡却玉枕外。天柱後際大筋外。大杼背部第二行。風門肺俞厥陰四。心俞督俞膈俞强。肝胆脾胃俱挾次。三焦腎氣海大腸。關元小腸到膀胱。中膂白環仔細量。自從大杼至白環。各各節外寸半長。上髎次髎中復下。一空二空腰髁當。會陽陰尾骨外取。附分挾脊第三行。魄戶膏肓與神掌。譩譆膈關魂門九。陽綱意舍仍胃倉。肓門志室胞肓遠。二十椎下秩邊塲。承扶臀橫紋中央。殷門浮郄到委陽。委中合陽承筋是。承山飛揚踝附陽。崑崙僕參連申脈。金門京骨束骨忙。通谷至陰小指旁。

第四節　足太陽膀胱經穴分寸歌

足太陽是膀胱經。目內眥角始睛明。眉頭陷中攢竹取。眉冲直上旁神庭。曲差入髮五分際。神庭旁開寸五分。五處旁開亦寸半。細算却與顖會平。承光通天絡却穴。相去寸五調。勻看。玉枕夾腦一寸三。入髮三寸枕骨取。天柱項後髮際中。大筋外廉陷中獻。自此夾脊開寸五。第一大杼二風門。三椎肺俞厥陰四。心五督六椎下論。膈七肝九十胆俞。十一脾俞十二胃。十三三焦十四腎。氣海俞在十五椎。大腸十六椎之下。十七關元俞穴椎。小腸十八胱十九。中膂內俞二十椎。白環廿一椎下當。以上諸穴可推之。更有上次中下髎。一二三四腰空好。會陽陰尾尻骨旁。背部第二諸穴了。又從脊上開三寸。第二椎下爲附分。三椎魄戶四膏肓。第五椎下神堂尊。第六譩譆膈關七。第九魂門陽綱十。十一意舍之穴存。十二胃倉穴已分。十三肓門端正在。十四志室不須論。十九胞肓廿一秩。背部三行諸穴勻。又從臀下橫紋取。承扶居下陷中央。殷門扶下方六寸。委陽膕外兩筋鄉。浮郄實居委陽上。相去只有一寸長。委中在膕約紋裡。此下三寸尋合陽。承筋合陽之下直。穴在腨腸之中央。承山腨下分肉間。外踝七寸上飛揚。附陽外踝上三寸。崑崙後跟陷中央。僕參跟下脚邊上。申脉踝下五分張。金門申前墟後取。京骨外側骨際量。束骨本節後肉際。通谷節前陷中强。至陰却在小指側。太陽之穴始週詳。

第五節　足太陽膀胱經穴摘要訣

(1) 睛明

睛明專治目不明。雀目生翳或攀睛。
目赤睛痛火炎上。眥癢流淚怕風迎。

此穴爲手足太陽足陽明陰蹻陽蹻五脈之會。凡治雀目者。可久留針而速出之。「百症賦」雀目肝氣。睛明行間而細推。「靈光賦」睛明治眼胬肉攀。「席弘賦」睛明治眼未效時。合谷光明安可缺。

穴在目內眥角一分宛宛中。針一分至三分。「不可灸」

（二）攢竹　眉頭陷處是攢竹。　眉間疼痛難張目。
腦昏目赤瞳子癢。　腮臉瞤動治可決。

「玉龍謌」眉間疼痛苦難當。攢竹沿皮刺不妨。若是眼昏皆可治。更針頭維即安康。「通玄賦」腦昏目赤。瀉攢竹以偏宜。「勝玉謌」目內紅腫苦皺眉。絲竹攢竹亦可醫。「百症賦」目中漠漠。即尋攢竹三間。

穴在眉頭。須斜針三五分。「禁灸」。

（三）通天　通天頭旋神恍惚。　耳鳴項强難轉側。
鼽血偏風口喎斜。　青盲內障鼻還塞。

「百症賦」通天去鼻內無聞之苦。

穴在曲差後二寸。即入髮二寸五分。針三分。灸三壯。

（四）大杼　取得大杼治瘧疾。　喉痺咳嗽身發熱。
頭疼腰脊項背强。　痿厥風痺痛其膝。

「席弘賦」大杼若連長强尋。

小腸氣瘡卽行針。「勝玉歌」五瘧寒多熱更多。間便大杼眞妙穴。「肘後歌」風痺痿厥如何治。大杼曲泉眞是妙。

穴在第一胸椎。「大椎」之下。橫開一寸五分。針三分。「不宜灸」。

(五)風門

風門主治易感風。　痰嗽風寒吐血紅。
兼治一切鼻中病。　艾火多加嗅自通。

此穴能瀉一身熱氣。「神農經」傷風咳嗽。頭痛鼻流淸涕。可灸十四壯。及治頭疼風眩鼻衄不止。

穴在第二胸椎之下。旁一寸五分。針五分。灸五壯

(六)肺兪

肺兪內傷嗽吐紅。　兼灸肺痿與肺癰。
小兒龜背亦堪灸。　止嗽須教肺氣通。

此穴主瀉五臟之熱。『神農經』治咳嗽吐血。吐紅骨蒸。虛勞可灸十四壯。『乾坤生意』同陶道身柱膏肓。治五勞七傷虛損。『百症賦』欬嗽連聲。肺兪須臨天突穴。『玉龍謌』傷風不解嗽頻頻。久不醫時勞便成。咳嗽須針肺兪穴。痰多宜向豐隆尋。『勝玉謌』若是痰涎并咳嗽。治却須當灸肺兪。

穴在第三胸椎下　旁一寸五分。針三分。灸三至數十壯。

(七)膈兪

膈兪治痛在胸脅。　翻胃吐食兼痃癖。
一切失血總宜針。　膈胃寒痰并吐逆。

此穴乃血之會也。凡屬血症。均宜針之灸之。『千金』治吐逆翻胃。灸百壯。穴在第七椎下旁一寸五分。針三分。灸三壯。

（八）肝俞　肝俞主瀉臟熱淸。　兼治氣短語無聲。
若向命門同用灸。　能令瞽目倍加明。

此穴主瀉五臟之熱。『千金』胸滿心腹積聚疼痛。灸百壯。『又』氣短不語灸百壯。『玉龍歌』肝家血少目昏花。宜補肝俞力便加。更把三里頻瀉動。還先益血自無差。『勝玉謌』。肝血盛兮肝俞瀉。『標幽賦』取肝俞於命門。使瞽士視秋毫之末。『百症賦』攀睛攻肝俞少澤之所。
穴在第九椎下旁一寸五分。針三分。灸三壯。

（九）膽俞　尋得膽俞胸腹寬。　更防驚悸臥不安。
翻胃酒疸目黃色。　面發赤斑口苦乾。

『百症賦』目黃兮。陽綱膽俞。「捷經」膽俞膈俞。可治勞熱噎氣。
穴在第十椎下旁一寸五分。針三分。灸三壯。

（十）脾俞　脾俞治療食過多。　吐瀉癖痢積未磨。
尤患嬰兒脾風症。　喘急吐血治同科。

此穴主瀉五臟之熱。『百症賦』聽宮脾俞。祛殘心下之悲悽。『又』脾虛穀食不消脾俞膀胱俞覓。『捷徑』治食噎。「千金」治食不化。泄痢不作肌膚。脹滿水腫灸隨年壯。

穴在第十一椎之下。旁一寸五分。針三分。灸三壯。

(十一) 胃兪　胃兪堪治黃疸病。食畢頭目即眩暈。

瘧疾善飢不能食。腹脹翻胃均能定。

『百症賦』胃冷食不化。魂門胃兪堪責。

穴在第十二椎下。去脊一寸五分。針三分。灸三壯。

(十二) 三焦兪　三焦兪治多積聚。脹滿膈塞不通利。

積塊堅硬痛不寧。

『千金』少腹堅。大如盤盂。腹胸脹滿。飲食不消。婦人癥聚。同氣海各灸五壯

穴在第椎下十三。去脊一寸五分。針五分。灸三壯。

(十三) 腎兪　下元虛敗腎兪醫。令人有子效多奇。

精滑耳聾脇腰痛。女疸婦帶不能遺。

此穴主瀉五臟之熱。『千金』夢遺失精。五臟虛勞。少腹强急。各灸百壯。『玉龍歌』腎敗腰虛小便頻。夜間起止苦勞神。命門若得金針助。腎兪艾灸起遭迍。『又』腎敗腰疼小便頻。督脉兩旁腎兪治。

穴在第十四椎下。去脊一寸五分。針三分。灸三壯。

(十四) 大腸兪　大腸兪治大腸鳴。大小便難食積停。

腹脹腰痠兼瀉痢。　先補後瀉要分明。

『千金』脹滿雷鳴。灸百壯。『靈光賦』大小腸俞大小便。

穴在十六椎下。去中行一寸五分。針三分。灸三壯。伏而取之。

（十五）膀胱俞　膀胱俞治小便澀。　少腹脹痛遺尿濕。

腰脊强痛脚膝寒。　女子癥瘕可消脫。

『百症賦』脾虛穀分不消。脾俞膀胱俞覓。

穴在十九椎下。去中行一寸五分。針三分。灸三壯。

（十六）膏肓　膏肓一穴灸勞傷。　百損諸虛罔不良。

上氣咳逆健忘症。　夢遺痰火發癲狂。

『百症賦』癆瘵傳尸。趨魄戶膏肓之路。『靈光賦』膏肓灸治百病。『乾坤生意』膏肓肺俞陶道身柱。爲治虛損五勞七傷緊要之穴。

（十七）譩譆　譩譆主治久瘧疾。　胸腹脹悶兼氣噎。

大風熱病汗不出。　肩背膂力均痛急。

『千金』治多汗瘧疾。灸五壯。

穴在第六椎下。去中行三寸。針五六分。灸五壯。

（十八）意舍　胸脅滿痛刺意舍。　小便黃而大便瀉。

惡寒嘔吐立時留。　消渴目黃食不下。

此穴主瀉五臟之熱。「百症賦」胸滿更加噎塞。中府意舍所行。

穴在十一椎下。去中行三寸。針五分。灸三壯。

（十九）委中　　腰脊疼痛取委中。　　熱病汗稀使不通。

衂血脊强狂熱疾。　　眉髮脫落遇大風。

此穴爲足太陽脉　所入爲合土。主瀉四肢之熱。凡熱病汗不出。小便難。衂血不止。脊强反折。瘛瘲癲狂。足熱厥不得屈伸。取其經出血立愈。「玉龍謌」環跳能治腿股風。居髎二穴用針攻。委中毒血更出盡。愈見醫科神聖功。「又」强痛脊背瀉人中。挫閃腰痠亦見功。更有委中之一穴。腰間諸疾任君攻。『百症賦」背連腰痛。白環委中曾經。「勝玉謌」委中驅療脚風纏。「四總穴」腰背委中留。「馬丹陽十二訣」腰痛不能舉。沉沉引脊梁。痠疼筋莫轉。風痺復無常。膝頭難屈伸。針入卽安康。「肘後謌」。腰軟如何去得根。神妙委中立見效。「雜病穴法歌」腰痛環跳委中求。若連背痛崑崙式。

穴在膝膕窩之正中。針一寸五分。「禁灸」。

（二十）承山　　痔漏須尋承山穴。　　心胸痞漏還鼻衂。

轉筋脚氣胸腰疼。　　膝腫胻痠便流血。

「千金」灸轉筋。隨年壯甚效。「玉龍歌」九般痔漏最傷人。必刺承山效若神。更有長强一穴刺。呻吟大痛穴爲眞。「勝玉謌」兩股轉筋承山刺。「席弘賦」陰陵泉治心胸滿。針到承山飲食思。『又』轉筋目眩針魚腹。承山崑崙立便消。『百症賦』針長强於承山。專主腸風新下血。『靈光賦』承山轉筋并久痔。『天星秘訣』脚若轉筋并眼花。先針承山次內踝「又」胸膈痞滿先陰交。針到承山飲食美。『馬丹陽十二訣』善治腰疼痛。痔疾大便難。脚氣并膝腫。轉輾戰疼痠。霍亂及轉筋。穴中刺便安。『肘後謌』五痔原因熱血足。承山針下病無踪。『又』打僕傷損破傷風。先於痛去下針攻。又向承山立作效。『雜病穴法謌』心胸痞滿陰陵泉。針到承山飲食美。『又』脚若筋筋眼發花。然谷承山發自古。

穴在委中下八寸。腨肉之間。針七分。灸五壯。以足趾履地。兩手按壁上取之。

（廿一）飛揚

欲覓飛揚步不前。　濕熱痔漏起坐難。
歷節風疼難伸屈。　頭目眩兮效如仙。

『百症賦』目眩兮。支正飛揚。

穴在外踝上七寸。與承山穴並針三分。灸三壯。

（廿二）崑崙

足腿紅腫崑崙覓。　鼽衄頭疼肩背急。
霍亂轉筋腰尻痛。　喘咳目眩難步立。

此穴爲足太陽脉之所行爲經火。『玉龍謌』腫紅腿足草鞋風。須把崑崙二穴攻。中脉太谿如再刺。神醫妙訣起疲癃。『靈光賦』住喘脚氣崑崙愈。『席弘賦』轉筋目眩針魚腹。承山崑崙立便消。『千金』治瘧多汗。腰痛不能俛仰。目如脫。項似拔。

崑崙主之。『又』胞衣不下。針入四分。『馬丹陽十二訣』轉筋腰尻痛。暴喘滿中心。舉步行不得。一動卽呻吟。若欲求安樂。須於此穴針。『肘後謌』脚膝經年痛不休。內外踝邊用意求。穴號崑崙并呂細。『雜病穴法歌』腰痛環跳委中求。若連背痛崑崙式。

（廿三）中脉　　晝發痙症治若何。　速針中脉起沉疴。
　　　　　　　　上牙疼兮下足腫。　頭風偏正眞平和。

穴在足外踝後五分。陷凹中。針三分。灸三壯。『孕婦禁針』

此穴爲陽蹻脉之所出。『玉龍歌』腫紅腿足草鞋風。須把崑崙兩穴攻。中脉太谿如再刺。神醫妙缺起疲癃。「頭風頭痛」針中脉與金門。（出標幽賦）『欄江賦』申脉能治寒與熱。頭風偏正及心驚。耳鳴鼻衄胸中滿。但遇痲木虛卽補。如逢疼痛瀉而迎。『靈光賦』陰蹻陽蹻兩踝邊。脚氣四穴光尋取。陰陽陵泉亦主之。『又』陰蹻陽蹻與三里。諸穴一般治脚氣。在腰玄機宜正取。「雜病穴法歌」頭風目眩項捩强。申脉金門手三里。『又』脚膝諸痛羨行間。三里申脈金門侈。

（廿四）金門　　金門不患瘧難平。　尸厥癲癇又轉筋。
　　　　　　　　膝痠疝氣頭風痛。　小兒反折或急驚。

穴在外踝下微斜前陷中。針三分。不宜灸。

『百症賦』轉筋兮。金門丘墟來醫。『標幽賦』頭風頭痛。針申脈與金門。『雜病穴法歌』頭風目眩項捩強。申脈金門手三里。耳聾臨泣與金門。合谷針後聽人語『又』脚氣諸痛羨行間。三里申脈金門侈。『肘後歌』瘧疾連日發不休。金門刺深七分是。

穴在外踝向前一寸。針三分。灸三壯

（廿五）京骨　太陽原穴是京骨。能治腰脊痛如折。

項强難顧背難灣。痎瘧癲狂目眥赤。

此穴爲足太陽脉之所過爲原。

穴在甲脉前三寸。針三分。灸三壯。

（廿六）束骨　束骨仍是太陽經。風熱眥紅可治平。

項强耳聾腰膝痛。頭疼發背與癰疔。

此穴爲足太陽脉之所注爲俞木。「秦承祖」治風熱胎赤。兩目眥爛。「百症賦」項强多惡風。束骨相連於天柱。

穴在小趾外側本節後。針三分。灸三壯。

（廿七）通谷　項痛目脉尋通谷。心臟善驚加軟齘。

胃有留飲食不消。藏氣逆亂東垣訣。

此穴爲足太陽脉之所流爲榮水。東垣曰。胃氣不留。五臟氣亂。在於頭。取天柱大杼。不足深取通谷束骨。

穴在小趾本節前。針二分。灸三壯。

（廿八）至陰　至陰穴在小指端。　能灸婦人橫產難。

並針頭面諸般疾。　寒瘧轉筋心內煩。

此穴為足太陽脈之所出為井金。「百症賦」至陰屏翳。療癢疾之疼多。「席弘賦」

腳膝腫時尋至陰。「肘後謌」。頭面之疾針至陰。

穴在足小趾外側。去爪甲角如韮葉。針一分。灸三壯。

第八章　足少陰腎經。

第一節　足少陰腎經脉之分野

腎足少陰之脉。起於手小指之下。斜趨足心。出於然谷之下。循內踝之後。別入跟中。以上腨內。出膕內廉。上股內後廉。貫脊屬腎絡膀胱。其直者從腎上貫肝膈。入肺中。循喉嚨。挾舌本。其支者。從肺出絡心。注胸中。

第二節　足少陰腎經脈謌

足經腎脉屬少陰。小指斜趨涌泉心。然骨之下內踝後。別入跟中腨內尋。

出膕內廉上股內。貫脊屬腎膀胱臨。直者屬腎貫肝膈。入肺循喉舌本尋。

支者從肺絡心內。仍至胸中部分深。

第三節　足少陰腎經穴總歌

足少陰經二十七。湧泉然谷照海溢。水泉太谿通大鐘。復留交信築賓買。陰谷膝內踹骨後。已上從足走至膝。橫骨大赫連氣穴。四滿中注盲俞臍。商曲石關陰都密。通谷幽門寸半闢。折量腹上分十一。步廊神封膺靈墟。神藏或中俞府畢。

第四節　足少陰腎經穴分寸歌

足掌心中是湧泉。然谷踝前大骨邊。太溪踝後跟骨上。照海踝下四分安。水泉谿下一寸覓。大鍾跟後踵筋間。復溜踝上前二寸。交信踝上二寸連。二穴止隔筋前後。太陰之後太陰前。築賓內踝上腨分。（五寸）陰谷膝下內輔邊。橫骨大赫並氣穴。四滿中注亦相連。五穴上行皆一寸。中行旁開五分邊。盲俞上行亦一寸。俱在臍旁半寸間。商曲石關陰都穴。通谷幽門五次纏。下上俱是一寸取。各開中行半寸前。步廊神封靈墟穴。神藏或中府俞安。上行寸六旁二寸。俞府璇璣二寸觀。

第五節　足少陰腎經穴摘要譯

（一）湧泉　欲療熱厥湧泉針。兼刺奔豚疝氣疼。
血淋氣痛殊難忍。男疾如蠱女如娠。

此穴爲足少陰脉之所出爲井木。足下熱喘滿。淳于意曰。此熱厥也。針足心立愈。『玉龍歌』傳尸勞病最難醫。湧泉出血免災危。『席弘賦』鳩尾獨治五般癇。

若下湧泉人不死。『又』小腸氣急痛連肘。莫瀉陰交莫再遲。良久湧泉針取氣。此中玄妙少人知。『百症賦』厥熱湧泉消。『又』行間湧泉。去消渴之腎竭。『通玄賦』胸結身黃。取湧泉而却可。『靈光賦』足掌下去尋湧泉。此法千金莫再傳。斯穴多治婦人疾。男蠱女孕兩病痊。「天星秘訣」如是小腸連臍痛。先刺陰陵後湧泉。『雜病穴法謌』勞宮能治五般癇。更刺湧泉疾若挑。『又』小兒驚風刺少商。人中涌泉瀉莫深。『肘後謌』頂心頭痛眼不開。涌泉下針足安泰。『又』傷寒痞氣結胸中。兩目昏黃汗不通。涌泉妙穴三分許。速使週身汗自通。

穴在足底下之中央。(五根)針三分。灸三壯。

(十二)然谷

　然谷主瀉腎臟熱。　欬血遺精喉痺疾。
　疝氣溫瘧月經差。　撮口臍風還洞泄。

此穴爲足少陰脉之所流爲滎火。主瀉腎臟之熱。「百症賦」臍風須然谷而易醒。『雜病穴法謌』脚若轉筋眼發花。然谷承山法自古。

穴在內踝前之高骨下。去公孫一寸。針三分。灸三壯。

(十三)太谿

　尋得太谿治消渴。　嘔吐房勞眠不得。
　婦人水鼓胸脅滿。　衄血吐血溺色赤。

此穴爲足少陰脉所之注爲俞土。『神農經』牙痛紅腫者瀉之。「又」陰股內濕癢生瘡便毒。先補而後瀉之。『又』腰脊痛大便難。手足寒。針太谿委中大鍾。「玉龍歌」腫紅腿足草鞋風。須把崑崙兩穴攻。申脉太溪如再刺。神醫妙訣起疲癃。「百症賦」寒瘧兮商陽太溪驗。『雜病穴法歌』兩足痠痲補太溪。僕參內庭盤跟楚。

穴在內踝後五分。針三分。灸三壯。

（四）照海　夜間發痙照海攻。　消渴咽乾便不通。

月事不調胞難下。　疝氣噤口并喉風。

『玉龍歌』大便秘結不能通。照海分明在足中。更把支溝來瀉動。方知妙穴有神功。『神農經』治月事不行。可灸七壯。「蘭江賦」噤口喉風針照海。『雜病穴法歌』胞衣照海內關尋。「百症賦」大敦照海。患寒疝而善蠲。「席弘賦」若是七疝小腹痛。照海陰交曲泉針。『通玄賦』四肢之懈惰。針照海以消除。

穴在內踝下斜前四分，側足取之。針三分。灸七壯。

（五）復溜　復溜血淋宜乎灸。　氣滯腰疼貴在針。

傷寒無汗尤當瀉。　六脉沉伏亦宜升。

此穴爲足少陰之脉。所行爲經金。「神農經」治盜汗不收。面色痿黃。灸七壯。「玉龍謌」傷寒無汗瀉復溜。「雜病穴法謌」水腫水分與復溜。『勝玉謌』脚氣復溜不須疑。「肘後謌」瘧疾寒多熱少取復溜。『又』傷寒四肢厥逆冷。復溜寸半順骨行。『又』自汗發黃復溜凴。『席弘賦』復溜氣滯便離腰。『又』復溜治腫如神醫。

穴在內踝上二寸後些。針三分。灸三壯。

（六）交信　交信能醫疝氣陵。五淋瀉痢腹痛頻。

女人漏血陰生挺。腰膝强疼亦可憑。

『百症賦』女子少氣漏血。不無交信合陽。『肘後歌』腰膝交信憑。

穴在復溜前五分。針四分。灸五壯。

（七）陰谷　陰谷舌縱涎流唇。腹脹煩滿膝難伸。

疝痛痺痿陰股痛。婦人漏下反鮮娠。

此穴爲足少陰脉之所入爲合水。『涌玄賦』陰谷治腹臍痛。「大乙歌」利小便。消水腫。陰谷水分與三里。『百症賦』中邪霍亂。尋陰谷三里之程。

穴在膝內。輔骨之下。針三分。灸三壯。

（八）大赫　曷尋大赫病遺精。女人赤帶赤能清。

陰痿下縮莖中痛。病屬虛勞總可輕。

穴在臍旁五分下四寸。針三分。灸三壯。

第九章　手厥陰心包絡經

第一節　手厥陰心包絡脉之分野。

心主手厥陰心包絡脉之分野。起於胸中。出屬心系。下膈歷絡三焦。其支者。從胸中出脅腋下三寸。上抵腋。下循臑內。行太陰少陰之間。入肘中。下臂行兩筋之間。入掌中。循中指出其端。其支者。別掌中。循小指次指出其端。

第二節　手厥陰心包絡脉謌

手厥陰心主起胸。屬包下膈三焦宮。支者循胸出脇下。脇下連腋三寸同。
仍上抵腋循臑內。太陰少陰兩筋中。指透中衝支者別。小指次指絡相通。

第三節　手厥陰心包絡經穴總謌

九穴心包手厥陰。天池天泉曲澤深。郄門間使內關對。大陵勞宮中冲侵。

第四節　手厥陰心包絡經穴分寸謌

心包穴起天池間。乳後旁一腋下三。天泉曲腋下二寸。曲澤肘內橫紋端。
郄門去腕方五寸。『二白掌後四寸般。筋間筋外各一穴。』間使腕後三寸安。
內關去腕上二寸。大陵掌後兩筋間。勞宮屈中名指取。中衝中指之末端。

第五節　手厥陰心包絡經穴摘要謌

（一）曲澤　病從曲澤可離身。嘔吐傷寒氣上升。
心痛善驚身煩熱。肘臂掣痛不能伸。

此穴爲心包絡脉之所入爲合水。『百症賦』少商曲澤。血虛口渴同施。
穴在肘內廉下之陷凹中。針三分。灸三壯。屈肘取之。

（二）間使　欲治脾寒間使宜。癲狂瘈瘲並堪醫。
九種心疼五種瘧。咽中如鯁心如飢。

此穴爲手厥陰心包脉之所行爲經金。『千金』乾嘔不止食卽吐不停。灸三十壯。四肢脉絕不至者。灸之便通。『神農經』脾寒寒熱往來。渾身瘡疥。灸七壯。『百症賦』天鼎間使。失音顳顬而休遲。『靈光賦』水溝間使治邪癲。『捷徑』熱病噦針間使。『肘後歌』狂言盜汗如見鬼。間使下針便惺惺。『又』瘧疾寒少熱多用間使。『勝玉歌』五瘧寒多熱更多。間使大杼眞妙穴。「雜病穴法謌」人中間使去癲妖。

穴在腕後三寸。針三分。灸三壯。

（三）內關　欲消氣塊內關攻。　肚疼脅痛悶心胸。
纏綿久瘧兼勞熱。　支滿肘掣及中風。

此穴爲心包絡之絡脈。別走少陽者。『神農經』心疼腹脹。腹內諸疾。灸七壯『玉龍歌』腹中氣塊痛難當。飛法宜向內關防。「雜病穴法歌」舌裂出血尋內關。太冲陰交走上部。『又』腹痛公孫內關爾。『又』一切內傷內關穴。痰火積塊退煩潮。「又」死胎陰交不可緩。胞衣照海內關尋。『席弘賦』肚疼須是公孫妙。內關相應必然消。「百症賦」建里內關。掃盡胸中之苦悶。『標幽賦』胸滿腹痛針內關。穴在間使下一寸。針五分。灸五壯。

（四）大陵　穴號大陵治目赤。　嘔血瘧來兼喘咳。
胸中疼痛瘡疥生。　附骨癰疽均可脫。

此穴爲心包脉之所注爲兪土。『神農經』治胸中疼痛。胸前瘡疥。灸三壯。「千金」吐血嘔逆。灸五十壯。『又』凡卒患腰腫附骨癰疽癧腫遊風熱毒。凡此等疾。初覺有異。卽灸五壯立愈。『玉龍歌』口臭之疾最可憎。大陵穴内人中瀉。』又』心胸之病大陵瀉。氣攻胸腹一般針。「玉勝歌」心熱口臭大陵驅。

穴在手腕横紋之中。兩骨之間。針三分。灸三壯

（五）勞宮

胸疼痰火刺勞宮。　小兒口瘡鵝掌風。
滿手生瘡兼黃疸。　大便小便血流紅。

此穴爲手厥陰心包脉之所流爲榮火。「千金」心中懊憹痛。針八五分補之。「玉龍謌」勞宮穴在掌中尋。滿手生瘡痛不禁。『雜病穴法謌』勞宮能治五般癇。更刺湧泉疾若挑。『靈光賦』勞宮醫得身勞倦。『百症賦』治疸消黃。諸後谿勞宮而看。「通玄賦」勞宮退胃翻心痛以何疑。

穴在掌中。屈拳中指無名指之間。針二分。灸三壯。

（六）中衝

中衝能治夜兒號。　頭疼如刺身如燒。
心中煩滿舌腫痛。　熱病中風俱易消。

此穴爲手厥陰心包脉之所出爲井木。『神農經』治小兒夜啼多哭。灸一壯。如麥炷。『百症賦』廉泉中衝。舌下腫疼可取。『乾坤生意』凡卒暴之疾。刺出血與諸井穴同。

穴在中指之端。針一分。灸一壯。

第十章　手少陽三焦經

第一節　手少陽三焦經脉之分野

三焦手少陽之脉。起於小指次指之端。上出兩指之間。循手表腕。出臂外兩骨之間。上貫肘。循臑外上肩。而交於足少陽之後。入缺盆。布膻中。散絡心包。下膈循屬三焦。其支者。從耳後入耳中。出走耳前。過客主人前。交頰至目銳眥。

第二節　手少陽三焦經脉歌

手經少陽三焦脉起自小指次指端。兩指歧骨手腕表。上出臂外兩骨間。肘後臑外肩上。少陽之後交別傳。下入缺盆膻中分。散絡心包膈裡穿。支者膻中缺盆上。上頸耳後耳角旋。屈下至頗仍注頰。一支出耳入耳前。卻從上關交曲頰。至目銳眥乃盡焉。

第三節　手少陽三焦經穴總歌

二十三穴手少陽。關衝腋門中渚旁。陽池外關支溝正。會宗三陽四瀆長。天井清冷淵消濼。臑會肩髎天髎堂。天牖翳風瘈脉青。顱息角孫絲竹張。和髎耳門聽有常。

第四節　手少陽三焦經分寸譜

無名指外端關冲。液門小次指陷中。中渚液上止一寸。陽池手表腕陷中。外關腕後方二寸。腕後三寸支溝容。支溝橫外取會宗。穴中一寸用心攻。腕後四寸三陽絡。四瀆肘前五寸着。天井肘外大骨後。骨罅中間一寸摸。肘後二寸淸冷淵。消濼對腋臂外落。（臑會下二寸）臑會肩前三寸量。肩髎臑上陷中央。天髎此必骨陷內上。天牖天容之後旁。翳風耳後尖角陷。瘈脈耳後雞足張。（在翳風上一寸）顱息亦在青絡上。角孫耳郭上中央。耳門耳缺前起肉。和髎耳後銳髮鄉。欲知絲竹穴何在。眉後陷中仔細量。

第五節　手少陽三焦經穴摘要謌

（一）關衝　無名指側關衝穴。三焦臂熱唇焦涸。

此穴爲手少陽三焦脉之所出爲井金。主三焦邪熱。口渴。唇焦。口氣。瀉此出血。『玉龍謌』三焦熱氣壅上焦。口苦舌乾豈易調。針此關冲出毒血。口生津腋症自消。『百症賦』啞門關冲。舌緩不語而要緊。『捷徑』治熱病煩心。滿悶出汗。掌中大熱如火。舌本痛口乾消渴。久熱不去。

穴在無名指端外側。去爪甲如韮葉。針一分。灸一壯。

（二）腋門　腋門可治喉腫艱。手臂紅腫出血靈。

目眩耳聾難得睡。刺入三分始可甯。

此穴爲手少陽脈之所流爲滎水。手臂紅腫。出血瀉之。「千金」耳聾不得眠。針

入三分補之。『玉龍歌』手臂紅腫連腕疼。腋門穴內用針明。『百症賦』喉痛兮腋門魚際可療

穴在小指無名指之間合縫處。針五分。灸三壯。握拳取之。

（三）中渚　中渚善治四肢麻。　戰悵蹺攣力不加。
肘臂連肩紅腫痛。　手臂生癰脊易瘥。

此穴爲手少陽脈之所注爲俞木　手臂紅腫。瀉之出血。「玉龍謌」手臂紅腫連腕疼。腋門穴內用針明。更將一穴名中渚。多瀉中間疾自輕。「席弘賦」久患傷寒肩背痛。但針中渚得其宜。「肘後歌」肩背諸疾中渚下。『勝玉歌』髀疼背痛中渚瀉。「雜病穴法歌」脊間心後稱中渚。「通玄賦」脊間心後痛。針中渚而立愈。「靈光賦」五指不伸取中渚

穴在無名指本節後卽手背第四五二撐之間。針三分。灸三壯。握拳取之。

（四）陽池　病名消渴取陽池。　煩悶口乾瘧有時。
兼治折傷手腕痛。　不能舉臂力難持。

此穴爲手少陽脈之所過爲原。

穴在腕後橫紋陷中。適當小指與無名指之間直下。針三分。灸三壯

（五）外關　外關主治臟腑熱。　指臂俱疼兼脅肋。
吐衄不止血妄行。　胸頭瘰癧成結核。

此穴爲手少陽脉絡。別走手厥陰者。『雜病穴法語』一切風寒暑濕邪。頭疼發。熱外關起。

（六） 支溝

穴在陽池後一寸兩筋間。針三分。灸三壯。

中惡心痛取支溝。　三焦相火盛難收。
大便不通脇肋痛。　產後血暈亦可瘳。

此穴爲手少陽脉之所行爲經火。三焦相火熾甚。及大便不通脅肋疼痛瀉之。『千金』治頭 漏馬刀。灸百壯。「雜病穴法歌」大便虛秘補支溝。瀉足三里效可擬。「勝玉語」筋疼秘結支溝穴。『肘後語』飛虎一穴通痞氣。『又』两足两手滿難伸。飛虎神灸七分到。

穴在腕後三寸两骨間陷中。針二分。灸七壯。

（七） 天井

瘰癧瘖疹天井開。　治愈驚悸及癲癇。
臂腕難運肘腫痛。　吐膿寒熱治還衆。

此穴爲手少陽三焦脉之所入爲合土。「勝玉語」瘰癧少海天井邊。
穴在肘上尖一寸陷凹處。針三分。灸三壯。

（八） 翳風

翳風善治耳聾病。　中風暴瘖口還噤。
牙車急痛頰腫兮。　項中瘰癧俱平定。

「百症賦」耳聾氣閉。全憑聽會翳風。耳紅腫痛瀉之。耳虛鳴補之。

（九）角孫

穴在耳根後。跟耳約五分之陷凹處。針三分。灸三壯。

目翳生成取耳孫。　齒齦腫痛緣火升。
唇吻燥裂頸項强。　此穴宜灸不宜針。

穴在耳亮上角之陷凹處。灸三壯。不宜針。

（十）耳門

牙痛傷寒針耳門。　耳中諸疾聽不聞。
停耳流膿生瘡疳。　此間手術有候功。

「席弘賦」急傷寒兩耳聾。耳門聽會疾如風。『百症賦』耳門絲竹空。住牙疼於頃刻『天星秘訣』。耳鳴腰痛先五會。次針耳門三里內

穴在耳前內峯下缺口外。針三分。灸三壯。

（十一）絲竹空

絲竹空中治頭風。　目痛難安腫又紅。
若從此穴針流血。　目眩頭疼盡可鬆。

『勝玉歌』目內紅腫若皺眉。絲竹攢竹亦可醫。『百症賦』耳門絲竹空治牙疼於頃刻。『通玄賦』絲竹療頭痛難忍。

穴在眉尾稍外端。針二分。禁灸。

第十一章　足少陽膽經。

第一節　足少陽膽經之分野

膽足少陽之脉。起於目銳眥。上抵頭角。下耳後循頭行手少陽之前。至肩上却

交出手少陽之後。入缺盆。其支者。從耳後。入耳中。出走耳前。至目銳眥後。其支者。別銳眥。下大迎。合於手少陽。抵於頔。下加頰車。下頸合缺盆。以下胸中。貫膈絡肝屬胆循脅裡。出氣街。繞毛際。橫入髀厭中。其直者。從缺盆下腋。循胸過季脅。下合髀厭中。以下循髀陽。出膝外廉。下外輔骨之前。直下抵絕骨之端。下出外踝之前。循足附上。入小趾次趾之間。其支者。別附上。入大趾之間。循大趾內歧骨出其端。還貫瓜甲出三毛。

第二節　足少陽胆經脈謌

足脈少陽胆之經。始從兩目銳眥生。抵頭循角下耳後。腦空風池次第行。手少陽前至肩上交少陽右上缺盆。支者耳後貫耳內。出走耳前銳眥循。一支銳交大迎下。合手少陽。抵頔根。下加頰車缺盆合。入胸貫膈絡肝經。屬胆仍從脇裡過。下入氣街毛際縈。橫入髀厭環跳內。直者缺盆下腋膺。過季脅下。髀厭內。出膝外廉是陽陵。外輔絕骨踝前過。足跗小趾次趾分。一支別從大趾去。三毛之際接肝經。

第三節　足少陽胆經穴總謌

少陽足經瞳手髎。四十五穴行迢迢。聽會上關頷厭集。懸顱懸厘曲鬢翹。率谷天衝浮白次。竅陰完骨本神邀。陽白臨泣目窗闢。正營承靈腦空搖。風池肩井淵腋輒筋相幷標。日月橫生京門穴。帶脈五樞肋下條。維道居髎相繼取。環跳之下風市招。中瀆陽關陽陵穴。陽交外邱光明胥。陽輔懸鍾丘墟外。臨泣地五俠谿滔。足竅陰在四趾梢。

第五節　足少陽胆經穴分寸歌

外眥五分瞳子髎。耳前陷中聽會繞。上關上行一寸是。內斜曲角頷厭照。後行顱中厘下廉。曲鬢耳前髮際看。入髮寸半率角穴。天冲耳後斜二探。浮白下行一寸間。竅陰穴在枕骨下。完骨耳後入髮際。量得四分須用記。本神神庭旁五寸。入髮五分耳上繫。陽白眉上一寸許。上行五分是臨泣。臨後寸半目窗穴。後行相去寸半同。風池耳後毛際陷。肩井肩上陷解中。大骨之前寸半取。淵腋腋下三寸逢。輒筋復前一寸行。日月乳下二肋縫。期門之下五分存。臍上五分旁九五。季肋俠脊是京門。季下寸八尋帶脈。帶下三寸五樞真。維道章下五三定。章下八三居髎名。環跳髀樞宛中陷。風市垂手中指尋。膝上五寸是中瀆。陽關陽陵上三寸。陽陵膝下一寸任。陽交外踝上七寸。外邱外踝七寸分。此係斜屬三陽絡。踝上五寸定光明。踝上四寸陽輔地。踝上三寸是懸鍾。邱墟踝下陷中立。邱下三寸臨泣存。臨下五分地五會。會下一寸俠谿呈，欲覓竅陰 。踪何處。小指次指外側尋。

第五節　足少陽膽經穴摘要歌

（一）聽會　聽會主治耳聾鳴。　兼刺迎香患更輕。

中風瘓瘲喎斜病。　牙車脫臼痛牙齦。

「玉龍歌」耳聾腮腫聽會針。「席弘賦」但患傷寒两耳聾。金門聽會疾如風。「勝玉歌」耳閉聽會莫遲延。

（二）臨泣

穴在耳珠前微前陷中。針三分。灸三壯。

臨泣堪療鼻不利。　驚癇反視自生瞙。

日晡發瘧脅下疼。　暴厥眵瞜流冷淚。

『百症賦』淚出刺臨泣頭維之處。

穴在目正中之直上入髮際五分。針三分。禁灸。

（三）風池

風池腦後陷凹間。　偏正頭風治不難。

頭項如拔痛難顧。　傴僂項急四肢癱。

「玉龍謌」凡患傴者。補風池。瀉絕骨。「勝玉歌」頭風頭痛灸風池。「席弘賦」風府風池尋得到。傷寒百病一時消。「通玄賦」頭暈目眩覓風池。「捷經」治温病煩滿汗不出

穴在腦空之後部。髮際陷凹處。針四分。灸三壯。

（四）肩井

肩井由來治仆傷。　肘臂不舉亦須防。

脚氣痠疼宜速灸。　墮胎厥冷刺尤良。

『席弘賦』若針肩井須三里。不刺之時氣未調。『一三言針肩井必針三里。『百症

賦』肩井乳癰而極效。『通玄賦』肩井治兩臂難任。『標幽賦』肩井曲池。甄權針。臂痛而復射。『天星秘訣』脚氣痠疼肩井先。次尋三里陽陵泉。

穴在肩上之凹窠正中。針四五分。灸三壯。孕婦禁針。

（五）帶脉

帶脉能愈一切疝。偏墜木腎均堪散。
婦人急痛小腹寒。經水不調赤白帶。

婦人小腹痛急瘛瘲。月經不調。赤白帶下。兩脇氣引背痛。

穴在臍旁八寸半。再上一寸三分。針六分。灸三壯。

（六）環跳

環跳專消風濕症。股膝筋攣腰痛甚。
委中刺血亦同功。經絡開通見愚証。

『玉龍歌』環跳能治腿股風。『天星秘訣』冷風濕痺針何處。先取環跳次陽陵。『百症賦』後谿環跳。腿疼刺而卽輕。『標幽賦』懸鍾環跳。華陀針臂足而能行。『席弘賦』冷風冷痺疾難愈。環跳腰俞針與燒。「勝玉謌」腿股轉痠難移步。妙穴說與後人知。環跳風市及陰市。瀉却金針病自除。「雜病穴法謌」腰痛環跳委中求。『又』腰連脚痛怎生醫。環跳風市與行間。『又』冷風濕痺針環跳。『又』脚連脅痛難當。環跳陽陵泉杵。『馬丹陽十二訣』折腰莫能顧。冷風幷濕痺。腿胯連脅腨痛。轉側重欷歔。若人針灸後。頃刻便消除。

穴在髀樞中。側臥伸下足。屈上足取之。針入一二寸。灸十數壯。

（七）風市　風市堪治腿中風。兩膝無力脚氣衝。

兼治渾身頻搔癢。艾火燒針皆就功。

『勝玉謌』腿股轉痠難移步。妙穴說與後人知。環跳風市及陰市。瀉却金針病自除。『雜病穴法謌』腰連脚痛怎生醫。環跳風市與行間。

穴在膝上外廉兩筋間。垂手中指盡處穴。針五分。灸五壯。

（八）陽陵泉　陽陵泉治偏風症。腰痠膝腫濕寒攻。

霍亂轉筋俱見效。冷風脚痛可調融。

此穴爲胆經脈之所入爲合土。『玉龍歌』膝盖紅腫鶴膝風。陽陵二穴亦堪攻。陰陵針透尤收效。紅腫漸消見異功。『席弘賦』最是陽陵泉一穴。膝間疼痛用針燒。『又』脚痛膝腫針三里。懸鍾二陵三陰交。『百症賦』半身不遂。陽陵遠達於曲池。『雜病穴法歌』脚痛只須陽陵泉。『又』脚連脅腋痛難當。環跳陽陵泉內杵。『又』冷風濕痺針環跳。陽陵三里燒針尾。『又』熱閉氣閉先長强。大敦陽陵堪調護。『通玄賦』脅下肋痛者。針陽陵而即止。『天星秘訣』冷風濕痺針何處。先取環跳次陽陵。『又』脚氣痠疼肩井先。次尋三里陽陵泉。『馬丹陽十二訣』膝腫幷麻木。冷痺及偏風。舉足不能起。坐臥似衰翁。針入六分止。神功妙不同。

穴在膝下外尖骨前之凹陷處。針六分。灸七壯。

（九）陽輔　兩膝痠疼陽輔尋。腰冷溶溶似水侵。

　　臚腫筋攣諸痿痺。　　偏風不遂灸功深。

此穴爲足少陽胆脈之所行爲經火。

穴在外踝上四寸。針三分。灸三壯。

（十）懸鍾　　胃熱不食刺懸鍾。　　腹脹肋痛脚氣逢。

　　　　　　脚脛須防環痺癢。　　足趾疼痛亦宜攻。

「玉龍歌」凡患傴者。補風池。瀉絕骨。「又」寒濕脚氣不可熬。先針三里及陰交。再將絕骨穴兼刺。腫痛頓時立見消「席弘賦」脚氣膝腫針三里。懸鍾二陵三陰交『標幽賦』環跳懸鍾。華陀針躄足而立行。『天星秘訣』足緩難行先絕骨。次尋條口及衝陽。『肘後謌』傷二三日寒則須補絕骨是。熱則絕骨瀉無憂。「勝玉歌」踝跟骨痛灸崑崙。更有絕骨共邱墟。「雜病穴法歌」兩足難移先懸鍾。條口後針能步履。

穴在外踝上三寸。針六分。灸五壯。

（十一）坵墟　　胸脅滿痛取坵墟。　　腿腰痠痛及髀樞。

　　　　　　足脛轉筋小腹硬。　　踹痛足腫亦能除。

此穴爲足少陽之原穴。『玉龍歌』脚背疼起坵墟穴。『靈光賦』髀樞疼痛瀉坵墟。『百症賦』轉筋兮。金門坵墟來醫。『勝玉謌』踝跟骨痛灸崑崙。更有絕骨共丘墟。

穴在外踝下。微前陷中。針五分。灸五壯。

（十二）足臨泣　頸漏腋下馬刀瘍。　幷連胸脅乳癰瘡。

婦人月水不調暢。　足臨泣穴有奇方。

此穴爲足少陽脈之所注爲俞木。『玉龍謌』小腹脹滿氣攻心。內庭二穴要先針。兩足有水臨之瀉。「雜病穴法謌」赤眼迎香血奇。臨泣太冲合谷侶。

穴在足小指次指之間本節後。去俠谿一寸六分。針三分。灸三壯。

（十三）俠谿　胸脇痛滿俠谿迫。　傷寒熱病汗難出。

頷腫口噤不能言。　耳痛且聾目還赤。

此穴爲足少陽脈之所流爲滎火。『百症賦』陽谷俠谿。頷腫口噤並治。

穴在足小指次指歧骨間。本節前陷中。針二分。灸三壯。

（十四）竅陰　治療脅痛竅陰僻。　煩熱欬逆不得息。

癰疽疼痛耳仍聾。　喉痺口强宛如結。

此穴爲足少陽之脈之所出爲井金。

穴在足次趾外側瓜甲角。針一分。灸三壯。

第十二章　足厥陰肝經

第一節　足厥陰肝經脉之分野

肝足厥陰之脉。起於大指叢毛之際。上循足跗上廉。去內踝一寸。上踝八寸。

交出太陰之後。上膕內廉循股陰。入毛中。過陰器。抵小腹。挾胃屬肝絡胆。上貫膈。布脇肋。循喉嚨之後。上入頏顙。連目系。上出額。與督脉會於巔。其支者。從目系下頰裡。環唇內。其支者。從肝別貫膈。上注肺。

第二節　足厥陰肝經脉詞

厥陰足脉肝所終。大指之端毛際叢。足附上廉太衝分。踝前一寸入中封。上踝交出太陰後。循膕內廉陰股衝。環繞陰器入小腹。挾胃屬肝絡胆逢。上貫膈裡布脅肋。挾喉頏顙目繫同。脉上巔會督脉出。支者還生目系中。下絡頰裡環唇內。支者便從膈肺通。

第三節　足厥陰肝經穴總詞

一十四穴足厥陰。大敦行間太冲侵。中封蠡溝中都近。膝關曲泉陰包臨。五里陰廉上急脈。章門常對期門深。

第四節　足厥陰肝經穴分寸詞

足大指端名大敦。行間大指縫中存。太衝本節後寸半。（原作二寸）踝前一寸號中封。蠡溝踝上五寸是。中都踝上七寸中。膝關犢鼻下二寸。曲泉曲膝盡橫紋。陰包膝上方四寸。氣衝三寸下五里。陰廉衝下有二寸。急脉陰旁二寸半。章門直臍季肋端。肘尖盡處側臥取。期門入在乳直下。四寸之間無差矣。『註』章門在臍上二寸。橫開六寸。期門在乳下一寸五分。橫開一寸五分為是。

第五節　足厥陰肝經穴摘要訣

（一）大敦　陰癧腫痛尋大敦。　腦衄傷風復血崩。
小兒急緩驚風病。　七疝五淋治亦能。

此穴爲足厥陰肝經所出爲井木。凡疝氣足腫腹脹者。皆宜灸之。以洩肝木之氣。以安脾胃。『玉龍訣』七般疝氣取大敦。『席弘賦』大便秘結大敦燒。『百症賦』大敦照海。患寒疝而善蠲。『通玄賦』大敦治七疝之偏墜。『雜病穴法歌』七疝大敦與太冲。『天星秘訣』小腸氣痛先長強。後刺大敦不用忙。『勝玉歌』灸罷大敦治疝氣。『又』熱閉氣閉先長強。大敦陽陵堪調護。

穴在足大趾外側爪甲角三毛際。針一分。灸三壯。

（二）行間　行間本治小兒驚。　婦人血蠱亦留停。
渾身腫脹單腹脹。　蓋施手術自然平。

此穴爲足厥陰肝脈所溜爲滎火。『百症賦』雀目肝氣。睛明行間而細推。『又』行間湧泉。治消渴之腎竭。『通玄賦』行間治膝腫目疾。『雜病穴法歌』脚膝諸痛羨行間。『勝玉歌』行間可治膝腫病。

穴在大指次指。合縫後五分。針三分。灸三壯。

（三）太衝　取得太衝治溏泄。　步履艱難腫股膝。
霍亂吐瀉小腹疼。　手足轉筋及遺溺。

此穴爲肝脈所注爲俞土。產後出汗不止。針太冲急補之。『席弘賦』手連肩尖痛難忍。合谷針時要太冲。『又』脚氣膝腫針三里。懸鍾二陵三陰交。更向太冲須引氣。指頭麻木自輕飄。『又』咽喉最急先百會。太冲照海及陰交。『標幽賦』心脹咽痛針太冲。針太冲而必除。『通玄賦』行步難移。太冲最奇。『勝玉歌』若人行步苦難艱。中封太冲針便痊。『肘後訣』股膝腫起瀉太冲。『雜病穴法訣』赤眼迎香出血奇。合谷太冲隨手取。『又』舌裂出血尋內關。太冲陰交走上部。『又』手指連肩相引疼。合谷太冲能救苦。『又』七疝大敦與太冲。『馬丹陽十二訣』動脈知生死。能醫驚癎風。咽喉并心脹。兩足不能行。七疝偏墜腫。眼目似雲濛。亦能療腰痛。針下有神功。

（四）中封　中封主治病遺精。陰縮便難及五淋。鼓脹癭氣隨年灸。寒疝痿厥及攣筋。

穴在行間後寸半。針三分。灸三壯。

此穴爲足厥陰肝脈所行爲經金。「勝玉訣」若人行步苦艱難。中封太冲針便痊。「玉龍訣」行步艱難疾轉加。太冲二穴效堪誇。更針三里中封穴。去病如同用手抓。

（五）曲泉　曲泉癀疝四肢强。風勞失精膝脛冷。

穴在內踝前一寸。陷凹處。針四分。灸三壯。

兼治女子血癥瘕。　少腹冷疼陰挺癢。

此穴爲足厥陰肝脉所入爲合水。『席弘賦』男子七疝小腹痛。照海陰交曲泉針。更不應時求氣海。關元同瀉效如神。『肘後歌』風痺痿厥如何治。大杼曲泉眞是妙。

穴在膝之內側。曲膝內股横紋頭。針七分。灸三壯。

第十三章　任脉

第一節　任經脉之分野

任脉者路於中極之下。以上毛際。循腹裡。上關元。至咽喉。上頤循面入目。

第二　任經脉歌

任脉起於中極下。會陰腹裡上關元。循內上行會衝脉。浮外循腹至咽端。別絡口唇承漿已。過足陽明上頤間。循面入目至睛明。交督陰脉海石傳。

第三節　任脉總訣

任脉二五起會陰。曲骨中極關元銳。石門氣海陰交仍。神闕水分下脘配。建里中上脘相連。巨闕鳩尾蔽骨下。中庭膻中募玉堂。紫宮華蓋璇璣夜。天突結喉上廉泉。承漿相接龈交舍。

第四節　任經穴分寸訣

任脉會陰兩陰間。曲骨毛際陷中安。中極臍下四寸取。關元臍不三寸連。臍下二寸石門是。臍下寸半氣海全。臍下一寸陰交穴。臍之中央即神闕。臍上一寸為水分。臍上二寸下脘列。臍上三寸名建里。臍上四寸中脘許。臍上五寸上脘在。巨闕臍上六寸步。鳩尾蔽骨下五分。中庭膻下寸六取。膻中卻在兩乳間。膻上寸六玉堂主。膻上紫宮三寸二。膻上四八華蓋舉。膻上璇璣六六寸。璣上一寸天突取。天突結喉下四寸。廉泉頷下結上已。承漿頤前下唇中。齦交齒下齦縫裡。

第五節　任經穴摘要譯

（一）中極　陽氣大虛取中極。無子失精腹結塊。小便赤澀五淋加。婦人虛冷惡露積。

穴在臍下四寸。針八分。灸三壯。

（二）關元　關元臍下三寸量。諸灸百損灸斯良。遺精淋濁疝瘕聚。經水不行亦有方。

「玉龍歌」傳尸癆病最難醫。湧泉出血免災危。「痰多須向豐隆瀉。氣喘丹田亦可施。「席弘賦」小便不禁關元妙。「又」若是七疝小腹痛。照海陰交曲泉針。關元同瀉效如神。「百症賦」無子　陰交石關之鄉。「玉龍謌」腎氣冲心瀉幾時。若瀉關元兼帶脈。「又」腎弱疝氣發甚頻。氣上攻心似死人。關元兼刺大敦穴。

穴在臍下三寸。針一寸。灸三壯。

（三）氣海　氣海總治諸般氣。　陽虛不足灸尤利。

七疝奔　臍下寒。　傷寒卵縮功非細。

「席弘賦」氣海專能治五淋。更針三里隨呼吸。「百症賦」針三陰於氣海。專司白濁從遺精。「靈光賦」氣海血海療五淋。「勝玉謌」諸般氣症從何治。氣海針之灸亦宜。

穴在臍下一寸半。針一寸。灸三五壯。

（四）神闕　神闕宜灸不宜刺。　堪治中風不省事。

虛瀉虛脹兒脫肛。　納鹽臍中灸百壯。

穴在臍中可灸不可針。納鹽臍中灸之。須百壯以上。

（五）水分　水分臍上一寸量。　善治腹堅浮腫膨。

水氣不消腸鳴瀉。　亦不宜針灸乃良。

「玉龍謌」水病之疾最難熬。腹滿虛脹不肯消。先灸水分并水道。後針三里及陰交。「百症賦」陰陵水分。治水腫之臍盈。「天星秘訣」肚腹浮腫脹膨膨。先灸水分瀉建里。「靈光賦」水腫水分瀉卽安。

穴在臍上一寸，宜灸不宜針。

（六）上中脘　上脘奔豚與伏梁。　中脘主治脾胃傷。

兼療脾痛瘧痿暈。　痞滿翻胃盡安康。

『玉龍謌』九種心痛及脾疼。上脘穴內用神針。若還脾敗中脘補。「又」脾家之症有多般。致成翻胃吐食難。黃疸亦須尋腕骨。金針必定奪中脘。「肘後謌」中脘回還胃氣通。「雜病穴法歌」霍亂中脘可入深。「靈光賦」中脘下脘治腹堅。『百症賦』發狂奔走。上脘同契於神門。『勝玉歌』心疼脾痛上脘先。[illegible]上脘臍上五寸。中脘臍上四寸。針一寸餘。灸五壯。

（七）巨闕

巨闕九種病心疼。痰飲吐水氣息賁。
霍亂腹脹黃疸病。須經此穴灸而針。

『百症賦』膈痛飲蓄難禁。膻中巨闕便針。

穴在臍上六寸。針六分。灸七壯。

（八）膻中

膈痛飲蓄灸膻中。嘔吐膿血成肺癰。
咳嗽哮喘氣癭病。艾燃七壯自成功。

「百症賦」膈痛飲蓄難禁。膻中巨闕便針。『勝玉謌』膻中七壯除膈熱

穴在二乳中間。針宜斜肉下。灸七壯。

（九）承漿

承漿主治兒緊唇。半身不遂偏風生。
女子瘕聚男七疝。牙疳消渴灸功深。

『百症賦』承漿瀉牙疼而即移。

穴在下唇之下溝中，開口取之。針三分。灸七壯。

第十四章　督脉

第一節　督脈經之分野

督脈者起於少腹。以下骨中央。女子入繫廷孔。其孔溺孔之端也。其絡循陰器。合簒間。繞簒後。別繞臀至少陰。與巨陽中絡者合少陰。上股內後廉。貫脊屬腎。與太陽起於目內眥。上額交巔。上入絡腦。還出別下項。循肩髆內俠脊抵腰中。入循膂絡腎。其男子循莖下至簒。與女子等。其少腹直上者。貫臍中央。上貫心入喉。上頤環唇。上繫兩目之下中央。

第二節　督脈經歌

督脉少腹骨中央。女子入繫溺孔疆。男子之絡循陰器。循簒之後別臀方。至少陰者循腹裡。會任直上關元行。屬腎會衝行腹氣。入喉上頤環唇當。上繫兩目中央下。始合兩眥屬太陽。上額交巔入絡腦。還出下項肩髆場。俠脊抵腰入循膂。絡腎莖簒等同鄉。此是申明督脈路。總爲陽脉之督綱。

第三節　督脉經穴總訣

督脉中行廿八穴。長强腰俞陽關密。命門懸樞接脊中。中樞筋縮至陽逸。靈台神道身柱長。陶道大椎並肩的。啞門風府腦戶深。强間後頂百會率。前頂顖會上星圓。神庭素髎水溝窟。兌端開口唇中央。齦交唇內任督畢。

第四節　督脉經穴分寸歌

尾閭骨端是長强。二十一椎腰俞當。十六陽關十四命。十三懸樞脊中央。十椎中樞筋縮九。七椎之下乃至陽。六靈五神三身柱。陶道一椎之下鄉。一椎之上大椎穴。上至髮際瘂門行。風府一寸宛中取。腦戶二五枕之方。再上四寸强間位。五寸五分後頂强。七寸百會頂中取。耳尖直上髮中央。前頂前行八寸半。前行一尺顖會量。一尺一寸上星位。入髮五分神庭當。鼻端準頭素髎穴。水溝鼻下人中藏。兌端唇上端上取。齦交齒上齦縫鄉。

第五節　督脈經穴摘要歌

（一）長强　長强專去痔腸風。小兒脫肛痢尤凶。

腰脊强急難俯仰。小腸氣痛即堪攻。

「玉龍謌」長强承山。灸治最良。「席弘賦」大杼若連長强尋。小腸氣痛即行針。「又」小兒脫肛患多時。先灸百會及鳩尾。「百症賦」針長强於承山。善主腸風新下血。「又」脫肛趨百會尾翳之所。「靈光賦」百會龜尾治痢疾。「天星秘訣」小腸氣痛先長强。後針大敦不用忙。

穴地尾閭骨端。針二分。伏地取之。灸二三壯。

（二）腰俞　腰俞治痛腰脊間。冷痺强急動作艱。

腰下至足不仁冷。月經溺赤并能痊。

「百症賦」冷風冷痺疾難愈。環跳腰間針與燒。

穴在尾閭骨之上部。廿二椎之下。針三分。灸三壯。

（三）命門　十四椎下命門定。　腎虛腰痛防其肆。
　　兼療脫肛痔腸風。　弱冠灸之恐乏嗣。

「標幽賦」取肝俞於命門。能使瞽士視秋毫之末。痔漏下血。脫肛不食。洩痢血崩。帶下淋濁。皆宜灸之。

穴在十四椎下。針二分。灸三壯。至數十壯。

（四）至陽　腰脊強痛胃中寒。　胸脇支滿脛骨瘦。
　　痞滿喘促身黃疸。　取得至陽身便安。

「百症賦」黃疸至陽便能離。「玉龍謌」至陽却疸善治神癲。「又云」灸三壯喘氣立已。

穴在第七椎下。針三分。灸三壯。

（五）神道　最患傷寒更頭痛。　風痛常發成悲愁。
　　痎瘧頻來身寒熱。　須由神道乃能瘳。

「百症賦」風癇常發。神道還須心俞寧。

穴在第五椎下。不宜針。灸五壯。

（六）身柱　癲癇奔走取身柱。　咳嗽痰喘均能治。
　　身熱瘈瘲多妄言。　肺勞腰痛何難去。

「玉龍謌」身柱蠲嗽能治脊痛。　衂血脊强致反折。
穴在第三下。針三分。灸三壯。

（七）啞門　啞門髮際五分測。　頭項疼痛語難出。
中風尸厥陽熱張。
「百症賦」啞門關冲。舌緩不語而要緊。
穴在髮際五分。針一分。不宜深。亦不宜灸。

（八）風府　傷寒百病尋風府。　腦後髮中一寸許。
頸項强急瘛瘲急。　中風若緩不能治。
「席弘賦」風府風池尋得到。傷寒百病一時消。「通玄賦」風傷項急求風府。
穴在入髮際一寸。針二三分。禁灸。

（九）百會　百會專醫神恍惚。　鼻衂耳聾兼鼻塞。
中風偏風及癲癇。　兒病驚風肛久脫。
「靈光賦」百會尻尾治痢疾。「席弘賦」小兒脫肛患多時。先灸百會尻尾。「又」咽喉最急先百會。照海太冲及陰交。「玉龍歌」中風不語最難醫。髮鬢項門穴要知。更向百會明補瀉。
穴在頭頂。耳尖直上正中。針二分。灸五壯。

（十）上星　上星通天主鼻淵。　瘜肉鼻寒兩能揭。

兼治頭風諸目疾。　三稜針入即安康。

『勝玉歌』頭風目痛上星專。「玉龍歌」頭風鼻淵上星可。

穴在入前髮際一寸。針三分。禁灸。

（十一）水溝

水溝中風禁齒牙。　中惡癲癇口眼斜。
刺治風水頭面腫。　灸治兒驚亦不差。

『玉龍歌』人中委中。治腰脊痛。閃之難制。『又』大陵人中頻瀉。口氣全除。『百症賦』面腫虛浮。須水溝前頂。『靈光賦』水溝間使治邪癲。

穴在鼻下溝之正中。針三分。

運針補瀉之手術

前賢云。隨而濟之爲補。迎而奪之爲之瀉。又曰三進一退爲補。三退一進爲瀉。又曰提則爲瀉。插則爲補。夫隨而濟之。迎而奪之。進插提退。實爲不易之要法。今將十二經補瀉手法。分別說明之。手陽明大腸經。手少陽三焦經。手太陽小腸經。俱自首而至頭。足太陰脾經。足厥陰肝經。足少陰腎經。俱自足而至腹。斯六經者。皆自下而至上。如針此六經之左邊一面。而行補法。針刺穴內相當之分寸。微停。凝神集意。專注於針。以右手拇食二指。持針柄。捻動。轉向右邊。大指向後。食指向前。如針右邊一面。而用補法。則針轉向左邊。大指向前。食指向後。是爲手三陽足三陰之補法。如針左邊而行瀉法。則針觶向左邊，大指向前。食指向後。如針右邊而行瀉法。則針轉向右邊大指向後食指向前。是爲手三陽足三陰之瀉法。手太陰肺經。手少陰心經。手厥陰心包絡經。俱自胸至乎。足陽明胃經，足太陽膀胱經。足少陽胆經。俱自頭而至足。斯六經者。皆自上而至下。若針此六經之右邊一面而行補法。則針向右邊轉。大指向後。食指向前。若針左邊而行補法。則針向左邊轉。大指向前。食指向後。此爲足三陽手三陰之補法。若針瀉左邊。則針捻向右轉。大指向後。食指向前。如針瀉右邊。則針轉左向，大指向前。食指向後。此爲足三陽手三陰之瀉法。任督二經。俱屬中行。補法悉向左轉。大指向前。食指向後。瀉法悉皆右轉。大指向後。食指向前。毋分背陽腹陰。而異其法。十二經之補瀉捻法既如上述。而於進插提退，出針諸法。亦須明焉。凡屬補針。當捻動時。微深進分許。出針時。漸出針而疾按其孔。凡屬瀉針當捻動時。微向上提分許出針時。疾出針而不按其孔。凡屬運針補瀉。不可不知者也。

〔註〕漸者緩緩之義孔者。針刺之孔也。

刺時須注意之項。乘車來者臥而和之。步行者坐而息之。大驚恐必定其氣而後刺之。形容已脫謂之一奪。乃脫血後謂之二奪。大汗後謂之三奪。大泄之後謂之四奪。新產及大血後爲五奪。以上五奪勿亂灸刺。大怒，醉，飢，飽，勞，渴，新內等宜慎之。病起暴猝(急性病)屬於三陽經病宜針不宜灸。屬於三陰經病宜刺而灸之。久病纏綿（慢性病）屬於三陽經病。宜刺灸並施。再用收筒。屬於三陰經症。宜多灸小刺。暴痛宜刺灸。緩痛宜刺灸。痠痛宜刺而灸之。痠痲宜灸。三陽暴病宜粗針刺之。三陽病是暴病表痛實熱等。三陰病是虛寒疝裏痛泄瀉等。泄法針稍粗。速進速退。使刺口開而補法針宜細緩進緩退。暈針使聞亞毛尼亞。

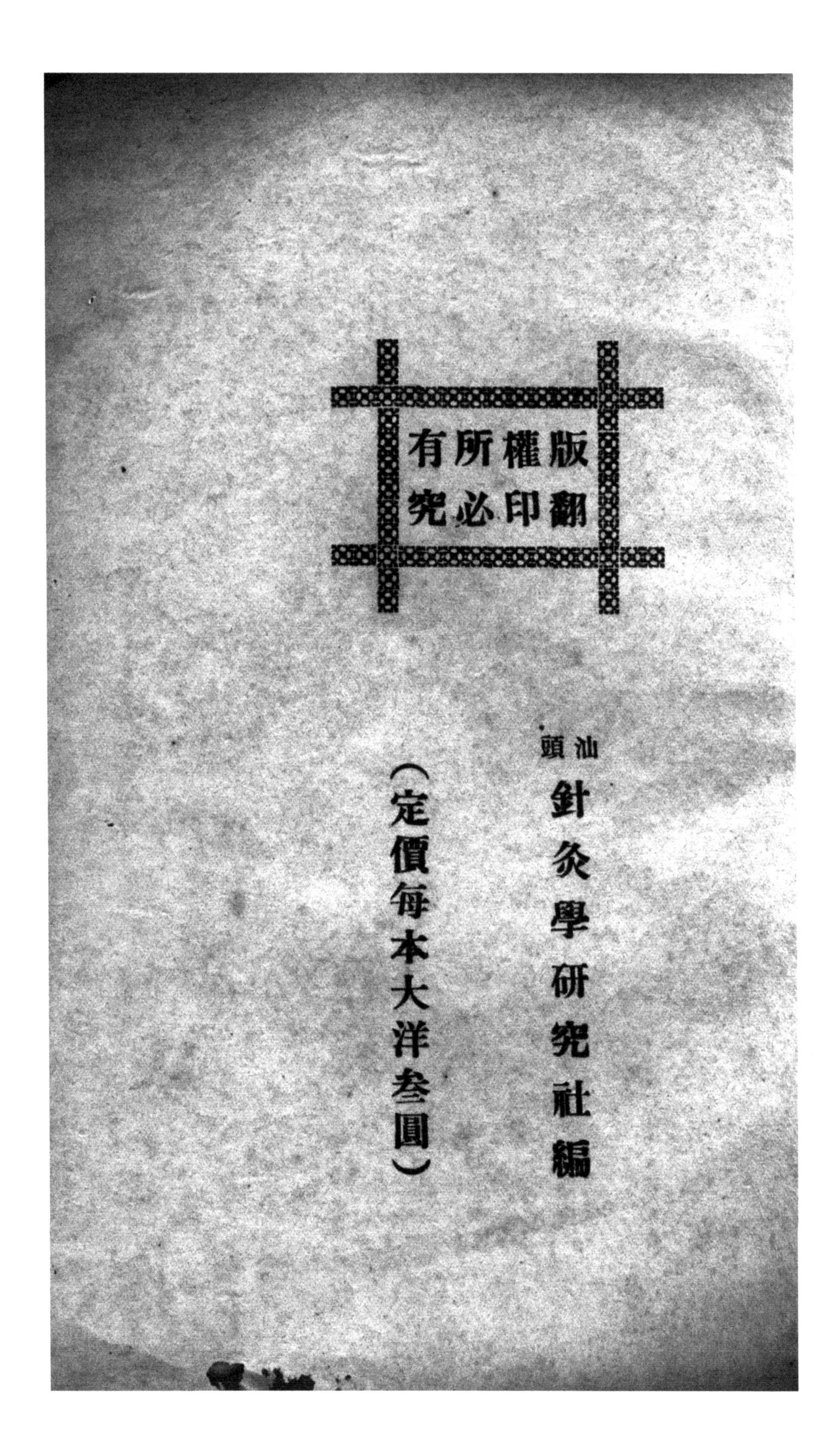

汕頭針灸學研究社編

（定價每本大洋叁圓）